L'ACACIA

DU MÊME AUTEUR

LE TRICHEUR, roman, 1945, *épuisé.*
LA CORDE RAIDE, 1947, *épuisé.*
LE VENT, TENTATIVE DE RESTITUTION D'UN RETABLE
  BAROQUE, roman, 1957.
L'HERBE, roman, 1958.
LA ROUTE DES FLANDRES, roman, 1960.
LE PALACE, roman, 1962.
HISTOIRE, roman, 1967.
LA BATAILLE DE PHARSALE, roman, 1969.
LES CORPS CONDUCTEURS, roman, 1971.
TRIPTYQUE, roman, 1973.
LEÇON DE CHOSES, roman, 1975.
LES GÉORGIQUES, roman, 1981.
LA CHEVELURE DE BÉRÉNICE, 1984.
DISCOURS DE STOCKHOLM, 1986.
L'INVITATION, 1987.

Aux Éditions Maeght :

FEMMES (sur vingt-trois peintures de Joan Miró)
tirage limité, 1966, *épuisé.*

Aux Éditions Skira :

ORION AVEUGLE (avec dix-neuf illustrations)
« Les sentiers de la création », 1970, *épuisé.*

Aux Éditions Rommerskirchen :

ALBUM D'UN AMATEUR, 1988, *tirage limité.*

CLAUDE SIMON

L'ACACIA

LES ÉDITIONS DE MINUIT

L'ÉDITION ORIGINALE DE CET OUVRAGE A ÉTÉ TIRÉE A QUATRE-VINGT-DIX-NEUF EXEMPLAIRES SUR VÉLIN CHIFFON DE LANA, NUMEROTÉS DE 1 A 99 PLUS DIX EXEMPLAIRES HORS COMMERCE NUMÉROTÉS DE H.-C I. A H.-C. X

© 1989 by LES ÉDITIONS DE MINUIT
7, rue Bernard-Palissy, 75006 Paris

ISBN 2-7073-1296-7

Time present and time past
Are both perhaps present in time future,
And time future contained in time past.

T.S. Eliot *(Four Quartets)*

I

1919

Elles allaient d'un village à l'autre, et dans chacun (ou du moins ce qu'il en restait) d'une maison à l'autre, parfois une ferme en plein champ qu'on leur indiquait, qu'elles gagnaient en se tordant les pieds dans les mauvais chemins, leurs chaussures de ville souillées d'une boue jaune que l'une des deux sœurs parfois essuyait maladroitement à l'aide d'une touffe d'herbe, tenant de l'autre main son gant noir, penchée comme une servante, parlant d'une voix grondeuse à la veuve qui posait avec impatience son pied sur une pierre ou une borne, la laissant faire tandis qu'elle continuait à scruter avidement des yeux le paysage, les prés détrempés, les champs que depuis cinq ans aucune charrue n'avait retournés, les bois où subsistait ici et là une tache de vert, parfois un arbre seul, parfois seulement une branche sur laquelle avaient repoussé quelques rameaux crevant l'écorce déchiquetée.

On finit par les connaître, s'y habituer. Lorsqu'elles le pouvaient, elles louaient un taxi dans lequel elles s'entassaient toutes les trois avec l'enfant et dont le chauffeur

11

les volait avec cette impitoyable rapacité des pauvres à l'égard des pauvres (non qu'elles le fussent — du moins la veuve — puisqu'elles étaient assez riches pour voyager dans ce pays où, à l'époque, la moindre chambre d'hôtel — quand il y avait un hôtel — coûtait le prix d'une chambre de palace ; ce n'était pas ce genre de pauvreté qu'il (le chauffeur) devinait, mais l'autre : celle du malheur), indifférent aux timides chuchotements des deux sœurs tandis que la veuve le payait, comptait l'un après l'autre les billets crasseux, d'une matière pelucheuse (comme si eux-mêmes étaient atteints, contaminés par cette espèce de lèpre qui semblait avoir lentement rongé la région tout entière, habitants et sol, ne laissant debout que des sortes de moignons, des chicots de maisons, des murs étayés parfois par des poutres arrachées à d'autres décombres, servant d'appuis à des toits de tôle ondulée ou simplement de papier goudronné, comme des pansements), le visage absent ou plutôt fantomatique derrière le voile de crêpe noir qu'elle relevait, le rejetant par-dessus son épaule, exposant à nu ses chairs effondrées, un peu grasses, lorsqu'elles s'arrêtaient pour manger dans quelque estaminet ou plutôt quelque cantine, un de ces baraquements américains plantés ou plutôt posés sur la boue au carrefour de ce qui avait été autrefois des routes, maintenant crevées de fondrières dans lesquelles se dandinaient et rebondissaient sauvagement les camions où parfois le chauffeur leur permettait de monter, les deux sœurs debout sur le plateau, renvoyées d'un côté à l'autre, se cramponnant aux ridelles, la femme et l'enfant dans la cabine, le chauffeur (c'était un jeune appelé qui attendait sa démobilisation) manœuvrant habilement pour éviter les nids de poule tandis qu'il observait avec curiosité du coin de l'œil le profil obscur de la femme en deuil se découpant sous le crêpe transparent, à la fois impérieux et outragé, empreint de cette orgueilleuse et inflexible détermination qu'on peut voir sur les médailles aux vieilles impératrices ou, simplement, aux folles.

C'était une femme encore jeune, au-dessous de la quarantaine, à la silhouette épaisse dans ses vêtements dont le choix (les souliers noirs, les bas noirs, le manteau noir, la toque noire bordée d'un mince liseré d'où pendait le crêpe) avait en dépit de sa modestie — ou peut-être en raison même de son austérité que démentait la qualité du tissu, de la coupe, des accessoires — quelque chose d'ostentatoire, de théâtral, comme ces tenues conçues à l'usage de ces religieuses relevant de quelque ordre mondain et laïque que l'on peut rencontrer dans les salons ou les cérémonies officielles, mêlées ou commandant à des groupes d'infirmières, ne laissant apparaître, étroitement enchâssé de voiles comme ces masques de gisantes sculptés dans la pierre, que l'ovale de visages à la fois affables, sévères, cireux et absents. Elles couchèrent un soir dans le dortoir d'un couvent (ou d'un collège de filles) où les lits étaient séparés par des rideaux de toile blanche pendant à des tringles. Elles couchèrent une fois dans un café dont le patron leur demanda le prix de trois chambres (il dit qu'il ne compterait pas l'enfant), les deux femmes étendues sur des banquettes ou des chaises, la veuve et le garçon sur le billard, à même le drap vert, la veuve retirant seulement son chapeau, pliant le voile qu'elle posa en coussin sur son sac dont elle avait fait un oreiller au garçon qui s'endormit au contact rugueux et rêche du crêpe, pouvant sentir son odeur, comme rêche elle aussi, et le pesant corps de pierre étendu le long du sien. La salle de billard n'était séparée du troquet que par une cloison de bois surmontée de panneaux de verre dépoli par-dessus lesquels jusque tard dans la nuit arrivait un bruit de verres entrechoqués et de voix avinées. A un moment quelqu'un poussa l'un des battants de la porte à ressorts et un pinceau de lumière jaune en jaillit, s'immobilisa un instant, puis, en même temps qu'une voix bredouillait quelque chose, disparut, laissant persister sur la rétine de l'enfant réveillé en sursaut l'image du profil bourbonien et gras, sans tressaillement, calme, effrayant, les yeux ouverts sur le vide, les ténèbres. Tard dans la nuit (les lumières étaient alors éteintes et les buveurs partis), elle se défit avec précautions de son manteau, qu'elle étendit sur l'enfant. Elles couchèrent dans un hôtel où les couloirs étaient fermés à l'une de leurs extrémités par des cloisons de briques hâtivement maçonnées et dont les joints au plâtre débordaient en boursouflures. De l'extérieur, on pouvait voir l'aile écroulée du bâtiment, avec des papiers peints de différentes couleurs, jaune, rose ou bleu pâle, parsemés de fleurettes ou de guirlandes et suspendus dans le vide au-dessus du cône d'éboulis qui obstruait à demi le lit d'une rivière à l'eau grise, presque stagnante, dont la surface semblable à une plaque d'étain terni dérivait silencieusement entre les décombres, laissant voir dans une trouble transparence lorsqu'un rare rayon de soleil la traversait des myriades de poussières en suspension dérivant aussi avec lenteur, comme si depuis

14

sa source, tout le long de son cours et de ses méandres, elle drainait les retombées de quelque pluie de cendres, de quelque cataclysme définitif, total, condamnée à laver sans espoir de fin ces terres vouées à l'infertilité et ces gravats parmi lesquels les deux femmes et l'enfant suivaient l'implacable errance de celle qui les traînait derrière elle.

Elle ne se plaignait pas, ne récriminait pas. On aurait dit qu'elle accueillait l'inconfort, les charrettes, les camions, les chauffeurs de taxi qui la volaient, les plats graillonneux, les lieux d'aisance malpropres et les bols d'âcre café avec une sorte de tragique satisfaction. Elle était la première levée le matin, déjà prête au point du jour, tout habillée, comme si, même les nuits où elle avait pu dormir dans un lit, elle ne s'était pas dévêtue, impatiente (non qu'elle ne mangeât pas, mais, soit qu'elle eût hâte de se remettre en route, soit que ce fût là son habitude, elle le faisait avec rapidité : quelque chose de sauvage, comme une voracité, une fureur, une gloutonnerie aurait-on pu dire si, comme la façon dont elle s'habillait ou dont elle se tenait, celle dont elle faisait disparaître ce qui se trouvait dans son assiette n'avait aussi ce caractère de rigueur et de hautaine sévérité qui se dégageait d'elle : simplement, d'un moment à l'autre, l'assiette (ou la tasse) était vide, la serviette à laquelle elle semblait n'avoir pas touché déjà repliée, sa main rassemblant en un tas minuscule les quelques miettes éparses ici et là, le visage impassible), attendant en silence les deux autres femmes (les deux sœurs) qui se dépêchaient de tremper des tranches de pain rassis dans leurs bols.

Comme si elles lui avaient tenu lieu de servantes ou,

15

au mieux, de dames de compagnie, embrassant pourtant chacune d'elles quand elles se retrouvaient le matin ou se séparaient le soir, leur parlant avec cette douceur et cette patience légèrement contrariée, comme on le fait avec des personnes de condition inférieure, des parents pauvres, des vieillards ou des enfants, quoiqu'elles fussent visiblement plus âgées qu'elle, différant d'elle non seulement par leurs visages carrés, leurs mains carrées aussi — et même crevassées — mais encore par leurs vêtements qui, quoique aussi de couleur sombre, n'avaient ni cette théâtrale et ténébreuse uniformité, ni l'aspect de robes ou de manteaux coupés sur mesure par une couturière, mais taillés d'après un patron sur une table recouverte de toile cirée, faufilés et essayés sur elles-mêmes, et enfin tant bien que mal bâtis, trop étroits ou trop grands, ornés de cols ou de parements de fourrures usagées.

Les gens qu'elle questionnait (les cafetiers, les religieuses du couvent, les paysannes qui leur faisaient des omelettes dans une graisse rance) crurent comprendre qu'elles étaient belles-sœurs. Tout en crayonnant le prix des omelettes sur la feuille de mauvais papier arrachée à quelque calepin, ils s'efforçaient d'évaluer les feux du diamant apparu lorsque la veuve avait retiré ses gants, marmonnaient quelque chose, disparaissaient dans la cuisine et revenaient avec l'addition rectifiée. En fait, elle ne formulait pas elle-même les questions, usant des deux femmes mal habillées comme des sortes d'interprètes, comme si elle-même n'avait pas parlé la même langue ou comme si quelque rite lui interdisait de s'adresser directement à des inconnus, se tournant vers ses deux compagnes, leur dictant la question qu'elles devaient poser,

16

attendant qu'elles la répètent, écoutant les explications, le gras visage bourbonien toujours impassible derrière la trame du crêpe, les yeux seuls (des yeux un peu globuleux, fixes, noirs aussi, presque durs, un peu comme ceux d'un oiseau, ou même d'un rapace) brillant dans l'ombre du voile avec une espèce d'ardeur desséchée, d'éclat charbonneux, de fièvre.

Parfois, laissant les deux autres poursuivre la conversation, elle ouvrait son sac, fouillait à l'intérieur, en extirpait un mince paquet de lettres et de cartes postales qu'elle passait pour la centième fois en revue, retenant l'une ou l'autre, la relisant avec attention, disant alors quelques mots à la plus proche des deux femmes et se taisant en attendant qu'elle les répète. Il y avait deux lettres de petit format avec des en-têtes et des tampons officiels, couvertes de quelques lignes d'une fine écriture, comme officielle elle aussi, laconique, comme des ordres ou des communiqués militaires, et trois ou quatre de ces cartes postales que les amoureux ou les maris des domestiques ont coutume d'envoyer. Une fois elle laissa tomber l'une d'elles que le garçon ramassa. Elle représentait en sépia sur un fond marron un canon de 75 en position de tir auprès duquel se trouvait un soldat coiffé d'un képi, une bande rouge courant le long de sa culotte, un genou à terre, une main en visière, l'autre tendue, l'index en avant, dans la direction où le canon était lui-même pointé. Dans le coin gauche et un peu en arrière du canon, apparaissait dans un halo clair le visage souriant d'une femme blonde au-dessus d'un bouquet de roses. Calligraphiés en grandes lettres blanches dans la partie supérieure de la carte, on pouvait lire les mots

17

ON LES AURA suivis d'un point d'exclamation. Au verso, dans la partie réservée à la correspondance, ondulait ou plutôt trébuchait une de ces écritures maladroites et appliquées, comme enfantine, chaotique, dont les lettres tracées au crayon et à demi effacées se bousculaient en désordre, la femme reprenant la carte au garçon, les sourcils froncés maintenant, penchée avec attention sur les boucles et les jambages péniblement formés, relevant à la fin la tête, tapotant la carte de l'index, disant quelque chose comme : « Cet homme parlait d'un bois de Jaulnay. Mais ça peut être Gaulnay. Ou Goulnoy. Demandez-leur s'ils savent où... », puis déjà debout, ajustant déjà sur sa tête la toque noire, arrangeant son voile, le paquet de lettres de nouveau dans le sac refermé, disant : « Allons », disant : « Demandez-leur si c'est loin. Demandez-leur si on peut trouver une voiture. Demandez-leur s'ils connaissent quelqu'un qui a une auto ou une carriole. Nous laisserons nos bagages ici. Dites-leur... ». Parfois (c'est-à-dire pendant les trois jours qu'elles passèrent dans l'hôtel dont il ne restait plus d'une partie des chambres que des rectangles de papier aux couleurs suaves adhérant encore à la falaise qui dominait le cône d'éboulis)... parfois elle partait seule avec l'une des deux sœurs, s'absentait pour la journée, laissant le garçon à la garde de la plus jeune (ou plutôt de la moins vieille — quoiqu'en fait elle ne le fût pas tellement, en dépit de son visage raviné qui semblait comme un burlesque et cruel démenti à son nom de déesse, comme le visage d'homme à la forte mâchoire et aux yeux chassieux de sa sœur semblait aussi un facétieux démenti au nom d'impératrice ou de fastueuse

18

courtisane qu'elle portait), et celle-ci l'amenait l'après-midi du côté d'une ancienne porte fortifiée de la ville au monumental appareil de pierre ébréché par endroits et au-delà de laquelle s'étendait quelque chose qui ressemblait vaguement à une promenade, avec des arbres encore pourvus de feuilles, un minuscule manège pour enfants et une baraque dont l'étalage en plein vent proposait des vases fabriqués à l'aide de douilles d'obus, des cartes postales, des moulins à vent roses et jaunes en celluloïd et de mauvaises sucreries enveloppées de papier paraffiné. De retour à l'hôtel, la femme essayait de le faire lire dans un album illustré d'animaux de ferme, puis renonçait, se mettait alors à lui raconter la suite d'une histoire qui semblait ne pas avoir de fin, à laquelle, inlassablement, son visage fatigué empreint d'une passive désolation, elle ajoutait chaque jour de nouveaux épisodes.

Quoiqu'on fût seulement à la fin de l'été, il pleuvait beaucoup. Il pleuvait sur les pans de murs des maisons éventrées dont les papiers aux couleurs pastel se décollaient peu à peu, il pleuvait sur la surface unie, grise et lente de la rivière où les gouttes faisaient éclore de petits ronds argentés, il pleuvait sur le paysage grisâtre, le cercle des collines sous lesquelles achevaient de pourrir les corps déchiquetés de trois cent mille soldats, sur les champs grisâtres, les maisons grisâtres — ou plutôt ce qu'il en restait, c'est-à-dire comme si tout, collines, champs, bois, villages, avait été défoncé ou plutôt écorché par quelque herse gigantesque et cahotante, aux dents tantôt écartées, tantôt rapprochées, ne laissant subsister derrière elle rien d'autre que quelques pans de murs et quelques troncs d'arbres mutilés, tantôt une maison ou un groupe de maisons (ou un arbre, ou un groupe d'arbres) intacts, insolites, autour (ou à partir) desquels semblait sourdre au ralenti comme une sorte de vie larvaire ou plutôt élémentaire, morne, comme hébétée, en deçà et au-delà d'une zone où pas un arbre, pas une herbe, sauf des bouquets d'orties, n'avait repoussé, où pas un champ n'avait été ensemencé, où la pierre n'existait qu'à l'état d'informes amoncellements et où le sol n'était qu'une succession de cuvettes plus ou moins larges, empiétant les unes sur les autres, emplies d'une eau croupie, et dont s'élevaient des nuées de moustiques.

Des routes — ou plutôt des pistes tant bien que mal empierrées — serpentaient dans la campagne ou au flanc des collines mais à part quelques carrioles ou quelques rares charrettes elles n'étaient parcourues que par des véhicules, rares aussi, aux bâches et aux peintures elles-mêmes couleur de terre, parfois isolés, parfois en lents convois qui se traînaient en cahotant, conduits par des jeunes soldats presque imberbes qui rallumaient sans cesse des mégots ventrus, trempés de salive, à leurs briquets fabriqués aussi à partir de douilles tandis que roulaient sur le plancher de la cabine, entre les énormes pédales et les leviers de changement de vitesse, les litres d'un vin de couleur violette à la surface parsemée de bulles dans les bouteilles vertes que l'une des deux sœurs allait leur acheter aux buvettes ou aux estaminets installés aux carrefours. Une fois, la voiture dans laquelle avaient pris place les trois femmes dut se ranger pour laisser passer trois automobiles couleur de terre et de boue elles aussi mais aux cuivres astiqués, dans l'une desquelles, sur la banquette arrière, était assis un vieillard au visage blafard et figé, aux orbites caves comme on peut en voir à ces malades poussés dans de petites voitures, surmonté d'un képi brodé d'or, et la veuve dit un nom en se penchant vers les deux autres femmes qui regardèrent passer les trois voitures et l'homme à la tête de tuberculeux avec ce même regard vide, indifférent que posaient sur elles les gens qui les voyaient elles-mêmes passer ou qu'elles interrogeaient, répondant parfois à leurs questions avec cette incohérente et volubile bonne volonté des humbles, le plus souvent avec cet ennui, cette impatience ou plutôt même cette avare hostilité de gens dérangés dans leur travail, regardant les voiles noirs, la main où scintillait le diamant, l'enfant dans son manteau de chaude ratine, puis tournant le dos et retournant à leurs occupations. Une autre fois, même, une femme les apostropha avec une sorte de fureur, les injuriant et les poursuivant de ses malédictions tandis qu'elles s'éloignaient — ou plutôt s'enfuyaient —, la veuve plus impassible, plus bourbonienne que jamais sous son voile, l'une des deux sœurs penchée sur l'enfant et lui parlant précipitamment pour l'empêcher d'entendre les insultes que criait la maigre silhouette vêtue d'un tablier sombre, debout sur le seuil d'une ferme au toit de carton goudronné. Le jour où elles couchèrent dans le couvent (ou l'institution pour jeunes filles), la veuve parla longtemps le soir, bien après que l'enfant fut couché, avec les religieuses qui les hébergaient, ses compagnes restant silencieuses sur leurs chaises, raides, leurs mains crevassées jointes au creux de leurs cuisses, leurs deux visages d'hommes dépourvus d'expression, écoutant, sans plus.

Le salon de l'hôtel était meublé d'un canapé et de

fauteuils d'ébène aux formes contournées recouverts de peluche grenat. Peu à peu le débit de la voix qui racontait au garçon l'histoire sans fin ralentissait, s'interrompant parfois au bruit d'une voiture dehors, d'autres voix dans l'entrée, tandis que la femme jetait de furtifs coups d'œil à l'horloge, s'embrouillait, rappelée à l'ordre par l'enfant, reprenait l'histoire en arrière, réprimant les mouvements des mains calleuses qui tracassaient le fermoir du sac ou lissaient sans raison le bord de la jupe, l'histoire continuant par bribes, hachée, abandonnée de nouveau au milieu d'une phrase, de nouveau reprise, jusqu'à ce que la voix s'arrêtât pour de bon, la femme debout maintenant, disant : « Non. Demain », disant : « Je crois que cette fois... », disant : « Les voilà ! », les yeux fixés sur la porte donnant sur l'entrée qui s'ouvrait, livrait passage à la veuve accompagnée de l'autre femme, l'air harassées toutes deux, les chaussures boueuses, leurs jupes parfois aussi tachées de boue, la veuve se dirigeant sans parler vers l'enfant, se penchant, l'attirant à elle, le serrant dans ses bras avec toujours dans ses mouvements ce quelque chose d'à la fois compassé, convulsif, emphatique et sombrement tragique qui semblait commander à ses gestes, tandis que celle qui la suivait répondait au regard interrogateur fixé sur elle par le même signe de tête négatif, muet, résigné. Le soir, dans la salle à manger mal éclairée où dînaient aussi trois officiers et des hommes aux airs d'entrepreneurs ou de voyageurs de commerce (il y eut, un jour, un groupe bruyant d'Américaines assez âgées, les épaules couvertes d'étoles de fourrure, acccompagnées de deux personnages d'allure officielle), elles échangeaient à voix presque basse entre les cuillerées de potage de brèves paroles, comme honteuses, misérables, les deux visages usés empreints d'une identique expression de paisible et d'absolu désespoir, tandis que selon son habitude la veuve restait immobile, imperturbable, devant son assiette vide. Parfois, au dessert, elle sortait de son sac et montrait à l'enfant les cartes postales qu'elle avait achetées et que, remontée dans sa chambre, le garçon couché, elle envoyait à ses parents ou à ses connaissances.

A peu de choses près, elles auraient pu être toutes pareilles, la même presque, c'est-à-dire également grisâtres elles aussi, mal tirées sur des rectangles de mauvais carton, monotones, comme les collines, les ruines ou les étendues informes qu'elles représentaient, les débris qui bordaient les berges d'une rivière au cours rapide, à la fois silencieux et bruissant, coulant entre deux sillages d'épaves comme en laissent derrière elles en se retirant les inondations et reliées par un de ces ponts hâtivement construits par le génie, en bois, bas sur l'eau, partant d'un confus désordre de planches, de roues brisées, de timons et de blocs de pierre, aboutissant sur l'autre berge au même apocalyptique et fastidieux enchevêtrement de débris de voitures, de charpentes, de tuiles et de choses démantibulées après lequel peut-être se trouvaient, reproduits sur une autre carte, de part et d'autre d'une route et débordant sur elle, deux asymétriques amoncellements de moellons et de briques, et de nouveau quelque chose d'informe, bosselé, où la seule végétation semblait constituée par d'épineux buissons de fer rouillé. Trois soldats (deux d'entre eux coiffés d'un bonnet de police, le troisième d'un képi — sans doute la corvée chargée de

23

l'enlèvement des barbelés) posaient pour le photographe à l'entrée d'une sorte de tunnel ouvert au flanc de quelque chose qui ressemblait non pas à un coteau mais à ces monceaux d'ordures déchargées à la lisière des villes par les bennes municipales.

Le dos des cartes était d'un vert pâle, comme déteint, sur lequel, à mesure que, d'une écriture penchée, épineuse, elle traçait quelques lignes à côté de l'adresse du destinataire, elle collait un timbre d'un rose orangé, pâle lui aussi, représentant une femme vêtue d'une longue tunique aux plis mousseux, ses cheveux s'échappant d'un bonnet phrygien, flottant au vent, une main tendue en arrière dans le geste de semer. L'un après l'autre, les petits rectangles verts timbrés d'orange et recouverts de cette écriture elle-même semblable à des barbelés s'accumulaient sur un coin de la table où, tandis que l'enfant s'endormait, elle était assise, enfin débarrassée de sa toque et de son voile soigneusement posés sur une chaise, sévère, son profil un peu gras penché avec attention dans la lueur d'un petit abat-jour à fronces, pensif, sur les images charbonneuses ou grisâtres qu'elle contemplait un moment avant de les retourner et de les zébrer de violet, mortellement calme, monumentale, noire, mortellement résolue, toujours emplie de cette inapaisable détresse et de cette inflexible détermination qui la forçait à errer sous des ciels pluvieux d'un champ de décombres à l'autre, d'un charnier à l'autre.

Et à la fin elle trouva. Ou plutôt elle trouva une fin — ou du moins quelque chose qu'elle pouvait considérer (ou que son épuisement, le degré de fatigue qu'elle avait atteint, lui commandait de considérer) comme pouvant mettre fin à ce qui lui faisait courir depuis dix jours les chemins défoncés, les fermes à demi détruites et les troquets aux senteurs d'hommes avinés. C'était un tout petit cimetière, circulaire, d'une vingtaine de mètres de diamètre au plus, entouré d'un mur de pierres meulières comme on en voit aux pavillons de banlieue et dont les piliers de chaque côté du portail étaient surmontés d'une croix de fer peinte en noir. La majorité des tombes étaient celles de soldats allemands, mais elle alla tout droit à l'une d'elles un peu à l'écart, que sans doute quelqu'un (quelqu'un qui avait eu pitié d'elle — ou plutôt d'elles — ou peut-être avait simplement voulu s'en débarrasser) lui avait indiquée et sur laquelle, en allemand et sur une plaque métallique, puis en français sur une planchette plus récemment apposée, était simplement écrit que se trouvaient les corps de deux officiers français non identifiés. Il avait enfin cessé de pleuvoir et un soleil de fin d'été jouait au-delà des murs sur les feuillages du petit bois (le cimetière était situé en arrière et à l'est de la zone d'environ dix kilomètres de large que semblait avoir suivie l'espèce de tornade géante détruisant tout sur son passage) dont certaines branches commençaient à dorer. Elle s'avança jusqu'à l'inscription, la lut, recula jusqu'à l'endroit où devaient approximativement se trouver les pieds des morts, fléchit les genoux puis se releva, fouilla dans son sac, en sortit un mouchoir qu'elle étala sur le sol, s'agenouilla alors, fit s'agenouiller le garçon à côté d'elle, se signa, et abaissant la tête se tint immobile, les lèvres remuant faiblement sous le voile enténébré. Quelque part dans les feuillages encore mouillés étincelant dans le soleil, un oiseau lançait son cri. Il n'y avait

25

personne d'autre dans le cimetière que les trois femmes et l'enfant, c'est-à-dire la veuve et le garçon agenouillés et, un peu en arrière, les deux autres femmes debout, tenant à la main leurs sacs et leurs parapluies refermés, immobiles, les lèvres immobiles dans leurs immobiles visages ravinés, leurs yeux soulignés de poches, bordés de rose, couleur de faïence et taris.

II
17 mai 1940

Pour les cavaliers exténués qu'il dépassait en remontant la colonne, mornes, sales (pas la glorieuse et légendaire boue des tranchées : simplement sales : comme peuvent l'être des hommes qui n'ont eu le temps ni de se déshabiller ni de se laver depuis six jours, ont alternativement sué et grelotté — en ce début de mai les nuits étaient encore fraîches — dans les mêmes vêtements, n'ont dormi que quelques heures — parfois quelques minutes — au hasard de granges, de maisons abandonnées, de lits de paysans aux édredons rouges sur lesquels ils se laissaient tomber sans même déboucler leurs éperons, ou de fossés), clignant de sommeil dans la lumière du matin, tassés sur leurs selles comme des paquets, avec leurs dos voûtés, presque bossus, leurs casques barbouillés de boue (ceux qui, leur gourde vide, n'avaient trouvé ni fontaine ni ruisseau urinant simplement devant eux avant de se décoiffer et de les enduire d'une couche de terre détrempée, marron, jaunissant en séchant, s'écaillant, restant accrochée en épaisseur dans les rainures du

29

cimier), leurs joues sales hérissées d'une barbe de six jours, leurs yeux comme sales aussi, poussiéreux, entre les paupières brûlantes, fixes (une fois pour toutes, tandis que le jour se levait, ils avaient découvert, évalué, émergeant de la nuit, la vaste plaine nue, sans abris, aux rares bouquets d'arbres — et un peu plus tard toutes les têtes levées d'un même mouvement, regardant s'approcher puis tourner sans hâte au-dessus d'eux le petit avion pas plus gros qu'un modèle pour aéro-club ou ceux qui servent aux baptêmes de l'air à l'occasion des fêtes de village, et volant si lentement qu'on se demandait comment l'air pouvait le soutenir, s'il n'allait pas tomber à chaque instant, avec le bruit de son moteur au ralenti semblable à un bourdonnement de guêpe, et si bas qu'ils pouvaient voir la croix noire et blanche peinte sur son fuselage, peint lui-même d'un gris neutre (pas légèrement teinté, ocre ou olivâtre, comme d'autres matériels ou bâtiments militaires : rien que le mélange de noir et de blanc : gris fer, funèbre), paresseux, indolent (pas insolent : indolent, sans même l'air de les narguer, et même probablement sans animosité), comme s'ils pouvaient voir aussi (en train de les surveiller, sans méchanceté non plus, les comptant, les évaluant, comme un bouvier perché sur une clôture ou un monticule évalue le nombre et la valeur des bêtes d'un troupeau) le pilote mal réveillé, bâillant encore, avec encore sur l'estomac la tasse de café et les tartines (ou les saucisses) englouties peu avant à la va-vite sur la table du mess, et derrière lui l'observateur (ou peut-être le pilote lui-même : ils ne savaient pas) en train de tapoter le levier de son morse (ou de parler directement dans un microphone : ils ne savaient pas non

plus au juste : cela n'avait du reste aucune importance :
ils savaient seulement que ce qui tournait ainsi paresseusement à la limite de la perte de vitesse au-dessus de
leurs têtes dans le ciel sans nuages encore vaguement
teinté des roses de l'aube, c'était le présage de leur
mort), le suivant des yeux sans cesser de cheminer, sans
tenter de s'enfuir ou de se disperser, les bustes continuant docilement à osciller d'avant en arrière sur les
selles, les têtes renversées tournant d'un même mouvement sur elles-mêmes, sans un mot, sans un cri, même
pas une malédiction, même pas un froncement de sourcils
dans les visages harassés, inexpressifs, se contentant de
regarder le fragile et funèbre jouet d'enfant avec à la fois
une espèce de passivité et de muette fascination jusqu'à
ce qu'après avoir décrit un dernier cercle le pilote remît
les gaz et s'éloignât, retombant alors dans leur léthargie)... pour les cavaliers, donc, sursautant soudain au
claquement rapide des sabots, ce fut comme s'ils étaient
rattrapés, frôlés, puis laissés sur place par un bruissement
confus, un froissement d'air fouetté emportant avec lui
un léger cliquetis d'aciers, futile et joyeux, comme si
cavalier et cheval ne formaient qu'une seule et même
créature mythique faite d'une matière semblable à du
métal, pourvue d'ailes invisibles aux plumes de métal (et
non pas foulant la terre mais se déplaçant légèrement
au-dessus, la frappant ou plutôt l'effleurant à peine de
ses fins sabots graissés, et pas tellement pour y prendre
appui que pour la faire allégrement retentir comme une
sonore coupole de bronze sous les chocs légers et scan-
dés), passant (c'est-à-dire pas lui : l'espèce de nuage
invisible au sein duquel il était porté) presque à les

toucher, eux sur leurs montures fourbues aux échines écorchées (les deux seules fois où ils avaient pu desseller, la peau était restée accrochée par lambeaux aux tapis des selles, la première fois larges comme des pièces de monnaie, la seconde comme la paume, laissant voir les plaques de chair à vif, violacée, déjà purulente), certains conduisant par la bride le cheval d'un cavalier tué ou disparu (de sorte que l'escadron, la colonne des vivants, se doublait d'une seconde colonne, fantomatique pour ainsi dire, de montures aux selles vides d'où les étriers vides se balançaient mollement, cognaient avec monotonie les flancs aux poils collés), leurs robustes chevaux d'armes qui n'étaient plus maintenant que des ombres de chevaux, assemblages d'os pesants et de muscles ne tenant sans doute plus ensemble, ne se mouvant plus, que par la force de l'habitude, capables encore de galoper si une fois de plus les éperons labouraient leurs flancs ensanglantés : dociles, douloureux, tragiques, continuant à avancer jusqu'à ce qu'ils butent une première fois, relevés à l'éperon, puis une seconde, et enfin, sans préavis, fléchissant des jarrets, s'effondrant et ne bougeant plus, couchés sur le côté, ne conservant plus de vivant ou plutôt d'humain que leurs grands yeux d'almées, pensifs, sans fond et déchirants.

Les chevaux qui, comme eux (les cavaliers), n'avaient pratiquement rien mangé depuis six jours (cinq, à vrai dire : le premier, les cavaliers avaient avalé leurs rations froides et donné aux bêtes l'avoine des sacoches — mangeant sans faim (eux qui plus tard allaient connaître la faim au point de fouiller ·dans des tas d'immondices, de se jeter voracement sur des trognons de choux ou de puantes pommes de terre pourries, se disputer et même s'entrebattre avec haine pour quelques grammes de pain), dissimulés sous les arbres d'un parc, et ceci : figés soudain, s'immobilisant, la boîte de conserve tenue d'une main, le couteau à mi-chemin des lèvres, cessant de mastiquer au milieu d'une bouchée, assourdis, et restant encore ainsi, pareils à des statues de sel, avec au creux du coude la bride de leurs chevaux qui n'avaient même pas eu le temps de se cabrer ou de renauder, glacés (semblables — la moitié d'entre eux n'avaient pas beaucoup plus de vingt ans — avec leurs uniformes de rigide drap kaki tout juste patinés par les mois d'hiver, leurs visages juvéniles, leurs houseaux acajou soigneusement cirés de la veille, aux pensionnaires de quelque prytanée militaire en pique-nique), comme pétrifiés, tandis que le bruit démentiel des moteurs diminuait, s'éteignait, aussi vite qu'il avait fondu sur eux, continuant, incrédules, à fixer à travers les feuillages le ciel de nouveau vide, impollué, simplement gris ce matin-là, comme si les trois ombres en forme de croix qui venaient de passer dans un rugissement au ras des arbres s'y étaient simplement dissoutes, absorbées aussitôt que matérialisées, comme s'ils venaient d'assister à quelque phénomène cosmique de production de la matière hurlante à partir de l'air lui-même condensé soudain dans un bruit de catastrophe naturelle comme la foudre ou le tonnerre, de mutations de molécules inertes en un ouragan furieux; le troisième (le troisième jour) la cuisine roulante était venue jusqu'à eux leur apporter un mélange refroidi de riz gluant et de bœuf congelé découpé à la hache — puis ils ne l'avaient plus revue; plus tard on raconta ceci au brigadier — on, c'est-à-dire un fantôme au crâne rasé comme lui, vêtu comme lui, de ce qui avait autrefois été un uniforme, au visage semblable à tous les visages des autres fantômes marqués des stigmates de la faim, de la rancœur et de l'humiliation, qui déambulaient le soir entre les baraques à l'intérieur d'une enceinte de barbelés, lui et le brigadier se reconnaissant mutuellement non à leurs traits — en fait, ils ne s'étaient jamais rencontrés — mais par les écussons aux couleurs mariales (blanc sur bleu) d'institution religieuse encore cousus au col de leurs vareuses (les vareuses qu'ils portaient maintenant sans ceinturon, simplement pendantes, maculées de taches, comme des vareuses d'ouvriers ou de paysans — ou plutôt de vagabonds) et il (le fantôme, le revenant) lui raconta ceci : le conducteur du camion de la roulante réfugié après un bombardement dans la cave de la maison (de la ferme ?) où campaient les cuisines, et non pas mort ni blessé, mais simplement mort de peur : étendu sur le ventre, la tête cachée dans ses bras repliés, et le sous-officier qui commandait la roulante averti, descendant dans la cave, lui ordonnant de se lever, et le chauffeur du camion toujours étendu, ne bougeant pas, ne répondant pas, ne tournant même pas la tête, ne gémissant même pas lorsque le sous-officier commença à bourrer de coups de pied le corps inerte tressautant seulement chaque fois que l'atteignait le soulier clouté, comme aurait pu le faire un mannequin de son ou un sac de pommes de terre, et à la fin le sous-officier renonçant, décochant un dernier coup de pied dans les bras qui enserraient la tête, l'injuriant encore une fois et sortant de la cave, de sorte que ç'avait été l'un des cuisiniers (ou le sous-officier lui-même) qui avait dû conduire le camion — et le lendemain matin l'ordre de repli, le matériel remballé dans le camion, le moteur du camion tournant déjà, et le sous-officier (ou l'un des cuisiniers) descendant quatre à quatre les marches de la cave où le chauffeur était toujours allongé dans la même position, les bras protégeant toujours la tête, la main déchirée par le dernier coup de pied du sous-officier même pas essuyée, noire de sang coagulé, et le cuisinier (ou le sous-officier) criant : « Maintenant on fout le camp. On se barre ! On rentre chez nous ! Est-ce que tu... », le chauffeur du camion ne le laissant pas finir, se levant comme un fou, bousculant le sous-officier (ou le cuisinier), se ruant dans l'escalier, sortant de la maison, toujours sans s'arrêter de courir, ouvrant la portière du camion, y grimpant, s'installant au volant, et l'homme (le fantôme) raconta qu'en entendant arriver les avions il avait tout juste eu le temps de se rejeter en arrière et de s'aplatir contre la base du mur, et que quand il s'était relevé il ne restait plus du camion qu'un tas de ferraille en train de se consumer en crépitant dans une puanteur de caoutchouc brûlé)... les chevaux qui, comme les cavaliers, ne buvaient et ne mangeaient qu'au hasard de fontaines, de ruisseaux ou d'abreuvoirs sur les places de villages abandonnés, de granges à fourrages aux portails enfoncés à coups de crosse, d'épiceries et de cuisines déjà pillées dont ils achevaient rageusement de défoncer à coups de pied les placards ou les buffets vides : et maintenant lui, l'homme-cheval, l'aérienne et musculeuse monture de cuivre rouge, aussi polie, aussi brillante que l'intérieur d'un chaudron, le cavalier coiffé non de boue mais d'acier étincelant, et sur les manches du manteau qui avait l'air de sortir de chez le repasseur les cinq galons d'or étincelant aussi, comme le cuir des buffleteries, les bottes soudées aux quartiers de la selle, le tout coulé une fois pour toutes aurait-on dit dans un alliage de métal, les talons bas, les genoux ne bougeant même pas tandis que dédaignant de s'enlever sur sa selle il se laissait emporter, son buste osseux, ses minces épaules tressautant au rythme rapide du trot, comme s'il était relié à la bête par quelque ressort caché : surgissant sur leur gauche et non pas exactement les frôlant mais, pour ainsi dire les repoussant, les chassant sur le côté (ou eux, réveillés soudain de leur torpeur, tressaillant, s'écartant d'instinct), la longue file des cavaliers s'infléchissant imperceptiblement, comme le bas d'un rideau ondulant de proche en proche au passage d'un courant d'air, puis reprenant son alignement tandis qu'il s'éloignait déjà, laissant persister derrière lui un aristocratique sillage de sueur chevaline, de cuirs astiqués et de ce qui sembla aux cavaliers une odeur d'eau de Cologne et n'était en fait que l'absence de puanteur, suivi par une silencieuse et furieuse rumeur d'injures étouffées, de respect et d'exécration.

Pas un homme : une entité, un symbole, l'incarnation enfin visible (pour la moitié des cavaliers, ceux de l'échelon de réserve, qui ne l'avaient pas connu au quartier, entrevu seulement, confondu parmi d'autres officiers supérieurs, à l'occasion de deux prises d'armes en plein champ, il était quelque chose comme un mythe, une abstraction), la délégation matérialisée de cette toute-puissance occulte et sans visage dans laquelle ils englobaient pêle-mêle généraux, politiciens, éditorialistes et tout ce qui touchait de près ou de loin à ce pandémonium auquel ils ajoutaient encore en s'oubliant eux-mêmes (eux qui avaient élu ces politiciens, promu par leur intermédiaire les généraux et cru ce qu'écrivaient les éditorialistes soucieux de leur plaire) les chauffeurs qui conduisaient les automobiles des généraux et des colonels (du moins les imaginaient-ils : ils n'en avaient aussi jamais vu que de loin), les officiers d'état-major, les directeurs des journaux, les diplomates, les chefs de cabinet, les secrétaires des bureaux, les chancelleries, les gigantesques sauvages aux joues balafrées de cicatrices rituelles amenés spécialement du Sénégal pour garder les voies aux abords des gares à l'arrivée des trains de permissionnaires, les artificiers du génie prêts à faire sauter les ponts avant qu'ils aient pu les repasser, les estafettes motocyclistes porteuses d'ordres de repli déjà dépourvus de sens lorsqu'ils avaient été rédigés et à plus forte raison lorsqu'ils leur parvenaient deux heures plus tard, délivrés par les messagers maculés de poussière et d'huile, suants, furibonds et les injuriant en s'escrimant rageusement sur le démarreur de leur engin et qui tous, des chefs d'état-major aux fonctionnaires des centres mobilisateurs cochant leurs listes, les avaient jetés là avec la désinvolture d'un joueur éparpillant sur le tapis vert une liasse de billets sans se soucier des numéros ou des bandes qu'ils recouvrent (celui qui en avait très précisément donné l'ordre (l'ordre de les envoyer en rase campagne et montés sur des chevaux à la rencontre de chars d'assaut ou d'avions) était une sorte de nain, pas beaucoup plus grand que ceux qu'on voit dans les cirques, sans cou, pourvu d'une tête de rat, avec un nez pointu, d'immenses oreilles, et qui posait pour les photographes sur les marches du palais présidentiel, revêtu d'une jaquette comme en portent les chefs de rayon dans un magasin de bonneterie en arborant sans desserrer les lèvres un inaltérable sourire qui étirait en largeur le petit visage de poupée, noyait de rides les yeux bridés, bombant le torse, redressant la taille, l'air, avec sa raie médiane de garçon de café, son crâne plat, ses cheveux plaqués et ses oreilles décollées, d'un camelot à la sauvette qui vient de réussir un bon coup), précipités dans quelque chose qui ne ressemblait à rien de ce à quoi ils (et sans doute avec eux le chef de rayon) avaient pu s'attendre, c'est-à-dire le choc, l'affrontement de deux armées aux chances plus ou moins égales — ou même inégales —, mais... comment l'appeler ? : car ils n'avaient absolument aucune espèce de chance : ils avaient comme tout le monde entendu parler d'unités, de régiments ou même de divisions sacrifiés, de ruses tactiques, de manœuvres de diversion ; et au début ils le crurent, pensant seulement : « Voilà ! Pas de veine. Il a fallu que ce soit nous. C'est le jeu... », puis ils comprirent que ce n'était pas seulement le régiment, pas la brigade, pas l'arme particulière (la cavalerie) à laquelle ils appartenaient, pas la division, pas le corps d'armée, pas même l'armée à laquelle appartenait le corps d'armée, mais les armées voisines aussi, et qu'ensuite ce seraient les armées de réserve (s'il y en avait), et après les réserves tous ceux que l'on pourrait ramasser dans les dépôts, les ateliers, la moindre caserne, dans les parties les plus reculées du pays, qu'ils soient cavaliers, fantassins, artilleurs, tankistes,

conducteurs de camions, artificiers, observateurs, infir-
miers, armuriers (sauf, bien sûr, les parents des chefs de
cabinet, ou encore les parents des concierges et des
petites amies des chefs de cabinet qui paradaient en
uniformes fantaisie dans les cafés des garnisons du Midi,
protégés par des Sénégalais amenés par bateaux et pour
les habitants desquelles (limonadiers, négociants, fabricants d'apéritifs, capitaines d'habillement ou de gendar-
merie) la guerre avait toujours été quelque chose de
lointain, vaguement exotique, réservée aux populations
malchanceuses de provinces faites exprès pour ça, comme
les Flandres, l'Artois ou la Moselle), acheminés en catastrophe, jetés à leur tour, sacrifiés (si bien que ce ne
furent pas seulement des régiments, des armées, les
premières réserves, puis les secondes, et, en dernier
recours — d'ailleurs, si tant est qu'ils en aient eu l'intention, ils n'eurent même pas le temps de se mettre en
route —, les capitaines d'habillement, comme la prover-
biale histoire de la vierge ou de l'explorateur lançant l'un
après l'autre par-dessus leur épaule quelque bijou ou ses
dernières boîtes de conserves pour retarder l'avance du
monstre galopant à leurs trousses, juste le temps qu'il
s'attarde à les ramasser ou les digérer, le temps que les
banquiers, les hommes d'affaires et les fabricants d'automobiles d'un autre continent décident du meilleur place-
ment de leurs capitaux et se mettent alors à construire
suffisamment de canons, de camions, de mitrailleuses,
d'avions, de bateaux et de bombes pour arrêter d'abord,
puis écraser l'insatiable monstre), tous, les uns après les
autres, déversés, engloutis, disparus sans laisser de traces,
rayés des tableaux d'effectifs sans même que ce qui se

passait (ce qu'ils (les cavaliers) étaient en train de vivre),
ressemblât de près ou de loin à quelque chose comme
une guerre, ou du moins à ce qu'ils s'imaginaient confusément que devait être la guerre : même pas un décor,
le minimum de mise en scène, de solennité (ou même de
sérieux) qui leur eût tout au moins permis de croire
qu'on les avait envoyés là pour se battre et non pas
simplement pour être tués : pas de barrages d'artillerie
(il tombait bien parfois quelques obus, comme anachroniques eux aussi, tirés au hasard semblait-il, sans raison :
dans un champ, un pré désert où ils voyaient tout à coup
se former des boules de coton sale ; une fois rien qu'un
seul, incompréhensiblement, d'un monstrueux calibre fait
pour écraser des casemates ou des coupoles d'acier, et
qui souleva la terre dans une gigantesque colonne de
fumée toute droite, restant immobile dans l'air serein,
noire et rousse, mince comme une plume et haute comme
un building de trente étages, persistant, inutile et décorative, dérivant avec lenteur en traînant sa queue de
poussière sur les emblavures, les pousses de maïs, et que
longtemps, se retournant sur leurs selles, ils purent voir
encore comme un énigmatique point d'exclamation au-
dessus des collines) et aucune tranchée à conquérir ou à
défendre, pas de face-à-face, ou plutôt de seul-à-seul où
chacun, courageux ou peureux, peut prendre la mesure
de son courage ou de sa peur (à l'exception d'un jour
— un seul : celui où les pertes avaient été les moins
fortes ; aucune même dans le peloton du brigadier — où
on les avait postés en bordure d'un village et où ils
avaient creusé des trous dans les vergers, attendu, puis
vidé leurs chargeurs sur tout ce qui bougeait ou ne

40

bougeait pas à la lisière d'un bois de l'autre côté d'un
ruisseau, rentrant la tête dans les épaules tandis qu'éclataient autour d'eux les projectiles de mortiers — mais le
soir, sans raison, ils avaient reçu l'ordre de se replier) :
rien d'autre que les opulents pâturages, les verdoyants
coteaux, et personne devant eux, ni sur leur gauche ni
sur leur droite, même pas les autres escadrons du régiment, du moins personne de visible, sauf en deux ou
trois occasions et si soudainement et si loin (tandis qu'ils
descendent au pas en file indienne le flanc d'un coteau,
des silhouettes sautent de side-cars et de voiturettes sur
une route parallèle et sans même prendre la peine de
s'abriter les arrosent de balles) qu'amis ou ennemis
semblaient eux-mêmes égarés par erreur parmi les bois et
les prés, et seulement, de temps à autre, tout à coup, ces
inconcevables déchaînements de bruit, de destruction, de
violence, démentiels, assourdissants, paroxysmiques, et
aussi brusquement finis que commencés, le dernier avion
disparaissant déjà : un point, un pigment, puis plus rien,
aspiré, dilué dans le ciel vide qui les avait engendrés, les
rugissements des moteurs s'éloignant, s'éteignant : et le
silence ; après quoi ils n'avaient plus, dans le soleil
printanier et les chants d'oiseaux reprenant peu à peu,
qu'à rattraper les chevaux sans cavaliers, essayer de se
rassembler (ou de se retrouver), et faire le compte des
manquants : et pas de morts (seulement des chevaux qui
n'avaient plus de cavaliers), et pas de blessés non plus,
sauf ceux légèrement atteints qui pouvaient encore se
tenir tant bien que mal à cheval, cramponnés au pommeau et secoués sur leurs selles, serrant les dents, le
regard fixe, fiévreux, comme anesthésiés ou plutôt hébé-

41

tés, ailleurs, quelques-uns délirant parfois déjà tandis que s'agrandissaient peu à peu sur le drap déchiré de leurs manteaux ou de leurs culottes les taches de sang épais se coagulant, séchant au fur et à mesure pendant les cinq (ou les dix, ou les douze) kilomètres parcourus au grand trot (parfois au galop) jusqu'à la rivière, le pont repassé en catastrophe, le bois où attendaient les ambulances (puis, comme les cuisines roulantes, il ne fut plus question d'ambulances et, comme par synchronisme, de blessés : comme si tout allait trop vite, comme si (quoique personne ne les eût avertis, ils le surent, le devinèrent d'eux-mêmes, avec cette infaillible prescience des victimes de désastres) l'absence d'ambulances impliquait l'absence de blessés, ou plutôt l'inutilité d'être blessé, ou tout au moins l'inutilité de se cramponner et de souffrir sur un cheval), et à partir d'un moment il n'y eut plus simplement que des cavaliers manquants, simplement manquants, disparus, comme si la grasse et verte campagne en absorbait peu à peu une ration, engloutis, digérés, avec cette imperturbable et vorace bienséance qui lui permettait d'ingurgiter à la façon de ces fleurs carnivores bêtes et gens (une fois, dans un fossé — à ce moment ils ne devaient plus être que quatre : le colonel, l'un des deux chefs d'escadrons et deux cavaliers — ils virent un cheval presque entièrement recouvert d'une boue jaune, comme du café au lait, comme si elle (la nature) sécrétait une sorte de bave, de suc digestif gluant qui avait déjà commencé à le dissoudre tandis qu'elle l'avalait lentement en commençant par l'arrière-train) sans que rien dans son ordonnance, pas une feuille, pas un brin d'herbe même, s'en trouvât affecté, ou si quelquefois un arbre ou

quelques branches s'abattaient, si l'herbe montrait quelques plaques noircies, portant ses blessures (ses égrati-
gnures) avec cette même somptueuse indifférence, cette
pérennité, absorbant de la même façon les échos des
explosions ou des rafales qui se répercutaient de coteau
en coteau, se perdaient dans les bois, dérisoires, anecdo-
tiques, les opulentes forêts, les opulents pâturages s'enve-
loppant peu à peu de la brume bleuâtre du soir, s'enténébrant, puis resurgissant lentement de la nuit, impollués,
d'un vert tendre, dangereux, perfides, énigmatiques,
comme si par son immuabilité le pimpant décor de prés
fleuris, de haies et de boqueteaux participait (œuvrait lui
aussi, assistait ironiquement) à l'espèce de mutation qu'ils
(les cavaliers) étaient en train de subir, passant en
l'espace de sept jours (comme si cette fois le Créateur
avait employé ce temps à parfaire son œuvre, puis,
facétieusement, à la détruire) de leur condition de dociles
et naïfs enfants de troupe (ou d'élèves d'une sévère
institution religieuse) aux houseaux cirés avec soin, aux
armes réglementairement astiquées, à celle de choses
inertes ballottées sur les montures fourbues (le matin de
l'alerte ils (les cavaliers) se préparaient à se rendre aux
douches ; en ville, ou dans une usine proche (on ne les
informait jamais de rien : simplement, la veille, à l'appel
du soir, avant que sonne l'extinction des feux, le gradé
de service avait dit : « Demain, douches. Prêts à neuf
heures ! »), un endroit public en tout cas, tel qu'avant de
s'y rendre sous la conduite des sous-officiers ils devaient
s'attendre à ce que le capitaine (c'est-à-dire le géant,
l'espèce de lansquenet, de reître sorti tout droit — moins
l'armure damasquinée, les crevés de velours et le cimier

à plumes — d'un tableau de Cranach ou de Dürer, qui commandait l'escadron) les inspecte avec soin ; dans la clairière entourée de la haute futaie de chênes qui achevaient de se couvrir de feuilles ils avaient construit une table et des bancs : et il (le brigadier) se rappelait ceci : l'un de ses pieds posé sur un banc, achevant d'étendre le cirage sur son houseau, écoutant (ou plutôt entendant à côté de lui) distraitement le maréchal des logis-chef et deux cavaliers discuter de labours et de semailles, lorsque le brigadier de jour était arrivé en courant, hors d'haleine, agitant les bras, criant déjà avant de les atteindre : « Ordre d'alerte ! Rassemblement dans une heure ! Ordre d'... », le brigadier s'immobilisant, la brosse levée, le geste suspendu, regardant fixement le couvercle de la petite boîte ronde posé à côté de son pied sur le banc, le dessin noir et rouge (il pouvait encore le voir : le lion, les lettres aux fioritures contournées, l'éclat métallique du fond, les rayons comme ceux d'un soleil s'écartant en éventail autour de la crinière), entendant confusément tandis qu'il essayait de replacer le couvercle sur la boîte la voix du maréchal des logis-chef lui parvenant comme de très loin, disant : « Exercice d'alerte ? », le brigadier de jour cherchant à reprendre son souffle, disant entre deux aspirations : « Non : alerte ! Rassemblement ! Tout le monde prêt dans une heure ! », le maréchal des logis-chef déjà debout (la boîte rouge et noire glissant dans les mains maladroites : elle fermait ou plutôt s'ouvrait au moyen d'un petit tourniquet à oreillettes en métal doré, bloqué sans doute et sur lequel s'escrimaient les doigts du brigadier, de sorte qu'il dut y renoncer, posa la boîte sur la table et enfonça

44

simplement le couvercle de ses deux pouces), le maréchal des logis-chef au visage soudain un peu plus rouge peut-être que d'habitude (peut-être seulement : avant de s'engager dans l'armée, dix ans plus tôt, il avait été quelque chose comme valet de ferme ou bûcheron dans les montagnes, avait toujours un visage tanné par le grand air, plutôt violacé que rouge, brique exactement, osseux, aux arcades sourcilières, aux pommettes et aux maxillaires saillants) criant déjà l'ordre aux cavaliers qui s'immobilisaient, le regardaient un instant avec une sorte d'effarement, puis rentraient précipitamment dans les tentes ou en sortaient, commençaient à les démonter, courant maintenant en tous sens, astiqués comme pour un jour de sortie ou de parade), et cela (la mutation) en passant par une succession de phases au cours desquelles ils auraient d'abord soudainement grandi, atteint à toute vitesse le stade de la puberté (l'évolution commençant à la première attaque d'avions), puis d'hommes faits (l'unique jour où ils avaient pu se battre), puis (par un de ces troublants jeux de la langue dont on ne sait si celle-ci se moule sur ce qu'elle dit ou l'inverse) défaits, dans tous les sens du terme, c'est-à-dire non seulement parce qu'ils appartenaient (mais appartenaient-ils encore à quelque chose, ou plutôt y avait-il encore quelque chose à quoi ils puissent appartenir?) à une armée vaincue, mais encore en tant qu'individus : comme ces paquets, ces sacs dont sitôt le cordon qui les lie dénoué ou tranché le contenu se répand, roule et s'éparpille dans toutes les directions, comme si l'invisible nœud qui retenait tant bien que mal assemblé ce contradictoire magma de passions, de désirs, de contraintes, de brutalité, de tendresse, de terreurs, de fierté, de convoitises et de calculs qui constitue toute créature humaine avait tout à coup cédé : non pas débandés donc, pas des fuyards, mais pis encore : parvenus à ce stade où l'idée de fuite, l'instinct de conservation, de salut dans la débandade ne pouvait même plus les habiter, et non pas tant par l'effet de la discipline, des réflexes qu'on leur avait inculqués que par ce constat peu à peu conforté au cours de ces six jours qu'il n'y avait nulle part où fuir, aucun salut à espérer où que ce soit ni de qui que ce soit, de sorte que, lorsque le colonel (l'incarnation de cette toute-puissance composée de politiciens, d'impitoyables militants pacifistes, de généraux aux képis brodés d'or qui possédaient sur eux un droit absolu de vie et de mort et les avaient envoyés là) passa en remontant la longue théorie des cavaliers ce ne fut même pas un silencieux frémissement de fureur qui se propagea, courut de proche en proche, de cavalier à cavalier, mais comme un frisson de stupeur, d'incrédulité (certains se retournant sur leurs selles, cherchant des yeux l'automobile dans laquelle on disait qu'il se déplaçait — et avec elle le van, la chambre à coucher privée pour ainsi dire qui vraisemblablement transportait à sa suite pour lui éviter toute fatigue, comme un accessoire, un meuble précieux, l'éblouissant cheval d'acajou poli ; mais ils durent se rendre à l'évidence : en dehors de son ordonnance et du sous-officier des transmissions qui trottaient dans son sillage, il était seul), les respirations soudain suspendues ou plutôt coupées reprenant, l'air fusant entre les dents avec un imperceptible chuintement ou sifflement non pas tant de colère que de quelque chose (de même qu'ils étaient au-delà de la fatigue) d'au-delà de la fureur, entendant la voix haut perchée, irascible et monocorde qui semblait sortir de sous le casque (ou plutôt de derrière un masque : comme s'il avait parlé à travers du carton ou du fer blanc sculpté, à la manière des chefs-d'œuvre de ces maîtres armuriers de la Renaissance, en forme de visage : absent, inexpressif, les traits figés, les joues plates, sinon creuses, la bouche mince, semblable à un coup de sabre, à peine entrouverte, les lèvres remuant à peine, comme celles d'un ventriloque) égrenant sans s'interrompre une suite d'aigres remontrances sur leur tenue, la rouille de leurs étriers, les taches de leurs manteaux, la poussière ou la boue qui souillait leurs souliers, leurs barbes de six jours ; puis déjà passé, le dos osseux et tressautant s'éloignant rapidement, jusqu'à ce qu'il eût disparu au loin, comme il était venu, emporté de nouveau sans doute, retourné à ce lointain et vague empyrée dont il n'était semblait-il sorti (descendu dans un nuage ailé et cliquetant) que pour se manifester à eux sous la forme furibonde et incrédible d'un adjudant de quartier. Mais ils se trompaient : peu après, lorsque un moment la tête de la colonne tourna à angle droit à un carrefour, ils purent de nouveau le voir, son cheval maintenant au pas, solitaire, invaincu et outragé, précédant de quelques mètres le capitaine-lansquenet et suivi par la file des petits cavaliers qui ainsi, leurs montures cachées jusqu'au ventre par une ondulation du terrain, semblaient avancer immobiles, entraînés par quelque mécanisme, comme ces silhouettes découpées dans du zinc et montées sur rail qui défilent en oscillant faiblement dans les baraques de tirs forains entre les plans d'un décor découpé lui aussi dans des feuilles de zinc : les successives et molles ondulations de la plaine, le champ de blé vert, le village de carton et son clocher effilé sortant d'un bas-fond dans lequel s'enfonçait peu à peu le chemin, les petites silhouettes s'enfonçant en même temps, les bustes seuls visibles maintenant, plantés derrière les encolures arrondies des chevaux, comme les pièces d'un jeu d'échecs, l'escadron tout entier retombé dans sa somnolence ou plutôt sa léthargie, exténué, somnambulique, si bien que lorsque le cri s'éleva, venant de l'arrière, passant de bouche en bouche, relancé par les voix éraillées des sous-officiers, il (le cri) parut courir, privé de sens, comme une simple vibration de l'air ou ces incompréhensibles piaillements d'oiseaux marins, de mouettes, à la fois alarmés, rauques et plaintifs, déchirant sans le déranger le silence indifférent, relancé par chacun avec une sorte d'indifférente docilité, de morne lassitude, tandis qu'ils continuaient d'avancer, de presser machinalement le pas de leurs montures fourbues, relevant à peine la tête pour lancer au dos qui les précédait l'avertissement monotone, inutile, répété avec cette cassandresque persévérance des annonciateurs d'apocalypses et de désastres : « Faites passer en tête : les Allemands sont dans le village ! Faites passer : les Allemands ! Faites passer : les blindés allemands sont dans le village ! Arrêtez ! Blindés dans le village ! Faites passer ! Les Al... »

III

27 août 1914

Le voyage dura une nuit, un jour, et encore une nuit
entière. Soit que l'opération ait été mal préparée ou mal
conçue, soit encore que son plan ait été élaboré en tenant
compte de possibles engorgements et comportât une
marge qui permît de donner la priorité à l'acheminement
d'autres unités, le convoi restait parfois à l'arrêt sur des
voies de triage pendant de longues heures. Toujours est-il
qu'il fallut au régiment (la troupe entassée dans les
wagons à bestiaux, le colonel et ses officiers dans un
wagon de première classe aux banquettes de drap gris
capitonnées et protégées de têtières en filet) plus de
trente-six heures avant de débarquer dans une petite gare
du département de la Meuse d'où il partit à marches
forcées en direction de la Belgique, chacun des capitaines
à cheval un peu en avant de sa compagnie, les jeunes
lieutenants et sous-lieutenants en serre-file. L'effectif était
composé en majeure partie de recrues de ce département
du Midi, bordé d'un côté par la mer et s'étendant à
l'intérieur jusqu'aux premiers sommets des Pyrénées, dont

51

était originaire le général en chef lui-même (l'homme corpulent — pas obèse : corpulent — aux grosses moustaches déjà blanches, vêtu d'un uniforme noir et d'une houppelande à pèlerine semblable à un camail de chanoine, et que les intrigues compliquées d'états-majors, de loges maçonniques et des salons du faubourg Saint-Germain avaient placé à la tête de l'armée en considération peut-être d'une placidité et d'une capacité de sommeil presque illimitée), la majeure partie de cette majeure partie de l'effectif elle-même composée de paysans aux têtes rondes, aux cheveux ras et aux muscles durs, jardiniers, ouvriers agricoles, bûcherons ou parfois bergers descendus des hautes vallées et dont, sauf à l'occasion de leur instruction militaire, la plupart n'avaient jamais dépassé les limites de leurs cantons, sinon même de leur commune, analphabètes, parlant entre eux dans un idiome local et sachant juste assez de français pour comprendre les ordres de leurs sous-officiers aux crânes également tondus, aux noires moustaches de gardiens de bagne, la peau jaunie sous les soleils tropicaux et leurs foies rongés par l'absinthe.

Pendant que dans leur wagon le colonel et ses officiers débarrassés de leurs baudriers et leurs vareuses dégrafées se renversaient sur les coussins en allumant des cigares, les hommes accroupis ou couchés sur les planchers des wagons à bestiaux s'entretenaient dans leur langue rugueuse des récoltes abandonnées sur pied, répondaient machinalement aux vivats qui parfois accompagnaient le passage du train ou dormaient ivres-morts dans leurs vomissures. C'était un régiment d'infanterie de marine, et si aucun des officiers ne s'était jusque-là trouvé engagé dans une guerre à grande échelle, les plus élevés en grade, comme le colonel, les commandants et quelques-uns des capitaines, s'étaient cependant battus dans de dures conditions rendues plus pénibles encore par de terrifiants climats, parfois encerclés, assiégés, mourant de faim et de soif, dans des fortins de bambous ou de caillasse, certains de leurs camarades massacrés dans des embuscades ou sauvagement torturés. Sortis de Saint-Cyr dans les premiers, ils avaient opté pour ce corps envié qui passait pour une pépinière de généraux à la fois par un attrait de l'aventure et, pour les moins aisés de naissance, en raison des avantages de solde dont on y bénéficiait. Comme les jeunes paysans auxquels ils commandaient, les jeunes bergers ou les jeunes montagnards illettrés aux crânes tondus d'écoliers, habitués dès l'enfance à se battre contre les éléments et la terre exigeante, c'étaient pour la plupart des hommes endurcis, d'esprit simple, confiants dans leur courage et dont, en ce qui concernait les plus anciens, l'expérience acquise au cours d'expéditions lointaines où la faiblesse des effectifs engagés favorisant l'emploi de tactiques rudimentaires avait fortifié une inébranlable assurance fondée sur l'étude des classiques de la guerre, encore accréditée par les analyses répétées depuis quarante ans au tableau noir ou dans les discussions des popotes. Quant aux plus jeunes, affectés dans des régions maintenant pacifiées à des missions d'occupation de terrain, de travaux publics ou de cartographie, s'ils n'avaient pas encore eu l'occasion de faire leurs preuves dans des combats, ils avaient vécu, parfois pendant des années, seulement entourés de recrues indigènes et de leurs sergents gardiens de bagne, quelque chose de comparable à ces ascèses monastiques et à ces inhumains exercices spirituels imposés aux novices des ordres religieux et au sortir desquels les élus (ou plutôt les survivants) peuvent s'enorgueillir d'une robustesse de mulets et d'une endurance de trappistes. Aussi bien les uns et les autres nourrissaient-ils également à l'égard de leurs condisciples sortis derrière eux de l'Ecole et restés confinés dans les garnisons de la métropole cette condescendance dédaigneuse teintée de mépris que peuvent éprouver des professionnels à l'égard de simples amateurs.

De sorte qu'en prenant connaissance au fur et à mesure de leur montée vers le nord (d'abord dans le train, puis par la route) des premières informations sur la bataille engagée (du moins celles que l'on voulait bien leur communiquer — ou celles qu'ils pouvaient deviner à travers les communiqués), ce fut sans doute tout juste si dans leur conversation, leur manière de tirer sur leurs cigares (continuant à évoquer les souvenirs des fumeries d'Hanoï, de réceptions de gouverneurs et de bordels de Colombo, admirant en connaisseurs leurs fume-cigarettes de jade ou leurs breloques d'ivoire sculpté — l'un d'eux possédait un nécessaire à fumeur en émail cloisonné où des oiseaux turquoise et rose volaient parmi des joncs et des nénuphars), ce fut tout juste si, dans leur comportement, quelque chose laissa paraître un imperceptible changement : pas encore inquiets : simplement soucieux — et non pas pour eux, c'est-à-dire pour leurs vies, eux pour qui les syllabes sonores qui composaient les noms de Marengo, Malakoff, Bazeilles ou Lang Son ne signifiaient rien d'autre, victoires aussi bien que

54

défaites, que la seule façon convenable d'exister et de mourir, qui ne concevaient pas que l'on pût exercer quelque commandement que ce fût autrement que debout, de préférence dans un endroit dégagé, jumelles en main et bien en vue —, non pour eux, donc, mais comme si, dans leur esprit quelque chose venait gêner, déranger les schémas cent fois étudiés au tableau noir, de même que lorsqu'ils commencèrent à croiser les premiers débris des troupes en retraite, avec leurs officiers aux visages sombres, les hommes exténués, poussiéreux, aux regards hébétés, ce fut seulement de ce même air soucieux, attentif mais réservé, sinon sévère, dissimulant avec peine leur mépris de professionnels, qu'ils écoutèrent les rapports des gradés, cachant de leur mieux leur agacement, leur impatience, jusqu'à ce que le dernier blessé se fût éloigné en traînant la jambe (la rue du village soudain vide, déserte : pas comme peut être vide ou déserte la rue d'un village un dimanche après-midi ou à l'heure des travaux des champs, mais ce désert, ce vide, cet aspect insolite, menaçant et solennel que présentent une rue, une colline, un pont, un simple boqueteau avant la bataille) et que presque aussitôt, sans clairons ni clameurs, leur arriva dessus quelque chose qui ne ressemblait ni à une charge ni à rien de ce qu'ils avaient pu apprendre dans les livres ou sur le terrain, que ce fût dans un fortin de pierres sèches, sur les digues des rizières ou sous les remparts de quelque palais impérial, c'est-à-dire simplement un mur ou plutôt une muraille de feu qui avançait lentement, paisiblement en quelque sorte, mais inexorablement, avec seulement de brefs

55

arrêts si elle rencontrait quelque obstacle, le temps de l'anéantir et de le digérer, puis reprenait sa marche.

Parvenu le 22 août au village de Jamoigne-les-Belles, en Belgique, le régiment perdit dans la seule journée du 24 onze officiers et cinq cent quarante-six hommes sur un effectif total de quarante-quatre officiers et trois mille hommes. Après s'être replié pendant les journées du 25 et du 26, il reçut l'ordre de se déployer à la lisière de la forêt de Jaulnay où, au cours du combat qu'il livra le 27, les pertes s'élevèrent à neuf officiers et cinq cent cinquante-deux hommes. Lorsque quatre semaines plus tard le corpulent général aux moustaches de jardinier parvint à arrêter et même, en certains endroits, à faire reculer la muraille de feu (passant la majeure partie de ce temps à dormir, ne se réveillant que pour se faire lire les dépêches, contempler un moment la carte, s'enquérir des réserves, donner ses ordres et se rendormir), il ne restait pratiquement plus un seul, y compris le colonel lui-même, de ceux qui, officiers ou hommes de troupe, avaient par un étouffant après-midi d'août et sous les acclamations de la foule traversé la ville où le régiment tenait garnison pour se rendre à la gare et embarquer dans le train qui devait les conduire vers la frontière, sortant de la citadelle, franchissant entre les quatre colosses de pierre la porte de la muraille construite par Charles Quint, suivant les étroites ruelles de la ville haute, passant devant les vieux hôtels de briques, la halle médiévale, les cafés aux terrasses fleuries d'hortensias en caisses et décorés de femmes-iris, le balcon du cercle où les vieux messieurs arrachés pour un moment à leurs tables de bridge et à leurs rocking-chairs applaudissaient de leurs mains parcheminées, leurs faibles voix couvertes par les vivats aigus des cocottes décolletées penchées à leurs côtés, offrant comme dans des corbeilles leurs seins éblouissants, leurs lèvres ouvertes sur les humides grottes roses de leurs bouches aux dents éblouissantes, et jetant des fleurs.

Sur la soie du drapeau préservé à travers les combats (à la faveur d'une contre-attaque, une poignée d'audacieux avait même réussi à s'emparer d'un drapeau ennemi) le chef de l'Etat ordonna par décret que serait épinglée la plus haute décoration qui pût être attribuée. La cérémonie eut lieu un peu plus tard, comme octobre finissait, à l'arrière du front, sur le plateau de Valmy où devant un ciel gris se découpait en noir la statue du général qui cent vingt ans auparavant avait mis en déroute au même endroit une armée d'envahisseurs. Il tombait une petite pluie, et le vent d'automne qui balayait en rafales l'esplanade dénudée faisait claquer avec un bruit de soie mouillée les drapeaux des autres régiments du corps d'armée envoyés en délégation, leurs hampes obliques oscillant par à-coups, difficilement maintenues par leurs porteurs au garde-à-vous, la main gauche posée à hauteur de la cuisse sur la coquille du sabre dont le fourreau rigide s'étirait derrière eux, les officiers supérieurs au garde-à-vous également, les lames luisantes de leurs sabres dégainés et verticaux à hauteur de leurs visages, les jugulaires des képis coupant leurs mentons, leurs éperons aux talons des bottes luisantes et noires jetant dans l'herbe détrempée des éclats d'argent, comme des sortes d'échassiers, d'oiseaux bizarres, cambrés, rigides, à la fois rogues, sévères et fragiles. Sur le front des délégations alignées en carré et qui barraient l'horizon de lignes sombres se tenaient les généraux de brigade et de division, rigides eux aussi, un peu tassés sur leurs chevaux, semblables, avec leurs hauts képis, leurs corps épaissis, le pur-sang arabe à la robe blanche et à la longue crinière que l'un d'eux écrasait sous son poids, leur escorte d'ordonnances en tenue de goumiers, le fusil en bandoulière et montées sur des chevaux de rebut, à quelques seigneurs de la guerre, barbares, sortis tout droit des profondeurs de l'Histoire ou du fond de quelques steppes (eux qui, dans leur jeunesse, avaient parcouru en combattant les continents d'Asie et d'Afrique), moustachus, boudinés dans des uniformes de théâtre et couverts de dorures. Au-dessus du groupe des cavaliers, le soldat de bronze continuait à élever vers le ciel son épée, impassible sous la pluie, la bouche ouverte, poussant son cri de bronze, figé, avec son bicorne et sa redingote de bronze, dans une attitude d'élan, d'enthousiasme et d'immortalité. Le vent qui continuait à faire claquer les drapeaux agitait par saccades un petit arbre isolé, poussé là sans raison (ou peut-être récemment planté — ce qui expliquait qu'on ne l'eût pas rasé pour la cérémonie — par quelque comité patriotique), à peine plus haut qu'un homme, comme on en voit dans les pépinières ou bordant les terrains vagues, dépouillé par l'automne, terminé par une maigre fourche, comme dessiné d'un trait de plume trembloté, pareil à une lézarde, une fissure dans le ciel pluvieux. A côté se découpait la forme massive du général commandant l'armée. Descendu de l'automobile qui l'avait amené, indifférent à la pluie, aux bourrasques qui faisaient flotter sa pèlerine, s'engouffraient dans sa longue houppelande noire, il était debout en avant des porte-étendards. Très droit, une de ses mains gantées de blanc posée sur le pommeau de sa canne et la tête tournée légèrement vers la droite, il regardait au centre de l'immense carré formé par les troupes le porte-drapeau du régiment anéanti.

C'était un sous-officier d'aspect malingre, tout petit et solitaire, à la silhouette bosselée par les cartouchières qui enflaient sa taille, sa capote relevée par-derrière en queue-de-pie. Contrairement aux autres drapeaux que le vent continuait à tordre sauvagement, celui qu'il présentait pendait immobile, soit que l'eau de pluie l'eût alourdi (il y avait longtemps, bien avant l'arrivée du général, que son porteur avait pris position), soit qu'il eût été lesté de quelque façon en vue de la cérémonie. Quoiqu'il hurlât à tue-tête, la voix de l'officier qui lisait la citation à l'ordre de l'armée parvenait affaiblie, ténue, à travers les rafales et les claquements mouillés des autres étendards, comme une voix d'enfant, lointaine, un peu irréelle. Lorsqu'elle se fut tue, un clairon sortit du carré que formait la clique en avant des rangs, s'avança de quelques pas. Dans un bref scintillement de cuivre, il fit tournoyer son instrument d'un geste adroit, rapide, sauvage lui aussi, et les notes de la sonnerie « Aux morts » retentirent, comme enrouées, voilées, semblant venir du même irréel au-delà, ensevelies sous la pluie grise d'automne. Puis le porte-drapeau abaissa lentement la hampe, et après avoir replié la proclamation détrempée l'officier d'état-major tira d'un étui la décoration qu'il alla épingler au-dessous de la pique sur la cravate, se reculant ensuite de quatre pas et saluant en même temps que le général portait la main gantée de blanc à son képi et que les officiers aux sabres nus se raidissaient encore. Pendant un moment on n'entendit plus que le bruissement immatériel de la pluie qui continuait à tomber et la protestation furieuse des étendards claquant dans le vent comme des coups de feu jusqu'à ce que brusquement la clique attaquât une marche entraînante, rythmée par des coups de cymbales, presque joyeuse aurait-on dit, tandis que l'un après l'autre, aux commandements, les détachements des régiments rompant leur immobilité s'ébranlaient. De leur pas cadencé et vif, ils défilèrent devant le drapeau décoré, relevé maintenant, palpitant faiblement, toujours tenu par le petit homme à la silhouette malingre, le vaste carré des uniformes sombres se disloquant peu à peu, les détachements se succédant, la clique n'arrêtant de jouer que lorsque le dernier peloton de la dernière section se fut éloigné. Deux autres sous-officiers s'approchèrent alors du porte-drapeau et avec des gestes de femmes l'aidèrent à rouler l'étendard qu'ils glissèrent dans une gaine d'étoffe noire et huilée, cependant que le général commandant l'armée remontait dans son automobile qui s'éloigna en cahotant sur le sol inégal du plateau, et ce fut tout.

Quoiqu'il ne fût pas ménagé (entièrement reformé et recomplété plusieurs fois, engagé rarement il est vrai ou envoyé dans des secteurs calmes comme ces vieilles troupes, ces vieilles gardes prétoriennes ou ces corps d'élite tenus précisément en réserve pour les actions les plus meurtrières), jamais par la suite, sauf à l'occasion d'une attaque mal préparée qui lui coûta en une matinée près des trois quarts de ses officiers et un bon millier d'hommes, le régiment n'essuya d'aussi lourdes pertes que pendant ces quatre premières semaines où il laissa sur le terrain plus de morts qu'au cours de chacune des quatre années que dura la guerre. Parmi ceux qui tombèrent dans le combat du 27 août se trouvait un capitaine de quarante ans dont le corps encore chaud dut être abandonné au pied de l'arbre auquel on l'avait adossé. C'était un homme d'assez grande taille, robuste, aux traits réguliers, à la moustache relevée en crocs, à la barbe carrée et dont les yeux pâles, couleur de faïence, grands ouverts dans le paisible visage ensanglanté fixaient au-dessus d'eux les feuillages déchiquetés par les balles dans lesquels jouait le soleil de l'après-midi d'été. Le sang pâteux faisait sur la tunique une tache d'un rouge vif dont les bords commençaient à sécher, déjà brunis, disparaissant presque entièrement sous l'essaim de mouches aux corselets rayés, aux ailes grises pointillées de noir, se bousculant et se montant les unes sur les autres, comme celles qui s'abattent sur les excréments dans les sous-bois. La balle avait emporté le képi et l'on pouvait encore voir dans les cheveux englués de sang le sillon laissé par le peigne qui le matin même avait tracé avec soin la raie médiane encadrée de deux ondulations. A la grande déception du soldat ennemi qui s'avança prudemment, courbé en deux, le doigt sur la détente de son arme et qui, attiré par la vue des galons, se pencha sur le corps, écartant les mouches pour le fouiller, les poches de la tunique étaient vides et il ne trouva ni la montre en or à sonnerie, ni le portefeuille, ni quelque autre objet de valeur. Avec la bourse, le tout fut renvoyé plus tard à la veuve ainsi qu'une moitié de la petite plaque grisâtre

61

portant le nom du mort et fixée par une chaînette à son poignet, l'autre moitié de la plaque cassée suivant un pointillé de vides ménagé à cet effet à l'emboutisseuse ayant été conservée par les bureaux des effectifs. On n'avait, dans la précipitation, pas eu le temps de faire glisser l'alliance du doigt qu'elle entourait et sans doute le soldat exténué, vêtu d'un uniforme verdâtre, aux bottes couvertes de poussière et de boue, dut-il rapidement couper le doigt du tranchant de sa baïonnette avant d'être surpris par un camarade ou un gradé. Quant au nécessaire à fumer en émail décoré d'oiseaux chinois indigo aux ventres roses volant au-dessus de nénuphars, il avait été, lui, rangé avant le combat dans l'étroite cantine réglementaire, peinte en vert foncé et ceinturée de courroies, transportée dans les fourgons avec les bagages de la compagnie.

Ainsi venait de prendre fin une aventure commencée vingt-cinq ou trente ans plus tôt, lorsque l'instituteur d'un petit hameau de montagne (ou plutôt sans doute le principal du collège de la ville voisine) vint trouver (ou convoqua dans son bureau) le père du jeune boursier encore dans les basses classes (un paysan, un homme sachant tout juste lire, écrire et remplir d'additions maladroites les feuilles d'un carnet à la couverture de moleskine, les chiffres gris inscrits avec lenteur au crayon — parfois un de ces crayons à encre humectés de salive et dont la trace mauve pâlissait à mesure que la mine séchait —, le papier lui-même grisâtre, quadrillé, dont la pâte était parsemée de minuscules taches rousses, comme de la sciure de bois) et le persuada de renoncer à faire de son fils un instituteur (ses sœurs aînées enseignaient déjà dans des écoles perdues l'hiver sous la neige) et de ne pas le retirer du collège avant le baccalauréat afin qu'il soit à même de poursuivre des études supérieures. Ce fut peut-être à son retour ce soir-là, ou après s'être donné la nuit pour réfléchir, que l'homme qui avait passé sa vie à gratter quelques carrés ou plutôt quelques lambeaux de terre éparpillés ici et là au fond et sur les flancs d'une étroite vallée, si éloignés les uns des autres qu'il fallait pour s'y rendre à peu près autant de temps qu'on y restait à travailler, prit sa décision, ou plutôt se renforça dans la décision qu'il avait déjà prise de mettre ses enfants en mesure d'atteindre à une condition qui place-rait définitivement le nom de la famille à l'abri des orages de grêle, des sécheresses, des doryphores, de l'ergot du seigle ou de la cochylis qui, périodiquement, anéantissaient en quelques heures ou quelques jours le fruit de la sueur et de la fatigue dépensées en une année. Et ce que lui avait fait entrevoir le principal du collège dépassait de si loin tout ce qu'il avait pu ambitionner pour sa descendance qu'en comparaison la condition d'instituteur faisait à peu près la même figure que celle de paysan à côté de celle d'instituteur. Ce fut sans doute ce qu'il expliqua aux deux filles qui, pour les congés, venaient de leurs écoles non pour se reposer sous le toit familial mais pour travailler dix heures par jour les carrés de pommes de terre, de maïs, ou les minuscules arpents de vigne. Ou peut-être (il mourut d'ailleurs peu après) n'eut-il pas besoin de leur expliquer quoi que ce soit ni de les convaincre, peut-être prirent-elles la décision d'el-les-mêmes, spontanément, peut-être même l'avaient-elles prise bien avant que le principal du collège s'intéressât à leur jeune frère (c'était l'unique garçon de la famille, leur cadet de plusieurs années), peut-être ce qu'elles avaient déjà appris par elles-mêmes de la condition d'enseignantes dans les écoles où elles faisaient la classe à de jeunes gardiens de vaches et à des filles en sabots les avait-elles déjà conduites à la même résolution d'éviter au garçon un destin semblable, et ceci quel que dût être le prix à payer, non seulement pour ses études, son entretien pendant les années préparatoires aux examens ou aux concours qu'il affronterait mais encore, par la suite, le temps nécessaire à son insertion dans un milieu social où pour figurer décemment, du moins dans les débuts, ce qu'il pourrait gagner par lui-même serait certainement loin de suffire.

C'était une famille élevée dans une tradition rigide et austère. Non seulement cette austérité naturelle à des paysans obligés de comptabiliser les dépenses avec une minutie de fourmis, porter des vêtements rapiécés, manger dans la cuisine, se serrer à la veillée autour d'un unique feu dont on arrosait le soir les bûches fumantes, coucher dans des chambres glaciales et économiser sur tout, mais encore accusée (l'austérité) ou plutôt fortifiée par cette orgueilleuse soif de justice, de décence et de dignité, cet esprit d'intraitable insoumission qui, dans cette région montagneuse proche de la Suisse, l'eût, quelques siècles plus tôt, poussée à suivre le sévère réformateur genevois et trouvait maintenant sa force sinon dans la pensée de théoriciens barbus et porteurs de lunettes cerclées de fer, aux têtes eux-mêmes de maîtres d'école ou d'ouvriers typographes (le père, du moins, eût été incapable de lire leurs écrits), en tout cas dans une confuse mais farouche adhésion aux idées qu'avait vu naître et se développer le siècle en train de s'achever. Quoiqu'ils fussent en bons termes avec leurs voisins, les tutoyant tous, tutoyés en retour et estimés d'eux, pas plus que sur ceux du cabaret (si toutefois on pouvait donner ce nom à deux tables recouvertes d'une épaisse peinture marron dans un coin de l'étroit et unique magasin du hameau faisant à la fois office d'épicerie, d'assommoir et de bureau de tabac), jamais on n'avait vu un membre de la famille, homme ou femme, s'asseoir à l'un des bancs de l'église elle aussi édifiée au cours du siècle écoulé comme une sentinelle, un rempart aux idées des penseurs à lunettes de fer, bâtie en pierre grise, froide et sans grâce, comme l'architectural symbole de ce clergé à rabats, barrettes et surplis resurgi à la Restauration et qui, en accord avec les propriétaires de la fabrique de carton-cuir un peu plus bas sur le cours de la rivière, décidait de l'embauche, des secours aux pauvres et des votes des habitants de la vallée.

De leur éducation, de souvenirs de silhouettes titubantes le soir dans la rue du village, de cris de femmes battues, de javelles d'où tombait parfois en se tortillant une mince lanière couleur de fer, des années dans les écoles de montagne autour desquelles la neige ne fondait que pour faire place à la pluie, et de la perte d'une cousine dont elles se rappelaient le mouchoir taché de sang, les deux institutrices devaient conserver jusqu'à leur mort un sentiment presque superstitieux tenant à la fois de la crainte et d'une viscérale répulsion qui leur faisait mêler dans une même terreur (baissant la voix si par hasard il leur arrivait d'en parler, comme si les mots eux-mêmes étaient chargés d'un pouvoir maléfique et salissant, comme obscènes) l'ivrognerie, les vipères, la boue, les prêtres et la tuberculose.

A la mort du père, elles essayèrent de louer un homme pour continuer à travailler les diminutifs de champs et de vignes pendant qu'elles étaient retenues dans leurs écoles (les quittant le samedi soir, sitôt la dernière classe finie, faisant à pied des trajets de plusieurs kilomètres dans la neige ou les chemins détrempés, prenant des trains aux banquettes de bois dont il fallait changer en pleine nuit dans des gares éclairées de lumignons, passant leur dimanche à travailler comme des mules, refaisant le trajet en sens inverse dans la nuit et de nouveau, irréprochables et impolluées dans leurs longues jupes soigneusement brossées et leurs corsages boutonnés jusqu'au menton, un châle tricoté sur leurs épaules, devant leur tableau noir le lundi matin), mais elles se firent voler. Elles essayèrent alors de louer les terres (il ne leur vint même pas à l'esprit qu'elles auraient pu les vendre, elles et l'ambitieuse maison que le père avait acquise à la ville, à moitié en ruine, et qu'elles devaient par la suite, lame de plancher par lame de plancher, plafond par plafond et tuile par tuile, mettre des années à pratiquement reconstruire de la cave au grenier), mais la plupart étaient d'un accès si difficile et d'un si faible rendement que personne n'en voulut, et pour celles que quelqu'un consentit à prendre, on les vola encore, de sorte que finalement, malgré les protestations du garçon qui lui aussi, le dimanche, enfilait un vieux pantalon et travaillait à leur côté, l'une d'elles, l'aînée (il y avait bien aussi la mère — ou plutôt une chose (une boule) environ grosse comme le poing et jaune, coiffée d'un bonnet à volants, reposant immobile sur un oreiller, le drap immaculé tiré jusqu'au menton, si plat qu'il semblait ne rien recouvrir, avec, au milieu des rides une bouche dans laquelle on versait à l'aide d'une petite cuillère un peu de bouillie blanchâtre qui ressortait un peu plus bas sous forme d'excréments dont on la nettoyait chaque jour)... finalement, donc, l'aînée se résigna à réintégrer la condition dont le père avait voulu les sortir à jamais, reprenant avec ses outils les chemins menant aux carrés de maïs, aux vignes ou aux vergers dont les arbres donnaient des poires véreuses avant même d'être mûres et dures comme du bois.

Maintenant qu'elle travaillait à côté d'eux, chaussée de lourds brodequins d'homme, son visage un peu carré se changeant peu à peu en un visage d'homme (plus tard, sur sa lèvre supérieure à la peau flétrie, crevassée de petites rides verticales, comme des incisions, apparut même une légère moustache), elle pouvait surveiller les journaliers qu'elle était malgré tout forcée de louer pour les plus gros travaux en même temps que la paire de bœufs (on la leur aurait sans doute prêtée, mais elles tenaient à ne rien devoir) qui rentraient à l'automne la récolte des vignes cultivées à la bêche. Le seul adoucissement (le seul luxe) qu'elle (celle qui tenait maintenant le rôle du père) se permit fut l'achat d'une bicyclette d'occasion sur laquelle, le plus souvent, embarrassée par ses longues jupes, elle ne s'asseyait que dans les descentes, se contentant la plupart du temps de la pousser, arc-boutée sur le guidon, le porte-bagages chargé de sacs bosselés ou d'outils, et traînant une remorque faite d'une caisse qu'elle avait fabriquée elle-même à l'aide de quelques planches et de roues trouvées dans la décharge d'un ferrailleur, comme elle remplaçait elle-même un carreau cassé, réparait une murette ou la porte branlante du poulailler, tricotait sur de minces aiguilles d'acier ses chaussettes de laine noire, taillait et cousait leurs robes et reprisait les affaires du garçon.

Ce fut pendant que celui-ci, toujours comme boursier, préparait au lycée du chef-lieu le concours d'entrée à Polytechnique que se produisit l'événement qui devait décider de la suite de sa vie, jusqu'à le placer quelque vingt ans plus tard par une journée d'août, à la lisière d'un bois, sur la trajectoire d'une balle qui viendrait lui fracasser le crâne. Vers le mois de février, au manège (car, malgré ses protestations encore, elles payaient aussi pour lui faire prendre des leçons d'équitation), il fit une chute et se brisa une jambe. La fracture était propre, sans déplacement, mais, quoiqu'il continuât à travailler dans le lit où l'immobilisait le plâtre, le temps nécessaire à sa guérison excluait pour lui toute chance de subir avec succès cette année-là les épreuves d'un concours aussi sévère, et quand elles vinrent le voir à l'hôpital il leur annonça que, si toutefois il se rétablissait à temps, il avait décidé de se présenter sans plus attendre à l'école militaire de Saint-Cyr.

Plus tard elles racontèrent cela (cela, c'est-à-dire non pas l'accident, la chute de cheval, mais la décision qui signifiait pour elles l'écroulement de leurs ambitions) comme les pauvres racontent les catastrophes naturelles, maladies ou infirmités, grêles ou sécheresses, qui jalonnent inéluctablement toute existence, parlant de leurs voix paisibles, égales, leurs yeux chassieux dans leurs

visages ravinés de vieilles filles empreints de cette inno-
cence en quelque sorte enfantine que les années ni le
malheur n'avaient pu altérer, et en les écoutant on
pouvait les imaginer, toutes deux dans leurs manteaux
dont s'exhalait une légère odeur de camphre, coiffées de
ces chapeaux (ou plutôt de ces toques) que celle qui
tenait le rôle de l'homme confectionnait elle-même avec
un vieux morceau de soie ou de velours habilement
torsadé, orné d'une boucle de strass ou de quelque
aigrette récupérée, debout à côté du lit d'hôpital, frôlées
par les allées et venues des religieuses aux jupes bruissan-
tes et aux cornettes empesées qu'elles regardaient avec
cette craintive répulsion que leur père leur avait incul-
quée pour tout ce qui, de près ou de loin, touchait à
la religion, écoutant avec consternation le blessé leur
expliquer en se forçant à sourire quelle chance il avait
d'avoir encore assez de mois pour préparer un autre
concours, évitant de regarder leurs manteaux râpés, leurs
mains crevassées et rouges maladroitement dissimulées
dans leurs manchons, le visage d'homme de l'aînée ou
celui en train de se faner de celle qui n'était déjà
presque plus en âge de trouver un mari, comme si sa
décision (celle de se présenter à Saint-Cyr) allait de soi,
ne représentait qu'un négligeable changement d'orienta-
tion résultant seulement d'un hasard malheureux et non
pas de l'impossibilité pour lui de supporter pendant une
année encore le prix dont elles payaient ses leçons
d'équitation.

Naturellement, elles ne racontèrent pas les choses de
cette façon. Elles dirent simplement que s'étant cassé la
jambe pendant l'hiver il avait alors choisi de se présenter

à Saint-Cyr. C'était tout juste si en les entendant on pouvait soupçonner non pas la déception (ou plutôt la consternation) mais quelque chose comme une timide déconvenue, un timide regret. Comme on dit dans une famille de paysans sans même maudire le sort que depuis qu'il est tombé de l'échelle ou de la batteuse le jeune frère est resté bossu. Un constat. Sans plus. Elles pour qui le coup (c'est-à-dire la décision dont il leur fit part) dut sur le moment apparaître comme un sarcastique ricanement du destin. Comme si se trouvait brutalement réduit à rien, bafoué, non seulement ce qu'elles avaient consenti de sacrifices et de renoncements, mais encore l'esprit même, l'orgueilleuse tradition de cette famille où l'on conservait avec fierté le souvenir d'un arrière-grand-oncle (elles disaient l'avoir connu dans leur enfance, se chauffant au soleil contre le mur, assis sur un billot) resté caché cinq ans dans les bois pour échapper aux gendarmes écumant la campagne à la recherche des jeunes paysans qu'un ogre dévorait par bataillons entiers ou envoyait mourir au fond de steppes glacées. Car sans doute, surmontant cette superstitieuse aversion dans laquelle elles englobaient sans distinction comme les complémentaires personnifications du mal tout homme vêtu d'une robe ou d'un uniforme, sans doute n'avaient-elles admis que comme un avatar sans conséquences (le passage obligé par la chrysalide du papillon avant qu'il ne déploie l'apothéose de ses ailes éblouissantes) que leur frère coiffât le célèbre bicorne et endossât pour un temps la tenue noire soutachée de rouge qu'en dépit de la ridicule épée elles avaient probablement fini par considérer comme les attributs d'une sorte d'ordre laïque, les

70

austères symboles de l'accession aux privilèges du labeur et du savoir.

Ce fut peut-être cela qu'elles essayèrent de lui dire dans la blancheur de cette salle commune de l'hôpital où elles étaient accourues le voir, tendues, avec leurs visages précocement flétris, rigides, s'efforçant d'ignorer les silencieux et bruissants va-et-vient des cornettes aux ailes empesées voletant autour d'impassibles masques de cire (comme si de part et d'autre s'affrontaient, se mesuraient dans une muette, tacite et instinctive hostilité les inconciliables incarnations féminines du devoir et de la virginité), leurs voix pas beaucoup plus hautes qu'un murmure, tandis qu'il répondait à leurs objections (ou à leurs supplications) avec un sourire indulgent, un peu grondeur, comme on en adresse aux enfants, lui qui avait presque dix ans de moins que la plus jeune, continuant à afficher ce même sourire tandis qu'elles se retiraient enfin, mêlées aux autres visiteurs poussés en troupeau vers la porte, l'une des deux femmes se retournant peut-être encore, le voyant toujours souriant sur son oreiller, avec, sur la table de nuit, les oranges qu'elles lui avaient apportées, agitant gaiement la main, calculant comment il pourrait non pas se délivrer d'elles mais, en quelque sorte, les délivrer de lui, sans prévoir encore à quel point il se trompait, à quel point une volonté d'homme compte pour rien en face de la farouche détermination de deux faibles femmes, ou plutôt de deux mules.

Car rien ne changea. Les choses étaient trop avancées maintenant (c'est-à-dire trop avancées dans la manière de vivre des deux sœurs) pour qu'elles pussent songer, ne

71

fût-ce qu'un instant, qu'il pourrait en être autrement que de rester vieilles filles, continuer à mener leur existence de bêtes de somme, porter des vêtements indéfiniment rapetassés et économiser suffisamment pour pouvoir lui envoyer les mandats qu'il leur retournait et qu'elles renvoyaient imperturbablement sous forme de tout ce qu'elles estimaient qu'un jeune homme dans sa position (c'est-à-dire la position à laquelle il accéda : celle d'aspirant, puis d'officier dans le corps d'infanterie de marine) se devait de posséder, depuis les gants jusqu'au nécessaire de toilette aux multiples et inutiles accessoires en passant par les bottes de cuir souple accompagnées d'un mot disant Il est convenu que si elles ne te vont pas exactement tu pourras aller les échanger, ajoutant de leur écriture pour tableau noir l'adresse du faiseur à la mode que du fond de leur vallée et en interrogeant on ne sait qui elles avaient trouvé le moyen de se procurer.

Des années avaient alors passé et sans doute toute l'affaire (l'accident, les visites à l'hôpital, le tournant pris) était-elle oubliée (ou du moins tacitement rayée de leurs conversations, sinon de leur mémoire), mise, comme la grêle ou les inondations qui ravinaient les champs, au compte des profits et pertes. Car ce fut avec la même aveugle et inconditionnelle opiniâtreté qu'elles avaient maintenant reporté sur ce qui devait pour elles représenter quelque chose comme une apostasie cette espèce d'incestueuse et austère passion. Comme aussi bien, assassin, elles auraient vendu jusqu'aux dernières parcelles de terre et jusqu'aux dernières des quelques pièces d'or cachées derrière une plinthe pour payer le meilleur avocat d'assises, auraient été le visiter dans sa prison, l'auraient accompagné de loin jusqu'à l'embarcadère d'où le bateau mettait le cap sur le bagne, comme vingt-cinq ans plus tard elles devaient errer, les yeux rougis mais secs et s'employant à calmer une folle dans des campagnes et des bois dévastés par une tornade géante à la recherche de son corps (ou du moins ce qui pouvait en rester) et lui donner une sépulture, à la manière de ces parentes d'un condamné allant la nuit sous les gibets, enivrant ou soudoyant les gardes, pour dépendre le supplicié et l'emporter, avec cette différence qu'il n'y aurait alors ni gibet ni gardes à corrompre, ni même quelque cadavre aux yeux crevés par les corbeaux : seulement, parmi les vagues étendues incultes, défoncées, comme pourries (tellement encore infestées d'explosifs qu'aucune charrue n'osait s'y aventurer), de fantomatiques silhouettes occupées à chercher dans les décombres de quoi recouvrir d'un symbole de toit les pans de murs encore debout, et qui relevaient les yeux, regardaient avec indifférence (parfois avec pitié, parfois avec agacement) les trois femmes traînant avec elles le jeune garçon, puis se remettaient à trier les chevrons à demi calcinés émergeant des amas de briques ou de moellons.

Mais cela serait pour plus tard, pour parachever en quelque sorte, couronner leur destin de mules. En attendant, il leur suffisait sans doute simplement de savoir qu'il existait quelque part (comme après sa mort elles continuèrent à vivre (se nourrir) de sa mémoire : non pas de cette façon hautaine et en quelque sorte emphatique de la veuve aux voiles de crêpe qui faisait célébrer des messes et imprimer à sa mémoire sur des cartons bordés de noir des versets d'Ossian, mais pour ainsi dire paisiblement — ou plutôt par habitude, comme elles continuaient à manger par habitude (pas résignation : habitude) les minuscules poires véreuses à consistance de cailloux que produisait leur verger), sans doute leur suffisait-il que quelque part où elles pouvaient lui envoyer des mandats une même chair que la leur poursuivît les phases d'une mutation qui, même si elle contrariait, choquait en elles cette sévère intransigeance qui réglait leur propre vie, n'en constituait pas moins une promotion sociale — en tout cas la garantie d'une existence définitivement à l'abri de ce que leurs père, mère, grands-pères, grands-mères, arrière-grands-pères, arrière-grand-mères et elles-mêmes avaient enduré, continuaient d'endurer.

Et sans doute avait-il hérité en même temps qu'elles de ces facultés d'endurance, d'acharnement, et de cette inaltérable façon d'être, travaillant dur pour, en même temps qu'il maltraitait son corps, s'efforçait de recouvrer la souplesse de sa jambe ankylosée par le plâtre, maltraiter aussi son esprit, préparant en deux mois le concours pour ainsi dire de repêchage ouvrant l'entrée de cette école qui n'était en fait qu'une caserne accessoirement pourvue de salles d'études et d'amphithéâtres, reçu de justesse, se remettant aussitôt à travailler dur pour remonter rang par rang jusqu'au peloton de tête, sortir finalement avec un numéro qui donnait le droit d'opter pour ce corps envié à l'écusson brodé d'une ancre de marine, après avoir passé deux ans pratiquement reclus, cloîtré (comme les cinq ou six — ou peut-être neuf, ou dix... — de sa sorte que comptait la promotion, c'est-à-dire sinon pauvres, du moins obligés de compter et calculer, fils d'adjudants ou de gendarmes élevés à coups

74

de ceinturon ou venus de quelque prytanée militaire, quelque bagne d'enfants, et avec lesquels, les dimanches, dans la chambrée vide, entre deux rangées d'étroites couchettes rectangulaires aux couvertures brunâtres réglementairement pliées semblables à des alignements de cercueils, la chatoyante tenue de parade remplacée par un treillis de toile, il partageait sur la table de bois grossier imbibée d'huile d'armes et de poudre d'astiquage les colis que lui faisaient parvenir ses sœurs, les pâtés ou les viandes en terrines comme imbibés de fades odeurs d'acier et de térébenthine, et aussi durs, aussi froids que l'acier lui-même), n'en sortant qu'à l'occasion des manœuvres ou des courtes permissions, courant alors, à peine le corps de garde franchi, attraper le premier train pour, le lendemain, les manches retroussées et chaussé de sabots, liant les gerbes, rentrant les foins, fendant le bois, se mettre à abattre le travail de deux hommes — ce qui, ajouté à celui des deux sœurs, faisait quatre —, retrouvant au retour les insoucieux fils de famille ou de généraux dont les tuniques d'apparat semblaient encore porter comme des décorations ou plutôt comme les pollens de fleurs délicates les traces pastel de poudre de riz, les invisibles empreintes parfumées et roses, comme imprimées en creux, de seins, de ventres et de cuisses : joyeux, vantards, emplissant la chambrée d'une obsédante et âcre odeur de rut, pleins d'histoires de chevaux, de courses, d'actrices, de champagne, de bordels et de potins du faubourg Saint-Germain, écoutant les récits de leurs beuveries ou de leurs priapiques exploits avec ce même sourire à la fois amusé et indulgent qu'il avait opposé aux deux statues de la désolation debout au pied de son lit d'hôpital et dont il accueillait maintenant les forfanteries des jeunes étalons comme un aîné face à de turbulents gamins (lui qui avait le même âge qu'eux, qui pour toute expérience n'avait sans doute que celle de quelque gardeuse d'oies culbutée derrière un fourré — ou plus probablement, dans l'austère climat familial où il avait grandi, même pas...), imposant silence aux protestations de sa chair d'adolescent aussi virginale, aussi intacte sans doute que celle des deux sœurs converses dont, maintenant qu'il était entretenu par l'Etat, il pouvait renvoyer les mandats — ou peut-être encaissant parfois l'un d'eux (ajoutant consciencieusement son montant à la colonne de ce qu'il leur devait déjà) pour le jour où son tour venait d'offrir à boire, s'exécutant avec ce même sourire amusé, prudent, derrière lequel il continuait à apprendre à cacher, gommer peu à peu le petit paysan rustaud, observant et se sachant observé, s'intégrant par degrés à cette sorte de clan, de caste, de secte : quelque chose comme un club, un cercle privé, un univers jalousement fermé et fonctionnant sur lui-même, avec son cérémonial, ses rites, comme un reliquat de barbarie recouvert d'une sorte de vernis, comme si, à la façon du monde du spectacle, il avait deux visages : l'un pour présenter à l'extérieur, sans faille, l'élégante et impeccable carapace de drap, de moustaches, de cuirs méticuleusement brossés et cirés, la raide et bienséante urbanité de façade, et l'autre, l'envers, à usage interne, rigide, sévère, sinon même brutal, aux âcres relents de créosote, de crottin, de sueur, de graisse d'armes et de latrines flottant entre les rectilignes bâtiments blanchis à la chaux, comme, aussi bien, l'Etat qui l'entretenait passait pour

76

ainsi dire avec lui un contrat à l'échéance duquel la seule chose qu'on lui demanderait en échange, une fois devenu insensible à la fatigue, exercé au maniement des armes et capable de réciter par cœur le Manuel du gradé en campagne, serait non pas tant de se battre, non pas tant même de mourir que de le faire d'une certaine façon, c'est-à-dire (de même que l'acrobate ou la danseuse étoile revêtus de collants rapiécés transpirent et se désarticulent en coulisse au son d'un piano désaccordé ou dans les exhalaisons amoniacales des fauves en vue du bref et fugitif instant d'équilibre instable, l'apothéose orchestrale ou le roulement de tambour pendant lesquels ils s'immobiliseront, bras arrondis, moulés de paillettes, souriants, gracieux, éphémères et impondérables sous les tonnerres d'applaudissements) seulement de se tenir vingt ans plus tard debout, bien en vue, les galons de son képi étincelant au soleil, ses inutiles jumelles à la main, patientant jusqu'à ce qu'un morceau de métal lui fasse éclater la cervelle.

Longtemps déjà avant l'accident de cheval, les deux femmes avaient émigré à la ville où la plus jeune avait fini par obtenir d'être nommée — c'est-à-dire avait fini d'attendre qu'on veuille bien donner suite aux demandes qu'elle rédigeait chaque année sur papier administratif à l'adresse de quelque invisible toute-puissance pour qu'on la retire enfin de son enfer de glace et de boue, qu'on lui laisse le droit d'habiter une maison à elle et de n'avoir, pour aller faire sa classe, qu'à suivre quelques rues, parfois verglacées aussi et enneigées mais tout au moins pavées et suffisamment profilées pour que la neige fondante ou l'eau de pluie s'écoulent par des caniveaux au lieu de stagner sur place en gelée boueuse ou en flaques. Et quant à la ville, c'était plutôt un gros bourg, à quelques kilomètres du hameau, là où s'ouvraient sur la plaine les pentes de l'étroite vallée, desservie par un chemin de fer à voie unique dont le tracé dessinait une longue courbe pour aller la chercher en lisière des derniers contreforts de la montagne : silencieuse, médiévale encore, avec ses longs toits d'un brun violacé aux arêtes protégées de zinc, ses froides arcades, son haut clocher, et cette trop vaste maison ou plutôt bâtisse, vide, où l'écho des pas sur les planchers raboteux se répercutaient comme dans une caisse de résonance et dont elles mirent des années à faire quelque chose qui ressemblât à une véritable maison, pièce après pièce, y apportant cette même inlassable obstination, jusqu'à ce qu'elle fût même dotée de quelque chose qui ressemblât aussi à une salle de bains (elles qui ne s'étaient jamais lavées que dans des éviers) avec une baignoire de tôle galvanisée, un rectangle de linoléum, un chauffe-eau fonctionnant au bois et à peu près aussi grande qu'un salon, discutant avec les artisans, faisant elles-mêmes tout ce que leurs forces de femmes (ou plutôt de filles de ferme) leur permettaient, n'achevant leur entreprise — ou plutôt le rêve ambitieux du père mort — que bien après que ce fils sur lequel il avait reporté cette ambition eut été tué : des années pendant lesquelles les deux seules chambres vraiment habitables furent longtemps celle où reposait l'espèce de momie vivante (c'est-à-dire la chose qui respirait, soulevait à peine le drap) et celle, la meilleure, fermée la plupart du temps et réservée pour les quelques jours où celui à travers lequel elles avaient choisi de vivre pour ainsi dire par procuration faisait de brèves apparitions, relativement fréquentes d'abord, puis s'espaçant, séparées à la fin par des années pendant lesquelles elles n'avaient d'autre image de lui que celle que leur apportaient de rares photographies prises de loin en loin et au fur et à mesure desquelles elles pouvaient voir passer par une série de métamorphoses ou plutôt de brusques mutations le fragile gamin qui leur avait résisté sur un lit d'hôpital, comme s'il s'était maintenant tenu quelque part dans les coulisses de ces théâtres d'illusionnistes ou plutôt dans un vague au-delà, ce monde, ces pays inconnus sans plus de réalité pour elles que les étendues de papier coloriées de rose ou de jaune sur les cartes de géographie où il se matérialisait soudain, gardant encore quelque temps cette docile apparence de collégien studieux, l'air d'un simple soldat plutôt que d'un officier en dépit du galon de sous-lieutenant ornant sa manche, gauchement assis sur une chaise disposée avec d'autres dans un jardin autour d'un guéridon pour un de ces groupes comme on aimait alors à en composer, les personnages compassés, immobilisés dans des attitudes faussement naturelles, avec une dame en robe de faille, deux autres invités en uniformes et deux jeunes filles servant des rafraîchissements, l'air lui-même, avec son transparent regard de faïence, son visage lisse, son bouc naissant et son pantalon immaculé, d'une troisième jeune fille déguisée qui se serait, par jeu, dessiné au bouchon une ombre de barbe et de moustaches, embarrassé de ses jambes, de ses gants, tenant dans une main un minuscule verre à liqueur, la photo portant au dos la mention « Lorient 1897 », puis, sans transition, un homme tout à coup, assuré, hardi, debout, cambré dans cette sombre tunique serrée comme un corset, chaussé de bottes (peut-être celles de ce faiseur à la mode qu'elles lui avaient commandées), les talons ornés d'éperons, la cravache torsadée négligemment tenue, barrant en oblique la culotte de cheval, une courte barbiche à l'impériale et des moustaches relevées remplaçant le timide grimage au charbon, la toile de fond du photographe représentant un pâle décor végétal de bambous, de palmiers-dattiers et de bananiers aux larges feuilles échancrées (« Martinique 1899 »), puis un fouillis de fougères arborescentes, de feuillages géants, vernis, charnus, rainurés, pendant en grappes, s'éparpillant, festonnés, gaufrés, striés, déchiquetés, aériens, s'entremêlant, se bousculant, entourant d'un cadre exubérant une muraille de roche, une cascade, un bassin d'où émerge le buste laiteux et nu d'un homme à la barbe carrée, les mains aux hanches (« Madagascar »), puis des buissons d'épineux, d'herbes sèches, roussies, une butte de terre où sous un parasol déployé se tient le même homme à la barbe carrée vêtu d'un simple gilet de corps et d'un pantalon de treillis serré aux chevilles, coiffé d'un casque en forme de cloche à melon, le visage brûlé par le soleil, debout à côté de deux de ces trépieds qui servent de supports aux instruments de visées topographiques et autour desquels s'affaire un nègre aux jambes de sauterelle sortant d'un sarrau en guenilles ; et encore le même homme à la barbe carrée, à cheval maintenant, tout entier vêtu de blanc, toujours protégé du même casque en cloche, les chevaux courts sur pattes, robustes, à l'épaisse crinière sauvage, comme sortis tout droit d'une de ces peintures de grottes ou du fond barbare de l'Asie, les cavaliers dans une plaine d'où surgissent çà et là en pains de sucre, comme des dents, des morceaux d'os et de jade, de hauts pitons calcaires au pied desquels on distingue quelques huttes, une mince pagode aux toits cornus (« Lang Son 1906 »), les deux femmes (les deux vieilles filles maintenant) toujours occupées à calculer le prix d'un plancher, d'un plafond ou d'un chéneau, l'une arc-boutée sur sa bicyclette à la remorque chargée d'outils ou de pommes de terre, l'autre debout chaque matin devant son tableau noir en face de rangées d'enfants aux crânes tondus, l'une ou l'autre cherchant le soir ses clefs, ouvrant en rentrant la boîte aux lettres où, selon les courriers, selon la rotation de lents paquebots dont il leur envoyait aussi les images, elle trouvait l'enveloppe à l'écriture familière, regardant un moment le timbre exotique, la glissant ensuite parmi les bottes de poireaux ou les choux dans le cabas à provisions, attendant d'avoir ôté son manteau, déposé le cabas à la cuisine, pour s'asseoir à la table, chausser ses lunettes, ouvrir alors l'enveloppe, étaler à plat sur la toile cirée jaunâtre pour en faire la lecture la lettre dont s'échappait parfois la photographie de quelque visage plus ou moins foncé, aux yeux plus ou moins fendus, délicat, aussi poli, aussi lisse qu'un galet, surmonté d'un madras ou de noirs cheveux nattés, émergeant de dentelles, de jabots, de fronces, comme ces robes surchargées dont on revêt les madones, ne laissant dépasser que deux mains de poupée, l'une d'elles posée sur le dossier de quelque fauteuil d'osier ou la console d'un atelier de photographe, la statue à l'enfantin visage d'or ou de bronze comme empesée elle-même, raide, figée, avec cet air vaguement effrayé de gazelle ou d'oiseau capturé, d'animal sauvage et de fillette déguisée, celle des deux femmes qui tenait la lettre achevant sa lecture, retirant ses lunettes, frottant de l'index ses paupières bordées de rose, remettant ses lunettes pour examiner la photographie, examinant le visage de fleur avec cette même muette et orgueilleuse satisfaction qui l'éclairait lorsqu'elle reconnaissait les bottes, la barbe carrée, le clair regard de faïence, les deux sœurs aux sévères robes sombres, aux impassibles visages chaque fois un peu plus usés, rangeant ensuite comme dans un herbier les délicates fleurs tropicales aux corps cachés sous les dentelles dans l'album de famille, parmi les photos de fillettes malingres, de cousines ou de tantes dans leurs raides corsages baleinés, d'enfants trop gras et de vignerons en costume du dimanche, comme elles rangeaient, accumulaient au salon qu'elles entreprirent de remettre en état et de meubler (tandis qu'elles continuaient à dormir dans leurs chambres aux plâtres rongés), avec au centre une table d'acajou, des fauteuils aux accoudoirs d'ébène, un piano dont aucune ne savait jouer et une vitrine à dessus de marbre, comme pour accueillir au fur et à mesure qu'elles les retiraient des caisses déclouées les coraux et les coquillages géants, les peaux de tigres, les sagaies achetées au hasard des marchés indigènes ou des escales, échoués là, dans la pénombre distillée par les rideaux de peluche et où luisaient sur les flancs de charbonneux cache-pots de bronze aux reliefs frottés d'or les pennes de hérons se poursuivant parmi les méandres de rivières et de collines semblables à des dragons, comme si d'un peu partout, arraché de place en place à la surface de ces continents qu'elles parcouraient

82

par procuration (suivant sur la carte la marche des paquebots dont les panaches de fumée s'étiraient et se dissolvaient sur les océans de papier bleu pâle, doublant les caps, franchissant les détroits entre des îles, des terres coloriées de safran ou d'amande), parvenait aux deux femmes sous forme de flèches, de lances, de porcelaines, d'émaux, de paravents brodés d'oiseaux-paradis, de soyeux chrysanthèmes, et d'une succession de suaves visages féminins, l'hétéroclite butin arraché à des mondes barbares en même temps que peu à peu, photographie après photographie, elles pouvaient voir l'ancien gamin achever sa métamorphose, comme barbare lui-même à présent, avec ses yeux de plus en plus clairs dans son visage brûlé par le soleil, sa barbe sauvage, ses moustaches de brigand ou de corsaire, comme ces conquérants peu à peu assimilés par leurs conquêtes, de plus en plus tanné, la barbe de plus en plus hérissée, jusqu'au jour où non pas d'un de ces lointains pays aux noms exotiques, à l'exubérante végétation ou aux sables calcinés mais de la garnison du Midi où il servait entre deux voyages elles reçurent la lettre par laquelle il leur annonçait qu'il avait décidé de se marier.

IV

17 mai 1940

On n'entend plus tirer. Accroupi maintenant, il regarde autour de lui, éparpillés sur le chemin et de part et d'autre dans les champs, les corps des chevaux et des cavaliers tués, arrêtant un moment ses yeux sur l'homme en train de lui parler (ou peut-être crie-t-il?), assis au revers du fossé, soutenant d'une main son autre bras ensanglanté, continuant un moment à le regarder sans même essayer de comprendre ce que le blessé essaie de lui dire (ou n'essaie pas : parlant peut-être — ou criant — pour lui tout seul, la bouche déformée par la souffrance — ou la colère, comme s'il hurlait des invecti-ves), puis, sans qu'il se rappelât plus tard avoir pris la décision, s'élançant, courant maintenant, courbé en deux, ses jambes s'agitant frénétiquement sous lui, en direction de la haie qui borde le pré remontant la pente de la cuvette. On ne tire pas tout de suite, et quand le tir se déclenche c'est comme négligemment, distraitement, sans conviction pour ainsi dire, comme si le tireur agissait par réflexe, sans trop viser (mais peut-être n'est-ce pas sur lui qu'on tire?), n'entendant aucune balle siffler, entendant seulement le crépitement saccadé et assez lent de la mitrailleuse, comme de pure forme lui aussi, futile, assez loin semble-t-il, du moins pour autant qu'il puisse en juger à travers la rumeur de son sang et de son souffle, puis s'abattant sur la haie, basculant, se recevant de l'autre côté sur les mains, ramenant ses jambes, cela en une fraction de seconde, puis tapi sans bouger, assourdi par le bruit maintenant formidable de son souffle allant et venant, du sang qui bat dans ses oreilles.

Quoique la mitrailleuse ait cessé de tirer il ne se retourne pas, n'essaie pas de regarder derrière lui vers la légère déclivité de terrain parsemée ici et là de petits tas brunâtres, sans mouvements. Ce qu'il regarde, c'est la haie suivante. Il peut être environ huit heures du matin, mais depuis longtemps la notion d'heure a perdu toute signification, que ce soit pour manger ou dormir, sauf que la nuit les avions n'attaquent pas. De toute façon, depuis trois jours il n'a pratiquement pas mangé, et, quant à dormir, il ne distingue plus très bien le sommeil de l'état de veille, même en action, non seulement à cheval mais encore à pied, se mouvant à la façon d'un somnambule, les muscles se contractant et se détendant d'eux-mêmes, commandés par des réflexes d'automate, de sorte qu'il ne pourrait pas dire si ç'a été sa raison, sa volonté ou quelque instinct animal qui l'ont fait se relever et se mettre tout à coup à courir. De même qu'il ne pourrait pas non plus dire combien de temps il est resté sans connaissance sur ce que l'on ne pourrait pas appeler exactement un champ de bataille (le carrefour de deux chemins vicinaux au milieu de blés en herbe et de

prairies en fleurs) : tout ce dont il se souvient (ou plutôt
ne se souvient pas — ce ne sera que plus tard, quand
il aura le temps : pour le moment il est uniquement
occupé à surveiller avec précaution le paysage autour de
lui, estimer la distance qui le sépare de la prochaine haie,
tandis qu'il fait passer par-dessus sa tête la bretelle de
son mousqueton, ouvre la culasse, la fait basculer et la
retire) ce sont des ombres encore pâles et transparentes
de chevaux sur le sol, un peu en avant sur la droite,
tellement distendues par les premiers rayons du soleil
qu'elles semblent bouger sans avancer, comme montées
sur des échasses, soulevant leurs jambes étirées de saute-
relles et les reposant pour ainsi dire au même endroit
comme un animal fantastique qui mimerait sur place les
mouvements de la marche, la longue colonne des cavaliers
battant en retraite somnolant encore au sortir de la nuit,
les dos voûtés, les bustes oscillant d'avant en arrière sur
les selles, la tête de la colonne tournant sur la droite au
carrefour, puis soudain les cris, les rafales des mitrailleuses, la tête de la colonne refluant, d'autres mitrailleuses
alors sur l'arrière, la queue de la colonne prenant le
galop, les cavaliers se mêlant, se heurtant, la confusion,
le tumulte, le désordre, les cris encore, les détonations,
les ordres contraires, puis lui-même devenu désordre,
jurons, s'apprêtant à remonter sur la jument dont il vient
de sauter, le pied à l'étrier, la selle tournant, et maintenant arc-bouté, tirant et poussant de toutes ses forces
pour la remettre en place, luttant contre le poids du
sabre et des sacoches, les rênes passées au creux de son
coude gauche, bousculé, se déchirant la paume à l'ardillon
de la boucle, assourdi par les explosions, les cris, les

galopades, ou plutôt percevant (ouïe, vue) comme des fragments qui se succèdent, se remplacent, se démasquent, s'entrechoquent, tournoyants : flancs de chevaux, bottes, sabots, croupes, chutes, fragments de cris, de bruits, l'air, l'espace, comme fragmentés, hachés eux-mêmes en minuscules parcelles, déchiquetés, par le crépitement des mitrailleuses — puis renonçant, se mettant à courir, jurant toujours, parmi les chevaux fous, les cris, le tapage, la jument qu'il tient par la bride au petit galop, la selle sous le ventre, puis soudain plus rien (ne sentant même pas le choc, pas de douleur, même pas la conscience de trébucher, de tomber, rien) : le noir, plus aucun bruit (ou peut-être un assourdissant tintamarre se neutralisant lui-même ?), sourd, aveugle, rien, jusqu'à ce que lentement, émergeant peu à peu comme des bulles à la surface d'une eau trouble, apparaissent de vagues taches indécises qui se brouillent, s'effacent, puis réapparaissent de nouveau, puis se précisent : des triangles, des polygones, des cailloux, de menus brins d'herbe, l'empierrement du chemin où il se tient maintenant à quatre pattes, comme un chien, son cerveau (ou quelque chose de plus vivace, de plus rapide et de plus intelligent) se remettant à fonctionner : quelque chose qui sans doute, en accord avec sa position de quadrupède, tient du règne animal, comme si resurgissait en lui ce qui confère à une bête (chien, loup ou lièvre) intelligence et rapidité en même temps qu'indifférence : la complète indifférence (tandis que la partie animale de lui fonctionnait à toute vitesse) avec laquelle il regardait le blessé en train de crier et tout près, au revers du talus, la tête en bas, les bras en croix, une expression stupide de surprise et d'incrédulité sur le visage figé, le corps sans vie du cavalier qui chevauchait un moment plus tôt à son côté, à côté de qui il avait vécu, dormi et mangé depuis huit mois, puis cessant brusquement de le voir, ne voyant plus alors que la barre horizontale dessinée par la haie vers laquelle, la tête rentrée dans les épaules, il court à perdre haleine.

La culasse du mousqueton lancée avec violence comme un moment immobilisée au sommet de sa trajectoire tourne en étincelant dans le soleil avant de retomber au loin, le mousqueton lui-même fourré tant bien que mal dans l'herbe au pied de la haie, son corps de nouveau courbé en deux, comme un singe les mains rasant le sol, l'une d'elles y prenant au besoin appui s'il trébuche, il se déplace déjà avec rapidité (à la façon de ces rats filant au pied d'un mur) le long de la haie, puis, arrivé à l'extrémité du pré, tourne à angle droit, longeant alors de la même manière la haie qui borde l'autre côté, puis soudain à terre, aplati de tout son long, l'air violemment chassé de sa poitrine par le choc, puis, sans marquer de temps d'arrêt, comme une balle de caoutchouc qui rebondit contre un mur et repart en sens inverse, se déhanchant, s'aidant des coudes et des genoux, rampant précipitamment à reculons, puis cessant de reculer, cessant tout mouvement à l'exception d'imperceptibles déplacements latéraux, d'imperceptibles contractions, comme s'il cherchait à rétrécir, diminuer d'épaisseur, se tassant contre le pied de la haie sous les petites feuilles d'aubépine, et à la fin absolument immobile.

Il ne voit pas les infimes particules de diamant laissées par la rosée sur la partie du pré encore à l'ombre de la haie, il ne sent pas le parfum végétal et frais des brins d'herbe écrasés sous son poids, il ne sent pas non plus la puanteur qui s'exhale de son corps, de ses vêtements, de son linge raidi par la crasse, la sueur et la fatigue accumulées, il n'entend ni les chants d'oiseaux ni les légers bruissements des feuillages dans l'air transparent, il ne voit ni les fleurs qui parsèment le pré, ni les jeunes pousses de la haie se balancer faiblement dans la brise du matin, il n'entend même plus les battements déréglés de son cœur et les vagues successives du sang dans ses oreilles. La seule chose qu'il perçoive maintenant (ou tout au moins cette partie efficace de lui-même qui ne connaît pas la peur ou plutôt qui est au-delà de la peur, seulement efficace, pratique)... la seule chose qu'il perçoive, c'est le sourd bourdonnement, à peine audible, qui lui parvient sur sa droite, s'amplifie peu à peu, s'approchant, grandissant encore, et tout à coup il voit à travers la haie le premier déjà tout près : quelque chose tout entier en plans et en angles, grossièrement fait de tôles rivetées, semblable à une sorte de crustacé, sauf que ça a la taille d'un camion : aveugle, trapu, dangereux, peint d'une couleur gris fer, vaguement semblable aussi à un cercueil et se déplaçant sur la route dans un ronronnement de moteur bien huilé, suivi d'un second puis d'un troisième, insolites et irréels dans la fraîche et paisible nature printanière, les trois engins à vingt mètres d'intervalle environ l'un de l'autre avançant lentement, à peine plus vite qu'un homme à pied, tandis qu'il se tasse encore, arrache précipitamment son casque, cache le bas de son visage dans son bras replié, regarde alors comme au-dessus d'un parapet le premier blindé passer à l'aplomb

92

de la haie, la tourelle ouverte, un buste vêtu de noir émergeant de l'orifice, l'une des mains reposant nonchalamment sur son rebord, l'autre élevant par moments jusqu'aux lèvres une cigarette dont les bouffées se dissolvent en petits nuages bleuâtres dans l'air tranquille, les pastilles de soleil déchiquetées par les feuillages glissant sur les blindages, changeant brusquement de niveau, s'étirant ou se contractant aux cassures des plans, escaladant les tourelles, redescendant, comme si chacun des trois engins rampait sous un immatériel tapis tacheté, un immatériel filet de camouflage qu'il soulèverait au passage, distendrait, tiraillerait, après quoi tout reprend sa place, le ronronnement des moteurs décroissant, l'air cessant de vibrer, la minérale odeur d'essence et d'huile brûlée continuant à flotter, puante, dans l'air immobile, puis se dissolvant aussi, le monde, la nature un moment dérangés paisibles de nouveau tandis que toujours couché au pied de la haie il recommence à percevoir la rumeur de son sang, ses muscles se détendant peu à peu, se relevant alors avec précaution, d'abord appuyé sur ses mains, puis à genoux, les yeux tournés dans la direction où le dernier des blindés a disparu, prêtant encore l'oreille, puis se décidant, sur ses jambes maintenant, se remettant à courir, se déplaçant de nouveau à la façon d'un rat le long de la haie, ralentissant à mesure qu'il approche de la route, s'arrêtant, écoutant encore, se penchant au-dessus de la barrière qui clôture le pré, examinant la route déserte, puis, très vite, escaladant la barrière, retombant de l'autre côté et s'élançant.

Il ne cherche pas à voir où se trouve la mitrailleuse qui tire lorsqu'il traverse la route, saute par-dessus le second

fossé, traverse toujours courant un champ emblavé et se
jette dans l'épais taillis qui le borde, cessant de courir
(ou plutôt empêché de courir), trébuchant, haletant de
nouveau bruyamment quoiqu'il ne progresse maintenant
pas beaucoup plus vite qu'au pas, cinglé par les rameaux,
protégeant ses yeux de son bras replié en avant de lui,
prenant garde à lever les pieds pour ne pas se prendre
dans les ronces ou les branches mortes qui se cassent
sous son poids, déséquilibré sur le sol inégal, progressant
par une série de saccades plutôt que d'un élan continu.
La mitrailleuse a maintenant cessé de tirer, mais de toute
façon il n'a toujours pas peur. Il ne pense pas. Il ne
ressent pas non plus la fatigue, la faim. Plus tard,
cherchant à se souvenir, il ne parviendra même pas à se
rappeler si à un moment ou à un autre il a eu besoin
de s'accroupir derrière quelque buisson ou dans le fossé.
Comme si durant tout ce temps ses intestins n'avaient
jamais eu à être vidés, comme si le peu de nourriture
qu'il a avalé (des choses refroidies, gluantes, apportées les
premiers jours par le camion, puis même plus de choses
gluantes, plus de camion, seulement ce qu'ils ont pu
trouver en fouillant des buffets ou des placards déjà
pillés dans les maisons abandonnées par leurs habitants)
avait été intégralement assimilé, sans excédents ni dé-
chets, le corps au service exclusif de ce que l'on exigeait
de lui, c'est-à-dire se tenir à cheval, sauter à terre, se
coucher sous les bombes, remonter à cheval, galoper, ou,
démonté, courir, au point qu'il lui semble avoir couru
ainsi depuis des jours, n'avoir pour ainsi dire pas arrêté
de galoper et de courir, même en dormant, parfois forcé
(à bout de souffle, les poumons en feu, à demi asphyxié)

de se résigner à simplement marcher, pouvant entendre les balles le chercher, attendant le choc qui lui labourerait le dos, continuant pourtant à marcher (ou, à cheval, simplement trotter : la jument exténuée, elle aussi asphyxiée, butant, trébuchant) jusqu'à ce qu'il sente de nouveau en lui la possibilité de se remettre à courir (ou, à coups d'éperons, de forcer la jument à galoper), habitué maintenant à entendre le bruyant et rauque chuintement de l'air allant et venant à travers sa gorge (ou celle de la jument), vidé de toute espèce d'émotion, c'est-à-dire, pas plus que la peur, n'éprouvant maintenant ni révolte, ni indignation, ni désespoir : parfaitement calme, s'en remettant pour réfléchir et décider à cette froide partie de lui-même capable de ruse et d'attention, non pas futilement occupée du pourquoi mais du comment continuer à vivre, de nouveau figé soudain, haletant toujours comme une bête, écartant avec précaution les rameaux à l'orée du taillis qui surplombe un chemin, étudiant avec la même méticuleuse méfiance le chemin, le vallon dont il suit la courbe, le cours d'eau au fond du vallon, écoutant le silence (n'entendant toujours ni les chants d'oiseaux, ni les froissements des feuillages), évaluant la distance qui sépare le chemin du cours d'eau entouré de joncs, puis le cours d'eau de la forêt sur le flanc opposé du vallon, puis, soit que son pied se soit pris dans une racine, soit qu'il ait mal calculé son élan, sa cheville retenue en haut du talus comme par une main (comme s'il n'avait pas seulement à se battre contre des hommes, des armes à feu et des explosifs, mais encore contre un ensemble de forces sournoises), le tout (forêt, vallon, ruisseau) basculant tandis qu'il tombe la tête en avant, la surface crayeuse et dure du chemin se précipitant sur lui, s'élevant à toute vitesse pour venir le frapper ou plutôt l'assommer, heurtant son casque avec un métallique fracas d'enclume, la jugulaire l'étranglant à moitié, le larynx écrasé, en même temps que son épaule gauche semble exploser, l'empierrage du chemin s'enfonçant à l'intérieur de son corps, l'impitoyable partie de lui-même qui commande à ses mouvements ne se souciant ni de la douleur ni de l'assourdissant battement de cloches dans lequel est prise sa tête tandis qu'il court déjà en boitillant, une main sur son épaule meurtrie, atteint les joncs, le froid liquide de l'eau tout à coup dans ses chaussures, entourant ses chevilles en même temps qu'autour de lui rejaillissent les éclaboussures, puis le froid autour de ses mollets, puis jusqu'aux genoux : non pas un ruisseau comme il l'a cru mais, invisible sous les joncs, la retenue d'un petit barrage en aval, ses jambes obligées à présent de lutter contre l'épaisse résistance de l'eau, ses pieds entravés par les herbes, paniquant un instant, se démenant, levant haut les cuisses, ses pieds repoussant avec violence le fond vaseux, l'eau bruyamment fouettée, chacune de ses épaules balancée alternativement en avant, les bras lancés aussi en avant, comme s'il boxait, aussi démuni, aussi vulnérable dans cet espace découvert qu'une mouche empêtrée au centre d'une toile d'araignée, puis de nouveau à quatre pattes, ses lourdes chaussures engluées d'une vase grisâtre glissant et dérapant sur la rive opposée, s'aidant de ses mains et de ses genoux pour remonter la berge humide, comme s'il essayait de s'arracher à la terre, à la boue originelle, puis canard, courant maintenant les pieds en dehors pour crocheter la pente, pouvant voir se dandiner en avant de lui son ombre alourdie semblable, avec son long manteau dégouttant d'eau, à celle d'une femme, atteignant enfin la lisière de la forêt, y pénétrant, et cessant alors de courir.

Ce n'est qu'au bout d'un moment qu'il entend le coucou. C'est-à-dire que l'effroyable tapage de sa respiration s'apaisant (à présent il marche : d'un pas soutenu mais sans hâte, de sorte que progressivement son cœur et ses poumons retrouvent leur fonctionnement normal), à l'abri maintenant, la conscience du monde extérieur lui revient peu à peu autrement qu'à travers l'élémentaire alternative du couvert et du découvert; il peut alors percevoir les menus bruits qui composent le silence de la haute futaie immobile : le léger chuintement de l'air dans les cimes des arbres, le frémissement d'un feuillage, son pas feutré sur le sol spongieux, l'élastique tapis d'humus accumulé et, lui parvenant à intervalles réguliers, le cri redoublé de l'oiseau répercuté entre les troncs verticaux, comme si après avoir retenti il continuait à exister par son absence même, comme pour souligner le silence, le rendre plus sensible encore, lancé avec une régularité d'horloge non pour le troubler mais le ponctuer, délivrer une accumulation de temps et permettre à une autre quantité de venir s'entasser, s'épaissir, jusqu'au moment où elle sera libérée à son tour par le cri, au point qu'il cesse de marcher, se tient là immobile sous sa puante carapace de drap et de cuirs alourdie par l'eau (mais il ne la sent pas, ne fait avec elle qu'un bloc compact de saleté et de fatigue, d'une matière pour ainsi dire indifférenciée, terreuse, comme si son cerveau lui-même, embrumé par le manque de sommeil, était empli d'une sorte de boue, son visage séparé du monde extérieur, de l'air, par une pellicule brûlante, comme un masque collé à la peau), prêtant l'oreille, attendant que le cri du coucou lui parvienne de nouveau, puis écoutant refluer ce silence maintenant peuplé d'une vaste rumeur : non pas celle de la guerre (à un moment, très loin, comme arrivant d'un autre monde, anachronique pour ainsi dire, à la fois dérisoire, scandaleuse et sauvage, retentit une série d'explosions : pas un bruit à proprement parler (ou alors quelque chose qui serait au bruit ce que le gris est à la couleur), pas quelque chose d'humain, c'est-à-dire susceptible d'être contrôlé par l'homme, cosmique plutôt, l'air plusieurs fois ébranlé, brutalement compressé et décompressé dans quelque gigantesque et furieuse convulsion, puis plus rien), non pas le bruissement des rameaux mollement balancés ou le faible chuintement de la brise dans la voûte des feuillages, mais, plus secrète, plus vaste, l'entourant de tous côtés, continue, indifférente, l'invisible et triomphale poussée de la sève, l'imperceptible et lent dépliement dans la lumière des bourgeons, des corolles, des feuilles aux pliures compliquées s'ouvrant, se défroissant, s'épanouissant, palpitant, fragiles, invincibles et vert tendre. Il se remet alors en marche (ou plutôt, sans qu'il se souvienne de leur avoir commandé, ses jambes se meuvent de nouveau sous lui, comme d'elles-mêmes, comme par habitude), ses yeux (pas lui non plus : ses yeux) veillant à ce que son ombre se tienne toujours en avant de lui et légèrement sur sa droite, sa main droite tâtant l'épaule endolorie, la déchirure du manteau, puis, au bout d'un moment, s'en détachant, fouillant dans sa poche sans cesser de marcher, en extrayant quelque chose dans quoi, sans regarder, il se met à mordre, ses mâchoires mastiquant une matière dure, poivrée et rance, son pouce et son index retirant à la fin de ses dents le bout de ficelle à l'extrémité du boyau, le rejetant, la main ramenant d'un même mouvement son bidon, toujours sans qu'il cesse de marcher, seulement occupé à guetter, écouter le puissant silence végétal, attendant que le coucou lance de nouveau son cri, portant le bidon jusqu'à ses lèvres, renversant la tête en arrière, la langue à peine humectée de quelques gouttes à goût de fer, la main éloignant le bidon, le secouant, le retournant, puis le rebouchant et le remettant en place, sans colère ni dépit, toujours calme, toujours habité par cette totale absence de sentiments ou d'impulsions sauf cet il ne sait quoi (il ne se le demande même pas) qui le fait continuer à marcher, la bouche simplement en feu maintenant, brûlée par le poivre, sa langue frustrée passant et repassant machinalement sur ses lèvres, le coucou derrière lui à présent, son chant de plus en plus faible, puis se perdant peu à peu, puis relayé par un autre (plus tard, il calculera qu'il a dû marcher ainsi environ une heure, parcourant à peu près quatre kilomètres ou plutôt, compte tenu de la lenteur de la marche dans un sous-bois, des fourrés à contourner, trois) jusqu'à ce qu'à travers les troncs il aperçoive de nouveau la lumière non plus déchiquetée, tachetée, bigarrée, mais unie, homogène, comme si les arbres butaient soudainement, s'arrêtaient contre une sorte de mur qui, de l'intérieur de la forêt où il se trouve encore, lui apparaît comme une concrétion de soleil — et maintenant à plat

99

ventre, étendu de tout son long, sa main écartant les
petites lunules vert tendre pressées à la surface de l'eau,
puis son visage dans sa fraîcheur en même temps qu'il
peut sentir sur sa langue le goût de la vase tandis que
maladroitement, se maudissant de ne pas être un chien,
tantôt la bouche, le nez à moitié immergés, aspirant,
tantôt essayant de recueillir l'eau dans le bol de sa main,
il boit avec avidité sans cesser, comme un chien, de
surveiller les alentours, épiant, écoutant les bruits ou
plutôt cette nouvelle qualité de silence, plus aéré pour
ainsi dire, encore ponctué de loin, derrière lui, par l'appel
du coucou dominé maintenant par un cacophonique et
ténu pépiement d'oiseaux à travers lequel, comme à
travers une légère broderie, il peut à présent entendre
assez proche et à intervalles réguliers, comme le coucou,
comme minuté par quelque absurde mouvement d'horlogerie, dépourvu de sens, même pas menaçant, conscien-
cieux, paisible pour ainsi dire dans la paisible nature,
comme le travail d'un bûcheron paresseux, le tir espacé
d'un unique canon, tandis que toujours allongé sur le
ventre, le buste maintenant relevé sur ses bras en étais,
il regarde avec une incrédule stupeur étinceler dans le
soleil le réseau de barbelés intact épousant comme un
tapis déroulé de ronces métalliques les courbes du paysage désert, disparaissant dans le petit étang, resurgissant
sur l'autre rive, s'interrompant seulement pour laisser
passer la route le long de laquelle sont rangés comme
pour une inspection les chevaux de frise, l'eau fraîche
qu'il puise maintenant à deux mains le frappant, ruisselant sur son visage, éclaboussant le devant de son
manteau, ses cartouchières (à présent il a retiré son

100

casque, se tient à genoux, courbé en avant), ses deux mains jointes allant et venant plusieurs fois avec une sorte de fureur, comme celles d'un automate, ses cheveux, son front, ses joues recevant les paquets d'eau sans qu'il cesse (toujours calme, à peine effleuré par une tranquille et sarcastique indignation) de regarder fixement les barbelés, la route, le fortin un peu plus loin, intact, inoccupé, cessant à la fin de s'asperger, rinçant de l'index ses paupières brûlantes, puis basculant, restant assis sur ses talons, en train de regarder à présent les têtes des petites grenouilles réapparaître l'une après l'autre, crever la mousse verte à la surface de l'eau de nouveau étale, suivant des yeux l'une d'elles tandis qu'il essuie ses mains avec soin, longuement, un doigt après l'autre, au mouchoir chiffonné et grisâtre, comme empesé de morve et de crasse, qu'il replie ensuite avec soin en carré, puis le carré en deux, le remettant ensuite dans sa poche, levant la tête au faible bourdonnement d'un moteur, ne découvrant, très haut dans le ciel, qu'un scintillement argenté, le suivant un instant des yeux, puis cessant de s'y intéresser, toute son attention reportée à présent sur l'une des grenouilles qui se laisse dériver dans le faible courant, inerte, comme morte, ses délicates pattes palmées écartelées, tandis que d'un geste machinal il fait sauter le rabat d'une de ses cartouchières (la grenouille rassemblant et détendant vivement ses pattes, comme un ressort, deux fois, et disparaissant), en sort un informe paquet de papier froissé d'où il extrait une cigarette elle aussi grisâtre, fripée, qu'il redresse tant bien que mal, lisse méticuleusement avec ce même soin maniaque d'idiot, obligé de s'y reprendre à quatre fois avant que

101

jaillisse la flamme qu'il approche de l'extrémité, réussissant avant qu'elle ne s'éteigne à tirer deux ou trois bouffées, aspirant ensuite sans autre résultat qu'un faible bruit de clapet, continuant pendant tout ce temps sans plus y prêter attention à entendre se succéder à leur paresseuse cadence les tirs réguliers de l'unique canon, décollant alors la cigarette de ses lèvres, l'examinant, découvrant la mince déchirure, l'enduisant de salive, tenant cette fois la cigarette de façon que l'index obstrue le trou, les brins de tabac grésillant faiblement au contact de la flamme puis s'éteignant de nouveau, examinant alors une nouvelle fois la cigarette du même œil à la fois placide, attentif et sérieux, puis non pas la jetant mais la laissant tomber, desserrant simplement les doigts et se remettant à observer les grenouilles, parfaitement immobile, dans cette position d'accroupissement simiesque, insensible à l'écoulement du temps, l'esprit vide (non pas absent : vide) à l'exception de cette partie de lui-même toujours aux aguets, vigilante, qui le fait soudain s'aplatir derrière un buisson, observant maintenant avec attention les deux cavaliers subitement apparus au tournant de la route sur sa droite, descendant la légère côte au pas tranquille de leurs chevaux, comme d'insouciants promeneurs dans l'étincelante et fraîche matinée de mai, un troisième cavalier menant par la bride deux chevaux de main apparaissant à leur suite, les deux premiers se rapprochant, puis arrêtés maintenant, le regardant à leur tour tandis qu'il court frénétiquement le long de l'étang, assourdi lui-même par les cris inarticulés qui sortent de lui, trouvant un ponceau, le franchissant, rejoignant la route en quelques foulées, puis se tenant, haletant, au garde-à-vous, énumérant d'un trait l'un après l'autre son grade, son nom, le numéro de son escadron, celui de son peloton, après quoi il reste là, continuant à haleter, sous le regard comme distrait, importuné semble-t-il, vaguement réprobateur, qui, dans l'ombre du casque, l'examine — ou plutôt semble passer à travers lui, comme si, toujours régulièrement ponctuée par l'éclatement du même obus solitaire, la scène se déroulait dans une sorte d'irréalité, d'incrédibilité réciproque : d'une part, lui dans son manteau à l'épaule déchirée, aux pans trempés, au devant maculé d'eau, sale, avec son casque barbouillé de boue et cabossé, ses souliers et ses houseaux boueux aussi, ses éperons rouillés — d'autre part, le cavalier au manteau aussi impeccable que s'il était sorti l'heure d'avant de chez le repasseur, les bottes aussi étincelantes que si elles venaient d'être cirées, les éperons étincelants, le soleil étincelant sur les cinq galons d'or au revers de la manche, le visage osseux, absolument dépourvu d'expression sinon celle d'une totale absence d'intérêt (comme s'il était déjà mort, pensera-t-il plus tard : comme s'il n'avait réchappé de cette embuscade que pour être obligé de se faire tuer... Comme quelqu'un qu'un importun, un étranger, dérangerait en entrant dans la pièce où il est déjà en train de charger son revolver après avoir soigneusement rédigé son testament...), au point qu'on pourrait se demander si les yeux transmettent au cerveau l'image de celui qui se tient debout sur la route, attendant, voyant à la fin la bouche aux lèvres minces s'ouvrir à peine, comme une fissure, les lèvres remuant faiblement, la voix sèche, distante, ennuyée sinon même excédée, disant seulement : « Bien », disant : « Montez sur l'un des chevaux là-derrière et suivez-moi », les bottes étincelantes pressant imperceptiblement les flancs du cheval, celui-ci se remettant en marche, les deux officiers s'éloignant sans se retourner, maintenant de dos, élégants, comme sanglés dirait-on dans des corsets, les traits coupés du sous-verge monté par le colonel traînant derrière lui dans la poussière, puis (sans qu'il soit bien conscient de la suite de ses gestes, c'est-à-dire saisir les rênes qu'on lui tend, mettre le pied à l'étrier, se hisser, enfourcher la selle) de nouveau à cheval, toujours habité par cette même sensation d'irréalité, somnambulique, pensant qu'il lui faudrait raccourcir les étriers trop longs, regardant toujours avec stupeur les deux dos corsetés se dandinant faiblement au pas de leurs montures, puis entendant sa propre voix sortir de nouveau de lui, disant : « Nom de Dieu ! », disant : « Mais comment est-ce qu'il a fait ? Il était en tête de la colonne quand ça a commencé à tir... Nom de Dieu : comment... », le conducteur des chevaux de main (un cavalier qu'il n'a jamais vu) tournant un instant la tête, posant aussi sur lui ce regard sans aménité, absent, hostile même, comme on dévisage un gêneur ou un idiot, et à la fin cessant de s'intéresser à lui, se détournant, l'abandonnant, tandis qu'il se retourne sur sa selle, regarde en arrière, ne découvre, en train de les suivre à une cinquantaine de mètres, que deux cyclistes pédalant lentement, décrivant des courbes sur la route pour se maintenir à l'allure des chevaux au pas, s'entendant de nouveau dire (comme si sa propre voix lui parvenait à travers des épaisseurs de verre, incongrue, lointaine) : « Et les autres, les autres ?... Où sont... C'est tout ce qui res... ? », le conducteur du cheval de main lui jetant alors un bref regard, comme indigné, furibond, puis se mettant à jurer, tirant brutalement sur les rênes du cheval de main qui s'est mis à avancer de côté, comme un crabe, dansant nerveusement sur ses sabots, le conducteur lui déchirant la bouche de violentes secousses, criant : « Ho là ! Hoo !... Espèce de bougre de putain de carne ! Tu vas pas arrêter de me faire chier, non ? Tu vas pas arrêter, tu vas pas arrêter ?... »

V

1880-1914

Depuis longtemps déjà deux des trois sœurs (l'aînée et la cadette) s'étaient mariées (l'une — la cadette — déjà morte même, enterrée sous un fastueux mausolée (c'est-à-dire vraiment fastueux : non pas construit en forme de tombeau égyptien dans un marbre noir taillé et poli à la machine puis gravé de lettres d'or, mais constitué d'une simple pierre rongée, vieille de plus d'un siècle, sans aucune inscription, entourée d'une grille et de cyprès de plus d'un siècle aussi, comme en possédaient les très vieilles familles), laissant derrière elle un veuf qui, une fois par mois, abandonnait son cercle et ses parties de bridge pour venir dîner dans la lugubre et vaste salle à manger aux murs d'un rouge vénitien décorés d'une frise où parmi des entrelacs de feuillages cabriolaient sans fin jongleurs, troubadours, singes et montreurs d'ours peints à la main par le grand-père de la jeune fille au temps où sa noire chevelure romantique retombait sur le col d'une élégante redingote moutarde, un vieillard maintenant, aux sévères moustaches blanches, immuablement vêtu de sombre, qui ne devait pas tarder à rejoindre la cadette dans la mort, couché à son tour sous une dalle de pierre rongée et très vieille elle aussi dans le cimetière du village où il possédait non seulement deux tonnes de granit pour recouvrir ses ossements mais encore une ou plutôt un agglomérat de maisons habitées par les plus anciens des ouvriers et le régisseur du domaine dont deux ou trois fois par an, quittant la ville, il allait faire le tour en calèche avant d'aller passer la nuit, transporté par la même calèche, sous le toit d'un second domaine à la limite du département voisin d'où il revenait le lende- main)... depuis longtemps déjà, donc, ses deux sœurs s'étaient mariées et elle approchait de la trentaine lors- qu'elle le rencontra.

Au-dessus du corps commençant à s'épaissir et dans le visage qui s'empâtait peu à peu, les deux grands yeux paisibles à la gloire desquels avaient été plusieurs fois écrits de flatteurs et verbeux quatrains au dos de cartes postales représentant des vues des Alpes, des châteaux de la Loire ou des falaises crayeuses, témoignaient encore de cet éclat qui lui avait valu de recevoir tant de sommets neigeux, de cathédrales, de barques de pêche et de paysannes en costumes folkloriques accompagnés de récits d'excursions, de pique-niques, d'équipées en automobile ou de lamentations sur le crachin breton. Elle vivait maintenant seule avec sa mère, une vieille dame au visage dolent, empreint par le veuvage et la perte de sa cadette d'une expression de désolation chronique, aussi vieille aurait-on dit que le patriarche dont l'activité (il était maintenant trop vieux pour peindre des jongleurs, des singes et des ours) consistait à se faire véhiculer jusqu'à ses domaines non pour surveiller (le régisseur était là pour ça) mais prendre acte que suivant ses ordres on arrachait pour les replanter ses deux cents hectares de vignes ravagés vers la fin du siècle par le phylloxéra, c'est-à-dire qu'après avoir imperturbablement avalé les six ou sept hors-d'œuvre suivis de plusieurs plats et desserts préparés par la femme du régisseur (cela se passait autour d'une nappe raide, empesée, qui à force d'être blanche paraissait bleue, dans une salle à manger aux murs rongés par le salpêtre, le sol revêtu d'un carrelage aux motifs rouges et noirs posé là deux siècles auparavant, un grand feu allumé dans la vaste cheminée de marbre sculpté datant elle aussi de deux siècles, la tête du vieil homme à cheveux blancs abritée d'un feutre gris clair à la coiffe bombée ou, si le froid était trop vif, d'une toque d'astrakan, entendant sans l'écouter la voix du vieux régisseur à l'impitoyable visage de négrier sous la casquette grise et plate qui semblait pour ainsi dire en faire partie intégrante, le compléter (non comme quelque accessoire vestimentaire mais plutôt comme une sorte d'appendice constitutif, la visière semblable à un bec, la peau du crâne chauve, lorsqu'il soulevait un instant sa coiffure à l'arrivée de la calèche, apparaissant livide, vaguement obscène, vaguement pitoyable, au-dessus du masque craquelé couleur de terre, comme la fragile membrane de quelque organe interne un instant mis à nu, puis aussitôt recouvert), en train maintenant de lui rendre compte des travaux en cours, les deux vieillards en tête à tête dans la pièce aux dimensions d'un salon de réception, aux murs effrités, au carrelage et à la cheminée dont un antiquaire aurait offert une fortune, sans qu'aucun d'eux s'en souciât, l'un parce qu'il n'avait pas l'intention de les vendre, l'autre celle de les acheter, la femme du régisseur toute vêtue de noir debout près de la porte, surveillant la table, se penchant dans le couloir pour commander à la cuisine la succession des plats), alors, de sa calèche arrêtée au bord des chemins il (le patriarche) contemplait en silence les longs panaches parallèles de poussière emportés horizontalement par le vent comme les fumerolles au flanc d'un volcan dans le sillage de l'escadron de laboureurs ou plutôt de petites silhouettes (cheval, charrue et homme) pas plus grosses que celles d'insectes fouisseurs aux membres multiples comme agrafées à la terre par les socs sur lesquels étincelait parfois un éclat de soleil, et c'était tout, jusqu'à l'automne où, de retour de sa propriété d'été, il arrivait, aux vendanges, toujours dans la même calèche, toujours vêtu de la même redingote et cravaté de blanc, se faisait conduire aux vignes, regardait, toujours sans descendre de voiture, s'activer confusément, disparaissant jusqu'à la poitrine dans l'épaisse végétation, les familles de saison-niers espagnols ou gitans, les femmes momifiées ou éléphantines aux visages crevassés par le soleil, les enfants titubant sous le poids des seaux, les hommes aux têtes d'égorgeurs, puis lançait un ordre au cocher, faisait un peu plus tard arrêter la calèche devant la porte béante de la cave où, sans entrer, il regardait dans un demi-jour aller et venir de vagues ombres, puis de nouveau entre les quatre murs rongés de salpêtre, en face de la chemi-née de marbre sculpté, seul maintenant, assis dans la pénombre fraîche devant la table et pelant méticuleuse-ment l'une après l'autre les figues qu'il mastiquait avec lenteur jusqu'à la dernière non pas du compotier mais de la pyramide déposée devant lui, se rinçant ensuite les doigts, les essuyant en même temps que sa moustache de la serviette damassée brodée de ses initiales, se levant, regagnant la calèche qui l'attendait devant la porte, et se faisant ramener en ville.

Une section entière du cadastre de la commune portait le nom illustré à la tête d'armées de la Révolution puis de l'Empire par le grand-père du patriarche, une sorte de colosse, non seulement d'une taille gigantesque mais d'un poids si monstrueux qu'il restait encore consigné dans les documents de l'époque : un homme qui au contraire de son petit-fils, au contraire du vieillard sec et maigre au nez en forme de bec et aux mains osseuses, n'avait jamais vécu que dans et par la violence, le courage, l'audace dont ne témoignaient plus maintenant que des initiales entrelacées, gravées ou brodées sur les couverts, les nappes ou les draps enfermés dans des tiroirs ou des lingeries, comme si depuis l'Empire avait été patiemment constitué (ou plutôt amassé, accumulé) un inépuisable butin, une inépuisable réserve d'argenterie, de linge de table ou de maison dont la seule raison d'être à présent semblait l'accumulation même et l'occupation de placards, d'armoires ou de coffres-forts.

Quant à la jeune fille aux grands yeux qui s'empâtait doucement aux approches de la trentaine (la jeune sultane, comme s'enhardissaient parfois à l'appeler les auteurs des quatrains griffonnés au verso des glaciers et des ports bretons), jamais (de même que son grand-père, de même aussi que ses cousins, l'un jeune député par droit héréditaire, poète à ses heures, l'autre officier de cavalerie) elle n'avait, de toute son existence, rien fait, sauf apprendre en même temps que l'espagnol à plaquer quelques accords sur le manche d'une guitare et à développer, puis tirer, les photographies qu'elle prenait inlassablement de sa famille, de courses de taureaux ou des innocentes charades auxquelles se prêtait, pour amuser les jeunes filles avant d'aller rejoindre à minuit leurs maîtresses entretenues ou les pensionnaires du bordel huppé de la ville, la bande des aimables jeunes gens qui l'entouraient.

Jamais, sinon peut-être à l'ouvroir où les personnes de sa condition confectionnaient des layettes pour les pauvres, jamais elle n'avait enfilé une aiguille, recousu un bouton, reprisé un bas, mis quelque chose à cuire sur le feu, jamais même elle n'était sortie de la maison pour autre chose que des promenades, faire des visites, se rendre à des dîners ou à des soirées, jamais (si quelquefois elle s'attardait à regarder une vitrine ou un étalage) elle n'était entrée dans une boutique quelconque, sauf peut-être celle d'un bottier : de même que les autres fournisseurs et tapissiers, les couturières venaient à la maison, proposaient des modèles, offraient à feuilleter de lourdes liasses d'échantillons, revenaient et s'agenouillaient, leurs bouches hérissées d'épingles, pour les essayages, apportant et remportant robes et manteaux dans des carrés de serge noire noués aux quatre coins.

On aurait dit qu'elle n'avait pas de désirs, pas de regrets, pas de pensées, pas de projets. Elle n'était ni triste, ni mélancolique, ni rêveuse. Plutôt gaie, racontèrent ceux qui la connurent à cette époque, gourmande (et donc sans doute sensuelle). D'Espagne, de Barcelone où

elle se rendait parfois à l'occasion des fêtes de la Merced
— ou de Figueras, plus proche —, elle avait rapporté le
goût pour ces chocolats à l'eau si épais que la petite
cuillère plantée au milieu de la tasse devait s'y tenir
debout et des photos jaunes où sur l'étendue déserte et
couleur safran de l'arène on voyait de minuscules silhouettes de chevaux et d'hommes autour de la forme
massive d'un taureau. C'était tout juste si l'on pouvait
percevoir dans ses prunelles tant vantées un bref éclat,
dont on n'aurait pu dire s'il était d'horreur ou d'excitation, lorsqu'elle décrivait les chevaux aux yeux bandés,
aux ventres ouverts à coups de cornes, et dont on
refourrait précipitamment les intestins avec de la paille
avant de les recoudre et de les présenter de nouveau au
taureau. Il semblait qu'elle ignorât même qu'elle avait un
corps et à quoi celui-ci pouvait servir, en dehors de
l'alimenter en friandises ou de le revêtir de dentelles et
de châles brodés pour poser avec l'une de ses amies, les
reins cambrés, les bras en corbeille, la croupe saillante,
une cuisse à demi levée, dans des attitudes de fausses
danseuses à castagnettes dont elle semblait ignorer la
lascivité. Elle ne paraissait pas envier sa sœur aînée,
mariée à un riche propriétaire (ce qui faisait une maison
à la campagne de plus où se rendre l'été, celle-là proche
de la mer), dont elle traitait les quatre enfants, deux
garçons et deux filles, comme s'ils avaient été les siens
avec sa souriante et impénétrable affabilité, de même
qu'en lisant les amoureux quatrains ou en écoutant les
compliments des jeunes gens elle se bornait à incliner
légèrement la tête sur le côté et à étirer ses lèvres dans
un vague sourire, le regard perdu lui aussi sur on ne

savait quoi d'informulable — ou d'inexistant. Deux fois par an — à l'automne et au début de l'été, au moment des courses, du Prix de Diane —, elle allait passer trois semaines à Paris chez son oncle le sénateur (le père du député par voie héréditaire et du lieutenant de cavalerie par recommandation) ou, accompagnée du patriarche et de la vieille dame, au Grand Hôtel, assistant à des opéras, des concours hippiques, à une représentation de la Comédie-Française, visitant les grands magasins, après quoi elle réintégrait la grande maison, l'espèce de citadelle de silence et de respectabilité au centre du dédale des vieilles rues de la vieille ville, elle-même semblable à une citadelle au pied de celle édifiée six cents ans plus tôt par un roi d'Aragon, fortifiée par Charles Quint, entourée ensuite par Vauban de formidables et vertigineuses murailles qui englobaient en même temps les quartiers gitans, les rues à bordels, les six ou sept églises où scintillaient les ors des retables baroques, les couvents, les hôtels aux meneaux Renaissance, l'ancienne halle des marchands, les cafés décorés de céramiques, de femmes-iris et de plantes vertes, les places aux statues de bronze, le tribunal au fronton corinthien, cafés, places, tribunal reliés par un tramway pas beaucoup plus grand qu'un jouet d'enfant passant, anachronique et ferraillant, devant les arcades gothiques, les terrasses fleuries d'hortensias, les quincailleries, les magasins de rubans, les réclames d'anis, de chocolats, de savons, de cigares, et les affiches aux violentes couleurs des tournées théâtrales.

Il y avait aussi (mais en dehors de l'enceinte des remparts) un jardin public planté de camélias, de palmiers, de magnolias aux feuilles vernies et de gigantesques platanes aux troncs lisses, tachetés d'écailles, sous lesquels, vêtue d'une de ces longues robes qui ressemblaient à des camisoles et dont le volant balayait la poussière, elle promenait avec sa sœur aînée les enfants de celle-ci, suivant ou poussant elle-même le landau du dernier-né, poussant en même temps devant elle comme un masque sous un de ces extravagants chapeaux semblables à des abat-jour cet imperturbable visage au regard serein derrière les longs cils noirs. Elle ne semblait pas attendre quelque chose, du moins dans l'immédiat. A un moment, la vieille dame crut discerner chez elle une inclination pour l'un des riches et oisifs jeunes gens qui lui envoyaient des vers au dos des pittoresques bords du Loing ou des vues de Florence, mais questionnée avec prudence elle dit simplement avec un sourire amusé qu'il portait un nom ridicule. Elle n'était pas pressée. Comme si, à la façon de ces génisses préservées des taureaux, ignorantes même de leur existence et amoureusement engraissées pour quelque sacrifice (ou comme ces taureaux eux-mêmes à l'agonie desquels elle assistait en s'éventant et en croquant des amandes salées sur les gradins des arènes), elle se savait destinée à quelque chose d'à la fois magnifique, rapide et atroce qui viendrait en son temps. Elle était pieuse. Du moins elle accompagnait chaque dimanche sa mère et sa sœur à la cathédrale, se confessait régulièrement — quoiqu'on pût se demander quelles vétilles elle pouvait avouer au prêtre invisible qui se tenait derrière les croisillons de bois —, faisait maigre le vendredi (ce qui ne signifiait pas grand-chose, ce jour étant celui où l'on servait de vastes poissons à la chair délicate que le mareyeur venait livrer

117

lui-même) et observait le Carême, ce qui sans doute, compte tenu de sa gourmandise, devait lui coûter plus que tout. Elle n'était pas chaste mais pour ainsi dire asexuée. Comme si jamais ne lui était venu à l'esprit que le ventre d'albâtre que cachaient ses robes-camisoles et ce que dissimulait la soyeuse toison sous laquelle s'évasaient ses cuisses pouvaient servir à autre chose qu'à des fonctions organiques d'assimilation et d'évacuation, ses seins à autre chose qu'allaiter. Toutefois, lorsque l'un de ses admirateurs (ou un mauvais plaisant) se permit de lui envoyer une carte postale non signée représentant dans le style des affichistes de l'époque une femme aux bas noirs, en pantalon de dentelle et en simple corset à califourchon sur une chaise dorée, soufflant au plafond la bouffée d'une cigarette, elle la conserva aussi, au même titre que le portail de l'église de Caudebec, une rue de Limoges dévastée par les émeutiers, l'établissement thermal de Châtel-Guyon et Trafalgar Square. Comme si l'énorme appétit qui lui faisait engloutir chocolats, foies gras, pintades et sorbets au cours de ces dîners dont elle conservait avec un soin gourmand les terrifiants menus lui permettait aussi d'engloutir et de digérer sans distinction à la façon d'un paisible ruminant les cathédrales, les bergers landais, le Stock Exchange, la grotte de Lourdes et les polissonnes petites femmes en culotte. Peut-être aidait-elle sa sœur à baigner les enfants avant leur coucher, mais certainement pas plus. Pour le reste, on aurait dit que son principal souci était d'incarner cette paresse que l'exemple du patriarche et de sa propre mère au visage raviné l'avait sans doute amenée à considérer comme non pas un privilège mais en quelque sorte une vertu familiale, une obligation constituant la marque distinctive de sa caste et de son milieu social. Elle lisait. Ou plutôt (le faux peintre montmartrois les avait représentées toutes les deux : sa sœur occupée à un ouvrage de broderie, elle assise dans un fauteuil, un livre à la couverture jaune à la main, tenu ouvert à hauteur de son visage et à distance de vue) elle tournait les pages de livres. Dans les caisses où, après sa mort, on avait entassé le contenu de sa bibliothèque, on trouva, sans qu'il fût possible de dire à quelle époque de sa vie elle les avait lues, les œuvres de la Comtesse de Ségur, d'Andersen, quelques Balzac, Verlaine, Albert Samain, Anatole France et deux ou trois membres de l'Académie française. Avec sa meilleure amie elle correspondait en espagnol. Peut-être du fait de l'emphase naturelle de la langue (ou de sa maladresse à la manier) le ton semblait parfois passionnel, équivoque même, comme par exemple « te beso » au lieu de « je t'embrasse », et une fois, par plaisanterie, elles se firent toutes deux photographier déguisées en hommes. Mais, comme sa sœur, l'amie se maria. Elle alla habiter la Camargue et, si elles continuèrent à s'écrire, le ton changea. Celle qui la remplaça voyageait beaucoup et commençait le plus souvent ses cartes par la même formule : « A la plus paresseuse des amies, j'envoie mon affectueux souvenir de Dieppe (ou de Vichy, ou de Florence, ou de Brighton... ». Il semblait que rien ne pût perturber son esprit, pas plus que son physique ou son habillement. Elle jouait au tennis (du moins une photographie la représentait-elle sur un court, une raquette au tamis en forme de poire à la main) revêtue de ces mêmes longues jupes balayant la poussière et chapeautée de fleurs. Par-dessus leurs culottes serrées aux genoux, ses partenaires portaient une large ceinture ventrale de toile, renflée à la hauteur du bas-ventre et de l'estomac, comme une sorte de bandage orthopédique, vaguement obscène. Sa paresse semblait n'avoir d'égale que son incuricsité, à l'exception des toilettes qu'elle pouvait admirer à l'Opéra ou au pesage de Chantilly. Pour le reste, elle paraissait se borner à être là, confinée dans une inertie statique, le visage peureusement protégé du soleil par des ombrelles, laiteuse et végétative, comme la souveraine léthargique de quelque royaume d'absence où elle se tenait — même pas dans une attente : simplement se tenait. En dépit de ses quatre enfants, sa sœur passait chaque jour plusieurs heures devant un piano, capable de déchiffrer avec une prodigieuse virtuosité n'importe quelle sonate, trio ou concerto, et le casier à musique d'ébène aux fines colonnettes sculptées ne suffisait pas à contenir les partitions reliées, aux dos de maroquin rouge. Elle abandonna la guitare. Elle continua cependant à prendre en photo dans la véranda où la lumière permettait une bonne exposition les groupes familiaux présidés par le sévère patriarche, puis, quand il eut disparu, la vieille dame aux flasques bajoues entourée de la sœur aînée et de ses petits-enfants qui grandissaient, vêtus de costumes marins, puis de vestons, cravatés, les filles dont les anglaises retombaient sur les épaules, des nœuds décorant leurs cheveux, les jambes dans des bas sombres. Elle ne semblait regretter ni la maternité ni son célibat. C'était comme si elle avait su à l'avance qu'il lui suffisait de promener les enfants de sa sœur, prendre des photos, développer les plaques dans la lumière rouge du laboratoire, tirer les épreuves sépia qu'elle fixait ensuite dans des bains d'hyposulfite, effectuer ses deux voyages par an à Paris, découvrir ses épaules à l'occasion de dîners ou de fêtes, jouer dans des charades, visiter quelques pauvres recommandés par son confesseur. Elle ne semblait pas non plus redouter de vieillir. Plusieurs de ceux qui lui avaient fait la cour se marièrent Ce fut pour elle l'occasion de faire transformer ses toilettes par la couturière qui tournait autour d'elle à genoux comme une sorte de naine, d'amputée, parlant toujours à travers les épingles serrées entre ses lèvres, et d'ajouter un exemplaire à sa collection de menus qui annonçaient pour un même repas le turbot sauce hollandaise, les timbales de queues d'écrevisses, le cuissot de chevreuil, les caissettes napolitaines, la compote de pigeons financière, les asperges sauce mousseline et la bombe glacée. Elle avait (elle les avait encore conservées à la quarantaine) d'opulentes épaules que la couturière dévoilait dans des encorbellements et des bouillonnements de soie ou de tulle. Le mari de sa sœur aînée avait acheté l'une des premières automobiles que l'on avait vues en ville, haute sur pattes, peinte en jaune, ornée de cuivres étincelants, semblable, avec ses phares, à quelque énorme insecte, et les journaliers qui travaillaient dans les vignes, courbés sur les souches, le dos tourné au vent, les cols de leurs paletots rapiécés relevés, se redressaient pour regarder passer sur les routes étroites, traînant derrière lui un nuage de poussière, l'espèce de coléoptère géant qui aurait porté sur son dos ses enfants coléoptères sous forme de passagers aux visages mangés par d'énormes lunettes ou — ceux des femmes — protégés par les voilettes nouées sous le menton, retenant les chapeaux semblables à des champignons. Il fallait ralentir à l'allure du pas et corner longuement pour réveiller les conducteurs des charrettes endormis dans leurs hamacs de sacs suspendus sous le tablier et attendre qu'ils sautent adroitement à terre et courent à la bride du limonier pour le pousser sur le côté. Les chevaux portaient de pesants colliers surmontés d'une haute corne où scintillaient des clous et une plaque de cuivre. Elle photographia les attelages au repos pendant qu'on déchargeait les comportes de raisin hissées jusqu'au plancher supérieur de la cave par un système de chaînes et de poulies. Elle photographia aussi des ours des Pyrénées exhibés par leurs dresseurs dans le parc de la propriété d'été. Elle photographia l'automobile arrêtée et le nuage de poussière qui stagnait longtemps avant de retomber entre les poudreux lauriers de l'allée. Une fois, l'un des hommes qui travaillaient à la cave eut le pied écrasé par une comporte et elle lui donna les premiers soins, à genoux devant une cuvette dont l'eau se teintait rapidement du sang qui coulait des chairs écrasées, dénouant l'espadrille crasseuse, lavant la plaie, le pied noueux aux ongles cornés et jaunes, le pantalon relevé sur une jambe livide et velue, comme celle d'une bête ou d'une créature mythologique. Pas plus qu'elle ne se souciait de voir sa taille s'épaissir et son visage s'empâter elle ne semblait préoccupée de la vacuité de sa vie. Elle prit des photos des joyeux cousins et de leurs amis, poètes édités à compte d'auteur, éternels étudiants en droit ou faux rapins montmartrois aux longs cheveux d'artistes, aux lavallières en coques. Elle prit la dernière photo du

122

patriarche, dans son éternelle redingote de pasteur angli-
can, avec son immuable cravate blanche, son sévère
visage osseux, sa sévère barbiche de Buffalo Bill, raide,
très droit, devant un rideau de lauriers, tenant à la main
l'invariable chapeau gris perle et la canne d'ébène. Et
pendant tout ce temps elle continuait de ne rien attendre,
pas plus qu'un voyageur n'attend le train dont il sait
qu'il doit partir à l'heure fixée par l'indicateur des
chemins de fer et dans lequel il n'aura qu'à monter
quelques secondes avant le coup de sifflet de la locomotive, comme si, sans même qu'elle se le formulât, sans
qu'elle s'en fît même une idée, même imprécise, quelque
chose l'attendait qui ressemblerait à une lévitation, quelque apothéose où elle se tiendrait, transfigurée et pâmée,
portée sur un nuage soutenu par des angelots et d'où elle
serait précipitée ensuite avec violence dans le néant. A la
vieille dame qui s'alarmait, la questionnait par des formules détournées, l'épiant avec inquiétude, elle continuait à
répondre par le même éternel et énigmatique sourire
qu'elle opposait à ses admirateurs. Ce n'était ni du
dédain ni du mépris : elle aimait voir arriver ses cousins
et leur bruyante bande d'amis à l'époque du Carnaval ou
des vacances. Elle adoptait d'emblée, sans hésitation ni
arrière-pensée, les pittoresques compagnons qu'ils amenaient et qui parfois faisaient froncer les sourcils au
patriarche, comme, une année, un petit Juif turc originaire de Salonique et millionnaire qui, à son grand
amusement, lui fit aussi la cour, ou le violoneux d'un
orchestre de brasserie. Elle s'amusait de bon cœur quand
ils transposaient pour elle et les autres jeunes filles en
d'innocentes et niaises mascarades les priapiques saturna-

123

les du bal des Quat'z'Arts ou de l'Internat, figurait dans des tableaux vivants, déguisée en druidesse, chastement enveloppée dans un drap de lit, le front ceint d'un bandeau, ses longs cheveux noirs dénoués pendant jusqu'à sa taille. Pendant un certain temps elle exigea que le jeune député-poète lui écrivît chaque jour tout au long d'un voyage au dos d'une carte postale quelques lignes spirituelles. Il se lassa. D'autres, avec moins d'esprit, le remplacèrent. Ce n'était pas de la coquetterie plus ou moins perverse, un jeu plus ou moins cruel. Pas une minute elle n'eût songé à se jouer d'eux. Elle les aimait tous. Simplement, pour ce dont s'inquiétait la vieille dame à mesure que les années passaient, ils n'existaient pas.

Ce fut justement à l'occasion d'un mariage qu'elle se trouva un jour placée à table à côté d'un homme comme elle n'en avait jamais encore rencontré, n'avait même jamais imaginé qu'il pût en exister : l'un des garçons d'honneur du marié, un officier, revêtu d'une tunique bleu nuit au col de laquelle se détachaient, brodées en rouge, deux ancres de marine, l'air (avec sa barbe carrée, ses moustaches en crocs, ses yeux transparents, liquides, couleur de faïence dans le visage brûlé par le soleil, ses manières non pas taciturnes mais réservées, posées) de quelque chose comme un barbare policé, empreint d'une paisible assurance qui, elle aussi, était le contraire de ce que trahissaient les madrigaux et les quatrains griffonnés au revers de ces cartes postales dont elle faisait collection moins par satisfaction de jeune fille courtisée que comme d'autres font collection de timbres-poste ou de boîtes d'allumettes. Par la suite, lorsqu'à son tour il lui en fit parvenir, expédiées d'un peu partout dans le monde, il se contenta sobrement d'écrire son nom au-dessous des trois chiffres indiquant le jour, le mois et l'année — comme s'il était déjà certain de l'inutilité, sinon même de l'indécence, de tout discours, comme si sans doute aussi bien elle que lui en étaient déjà arrivés à ce stade où une date et un nom (les premières faisant, pour la forme, précéder la signature de « meilleurs souvenirs », puis « meilleures amitiés », puis « meilleures pensées », puis il n'y eut plus que le nom...) suffisaient — de même que sans doute ils ne se dirent pas grand-chose cette première fois, parlant de n'importe quoi sauf d'eux-mêmes, n'entendant, n'écoutant au surplus ni l'un ni l'autre ce qu'ils disaient, évitant peut-être même de se regarder, tandis qu'assourdie par le vague brouhaha des conversations et les tintements de cristal qui les entou-raient elle pouvait voir les mains brunes et musclées sortant des manchettes immaculées manier le couteau et la fourchette, rompre le pain — plus tard allumer une cigarette —, comprenant tout de suite sans qu'il eût besoin de le lui dire qu'en dehors de son uniforme et de sa solde de lieutenant il ne possédait rien, sinon peut-être des dettes — quoique même sur ce point elle comprît sans doute aussi tout de suite qu'elle ne pourrait pas trouver de faille dans cette espèce de cuirasse faite d'urbanité et de souriante bienséance où il se tenait précautionneusement retranché (elle qui voyait périodi-quement débarquer de Paris, précédé de dramatiques télégrammes, le fastueux sénateur qui, malgré sa fastueuse indemnité parlementaire, les revenus de deux usines et d'innombrables métairies, n'hésitait pas à parcourir aller

125

et retour près de deux mille kilomètres pour soutirer au patriarche indigné, protestant et, à la fin, cédant sous des menaces de suicide quelques centaines de louis qu'il ne revoyait jamais) ; cela donc : quelque chose où il y eut des fleurs sur la table, du champagne dans les coupes, des parfums, des robes de soie, des habits noirs, des uniformes, des rires, des voix confuses, un orchestre peut-être, peut-être une valse, et peut-être non pas un rendez-vous mais quelques rencontres fortuites arrangées à la promenade ou à l'occasion de quelque concours hippique par de complaisants amis, rien de plus, rien d'autre après, que quatre ans pendant lesquels de Port-Saïd, d'Aden, de Colombo, de Diégo-Suarez, de chaque escale sur les routes parcourues par les paquebots desservant l'Afrique ou l'Asie, elle reçut les cartes postales grisâtres ou sommairement coloriées qui mettaient un mois à lui parvenir et qu'elle rangeait soigneusement à part cependant qu'elle continuait à mener son indolente existence de plante d'agrément, vêtue de ses robes à empièecements de dentelles, coiffée de ces incroyables chapeaux semblables à des bouquets ou plutôt des jardins sous lesquels s'était maintenant installée, comme derrière les grands yeux noirs, une détermination d'acier — non qu'elle n'en fût déjà habitée, comme on aurait pu s'en douter par cet interminable et obstiné célibat, les souriants refus opposés à toutes les avances (comme elle devait en faire preuve plus tard lorsque, pour en finir, la maladie s'attaqua à elle et que, petit à petit, les chirurgiens commencèrent à la découper savamment en morceaux), mais avec cette différence qu'il (l'acier) savait maintenant sur quoi s'appuyer, que ce « vers quoi » en

126

prévision (ou dans l'espoir) duquel elle s'était conservée avait pris une consistance réelle, un visage, un corps, et alors ceci : d'un côté l'arrière-petit-neveu de l'insoumis, du paysan qui était resté quatre ans caché dans un grenier à foin ou des huttes de forêt pour échapper aux pourvoyeurs de l'ogre mangeur d'hommes, de l'autre l'arrière-petite-fille du général d'Empire dont le buste monumental drapé de marbre, avec sa léonine chevelure de marbre, ses broussailleux sourcils de marbre, son regard de marbre, se dressait, formidable, ironique et sévère, dans un coin du salon familial, et comment évaluer quelle persévérance, quelle obstination ils durent tous deux mettre en œuvre, elle fidèle à cette rigidité des principes dans lesquels elle avait été élevée, ce hautain orgueil de classe ou plutôt de caste qu'elle retournait en quelque sorte maintenant contre eux-mêmes, lui qui avait bêché la terre, charrié du fumier, n'hésitait pas (et même se plaisait), lorsqu'il allait dans sa famille en permission, à passer de nouveau le vieux pantalon et la vareuse rapiécée pour aider aux travaux les plus durs, conduisant en même temps avec circonspection le siège de cette espèce de forteresse de préjugés, d'indolence, de futilité et d'insolence dans laquelle, protégée de l'agitation du monde extérieur, plus étroitement gardée que n'aurait pu le faire une armée d'eunuques par le fantôme du patriarche et par une vieille femme apeurée, l'attendait, passive et consentante, l'inaccessible princesse dont les opulentes et laiteuses épaules, la carnation préservée du soleil, les formes qui commençaient à s'alourdir durent sans doute lui apparaître aussi comme l'antithèse non seulement du monde âpre et dur où il avait grandi mais encore des souples et dociles nudités aux peaux cuivrées ou dorées qui se glissaient à son côté, s'ouvraient à lui sous les moustiquaires dans la moiteur des nuits tropicales : quelque chose qui ressemblait à un pari, un défi qu'il se serait lancé à lui-même en même temps qu'à cet ordre des choses dont il avait déjà triomphé en s'élevant à la force du poignet au-dessus de la condition de paysan — au mieux, de maître d'école —, ou comme si, habité par une sorte de prémonition, pressé par le temps, il avait choisi avant de mourir de déposer sa semence et se survivre dans l'une de ces femelles destinées à la reproduction de l'espèce garantie par leurs facultés d'inertie, d'opulence et de fécondité : un besoin, une nécessité, une urgence confondus sans doute, comme dans ce crépuscule d'un monde qui allait mourir en même temps que des millions de jeunes gens enterrés sous la boue et où se mêlaient les paradoxales et caricaturales images figées ou sautillantes de parades militaires, de jupes entravées, d'hommes d'Etat en calèches, de chapeaux fleuris, de casques à plumes, de french cancan, de princes en goguette et de comiques troupiers.

Quatre ans, donc, durant lesquels il usa de la seule arme qu'il eût à sa disposition : la patience, l'obstination, ignorant sans doute qu'il bénéficiait de cet autre décisif et prestigieux atout de séduction qu'est l'absence, cet éloignement forcé qu'il dut probablement maudire, contre lequel il ne trouvait d'autre recours, d'escale en escale, tandis que le long-courrier traînant son sinueux panache de fumée l'emportait tout le long de l'étouffante ceinture de la terre, que ces cartes postales qui faisaient se succéder (alterner, se mélanger, comme les témoignages d'un monde de violence, de respectabilité et de rapacité) les images d'églises presbytériennes, de verdoyantes pelouses, de banques transportées telles quelles de leur pays de pluies et de brouillards, reconstruites (replantées) pierre à pierre (brin d'herbe par brin d'herbe) au milieu de déserts ou de jungles, et celles de groupes hirsutes, farouches, demi-nus, vêtus de loques et outragés, sortis tout droit de la préhistoire, avec leurs peaux brûlées, leurs flèches, leurs arcs dérisoires contemplés par leur destinatrice du même œil énigmatique, apparemment indifférent, dont elle regardait les paysannes en costume limousin, les vues de Chambord ou de Pornichet, toujours également calme, souriante, imperturbable (quoique certainement, à un moment, quelque chose de plus entre eux que de simples rencontres à la promenade, de simples regards, de simples banalités, ait dû se produire, être échangé, dit — quelque chose qui avait permis qu'il remplaçât les conventionnelles formules de politesse par sa seule laconique et éloquente signature), sans un tressaillement lorsqu'elle voyait sur le plateau qu'apportait la domestique l'un de ces rectangles timbrés de vert pâle ou de rose, y jetant un coup d'œil, le passant presque aussitôt à la vieille dame assise en face d'elle à la table du petit déjeuner, disant simplement (les premières cartes envoyées d'un pays verdoyant, avec des cascades, des rochers, des vieilles maisons — puis une de Marseille — puis, successivement, de Port-Saïd, de Suez, d'Aden, de Colombo)... disant donc d'abord simplement : « C'est de ce lieutenant qui était garçon d'honneur au mariage de... », puis : « C'est du lieutenant... » et ajoutant alors le nom, puis ajoutant le prénom au nom, puis supprimant le grade, puis ne disant plus que le prénom : la vieille dame distraite au commencement, puis intriguée, puis alertée, pensant peut-être : « Enfin ! Enfin !... », regardant toutefois avec effarement arriver un jour l'avalanche de cartes portant toutes la même date (12/7/08), toutes timbrées du même profil chauve, barbu et couronné encadré de palmiers couleur jade au-dessous de la mention « Straits Settlements », les comptant malgré elle (il y en avait exactement dix-neuf — postées sans doute à différentes heures de la journée et dans différentes parties de la ville car elles ne prirent pas le même paquebot, arrivèrent par deux courriers différents, en deux lots, d'abord : Singapore : Boat Quay — Singapore : Club and Post Office — Singapore : College Quay — Singapore : Presbyterian Church — Singapore : Group of Boyanese — Singapore : Botanical Gardens — Singapore : Battery Road — Singapore : Indians Jugglers — Singapore : Botanical Gardens (autre vue) — Singapore : Raffles Place — Singapore : St Andrew's Cathedral — Singapore : Maley Women — Singapore : Hong-Kong and Shanghaï's Bank, puis : Singapore : Botanical Gardens (autre vue encore) — Singapore : Chinese Temple — Singapore : Street Scene — Singapore : Tanyung Katong — Singapore : Group of Sakais — Singapore : St. James) puis (la vieille dame) encore plus effarée, sinon même effrayée, réprimant un haut-le-corps (quoique sa fille eût fait de son mieux pour la préparer) quand après une nuit de chemin de fer elles débarquèrent toutes deux (ce fut environ deux ans après la première rencontre) sur le quai d'une petite gare où les attendait, revêtu d'un costume civil sans élégance, au pantalon rentré dans des bottes

130

lacées de garde-chasse, l'homme à la barbe carrée et à la moustache en crocs qu'elle pensait jusque-là inséparables d'un uniforme (c'est-à-dire garanties par l'aspect rassurant d'une tenue décorative, pouvant, à tout prendre, faire l'ornement d'un salon, quelle que fût la tête qui la surmontait), l'inattendu personnage se saisissant lui-même de leurs valises, les portant jusqu'à une voiture de louage, une étroite caisse de bois aux senteurs de moisi qui s'ébranla, conduite par un cocher à la casquette de cuir verni, à l'étrange accent montagnard, tirée par une rosse, cahotant dans les flaques d'eau (elle devait garder le souvenir d'un pays de pluie, de coteaux plantés de vignes sur fils de fer et de montagnes boisées, aux hautes falaises calcaires), le maigre cheval se remettant au pas lorsque commença la montée de la longue rue, tandis qu'assise sur une banquette de crin et secouée par les pavés elle (la vieille dame) regardait défiler à travers l'assourdissant tapage des vitres dans leurs châssis les froides façades de pierre abritées de toits pentus au-dessus desquels surgissait çà et là le sommet d'un sapin aux branches alourdies d'eau, s'égouttant, noires, détrempées, la voiture (la caisse) s'arrêtant enfin, l'homme au costume de garde-chasse que tutoyait le cocher les aidant à descendre, se chargeant à nouveau des valises, traversant le trottoir (c'était lui qui avait insisté, malgré l'appréhension qu'il pouvait avoir d'une telle rencontre, tenu inflexiblement à ce voyage, cette visite), se dirigeant vers un seuil où se tenaient deux femmes largement au-delà de la quarantaine, aux visages carrés, non pas durs exactement mais usés, hommasses, aux mains carrées, vêtues de robes qu'elles n'avaient visiblement pas l'habitude de porter (c'est-à-dire qu'elles (les robes) semblaient plutôt, tant elles étaient neuves, rigides, comme empesées, porter les corps qu'elles revêtaient) et qu'un instant, au vu de leur maintien, de cette raideur, de ces visages, la vieille dame prit pour les domestiques, jusqu'à ce qu'elle comprît qu'il s'agissait des deux sœurs, serrant alors comme en rêve les mains calleuses, balbutiant, son visage plus que jamais empreint de cette expression de panique, de consternation hagarde, hébétée : des femmes, des gens qui devaient probablement lui apparaître non seulement au-dessous de ce qu'elle avait toujours considéré (avait été habituée à considérer) comme le niveau séparant deux classes sociales, mais encore deux espèces différentes d'humanité : car il (l'homme barbu, maintenant vêtu comme un garde forestier) tint à tout leur faire voir, non seulement les deux vieilles filles aux mains crevassées, non seulement l'espèce de momie conservée en vie au fond d'une alcôve, la maison qui commençait tout juste à n'être plus seulement qu'une carcasse de maison, mais encore la vieille tante à demi aveugle restée au hameau, parcourant les chemins en poussant le landau d'enfant démantibulé où elle entassait l'herbe pour ses lapins, mangeait une sorte de bouillie jaunâtre semblable à celle qu'elle donnait aux poules. Et après cela il se passa encore deux ans pendant lesquels (peut-être était-ce la condition qu'elle (la vieille dame) avait mise à son consentement — ou que lui-même s'était imposée) il attendit ce troisième galon qui lui permettrait d'être affecté dans un pays où les femmes blanches ne saignaient pas vingt-cinq jours sur trente et où il pourrait emmener sans crainte de désastre celle qu'il avait choisie

132

pour se donner un fils, les cartes plus espacées alors (mais sans doute s'écrivaient-ils maintenant, car certaines, au-dessous de la signature, du simple nom, portaient la mention « lettre suit ») venant des confins de la Chine : un endroit où la civilisation avait jeté un pont aux poutrelles de fer au-dessus d'une rivière dans laquelle se baignaient des buffles, plus une cinquantaine de maisons et une caserne bâtie en dur à côté de quelques paillotes sur un fond de collines dominées par une plus haute en pain de sucre, le texte disant : « Le Mao-Son est la grande montagne au dernier plan à droite à côté de la croix que j'ai tracée. Bien à vous », et enfin (les quatre années écoulées, le mariage célébré : lui dans son uniforme aux lourdes épaulettes à franges d'or, elle dans une robe tout entière de dentelles, les photos prises dans cette véranda où elle-même avait tant de fois fixé les images de sa famille et de sa vie de jeune fille, et tous les deux avec quatre ans de plus que lorsqu'ils s'étaient rencontrés, les grands beaux yeux qui avaient fait écrire tant de mauvais vers un peu globuleux maintenant, saillants, le menton alourdi, le buste alourdi aussi, rayonnante, ou plutôt défaillante, s'appuyant sur ce bras qu'elle avait enfin le droit de serrer aux yeux de tous, lui très grand, robuste, avec ce visage qui commençait à s'user, porter la trace des climats qu'il avait endurés, sa barbe bien taillée, son tranquille regard de faïence, dominant de la tête le groupe des cousins et amis en habit et cravate blanche qui les entourait) ... enfin, donc, ce fut elle qui à son tour les envoya, elle qui n'avait jamais été beaucoup plus loin que Barcelone, Paris ou Bordeaux, qui, en fait de dépaysement, d'excitation, d'exotisme, n'avait connu que le pesage de Chantilly, les courses de taureaux ou quelques soirées à l'Opéra, elle dont probablement aucun homme n'avait jamais baisé ni même effleuré les lèvres, tout à coup arrachée à sa bienséante et végétale existence, projetée ou plutôt catapultée, précipitée au plein de sa vorace trentaine dans une sorte de vertigineux maelström qui avait pour centre le bas de son ventre d'où déferlait en vagues sauvages quelque chose qui était aux plaisirs qu'elle avait connus jusque-là comme un verre d'alcool à du sirop d'orgeat, ne s'arrêtait même pas aux limites de son corps, se prolongeait encore au-dehors, si tant est qu'elle fût encore capable de distinguer entre dedans et dehors lorsque, abritée de son ombrelle, encore pantelante et moite, de nouveau appuyée à ce bras dont à travers le léger tissu de toile elle pouvait sentir les muscles, épuisée (ou plutôt rassasiée, repue, hébétée), elle descendait la passerelle, allait flâner aux escales (ou plutôt mollement flotter, comme dans un état second, somnambulique) le long des étalages de souks ou de marchés indigènes, percevant comme dans un permanent orgasme ces ports, ces villes, ces pyramides, ces cha-meaux, ces foules barbares et loqueteuses dont elle écrivait à la vieille dame : « ... on se demande si ce sont des créatures humaines comme nous ; nous sommes à terre depuis six heures ce matin, il est neuf heures et l'*Adour* repart à dix, nous sommes au café en train de consommer des boissons glacées. Je t'embrasse », la carte postale représentant trois Noirs, trois squelettes plutôt (ou échalas, ou épouvantails), trois choses hybrides, à mi-chemin entre le végétal et l'humain, c'est-à-dire où l'on ne distinguait pas très bien ce qui appartenait à l'un ou l'autre règne, ni l'endroit où l'un ou l'autre règne se séparaient, ou plutôt ce qui distinguait les membres semblables à du bois sec des fibres pendantes qui les recouvraient à demi, laissant voir les ventres ballonnés, les nombrils saillants, en forme de cônes, les côtes saillantes (l'un d'eux cachant — ou soutenant ? — d'une main ses parties génitales), chacun des trois échalas surmonté par une tête au crâne rasé, aux yeux mi-clos en grains de café, aux énormes lèvres boudinées, une longue plaie aux lèvres éclatées ouverte sur l'un des tibias, comme une cicatrice dans une écorce d'arbre, desséchée sans s'être refermée, ou encore ces ouvertures ménagées dans les membres de ces statues de saints, de martyrs, laissant voir derrière une vitre un fragment d'os : « Burogas » — le timbre rose, toujours orné de l'inévitable profil chauve et couronné mais au-dessus cette fois de l'inscription « India Postage & Revenue », écrivant un peu plus tard (toujours apparemment dans le même état d'ahurissement, de paresseuse satiété) au verso d'une autre carte (plusieurs hommes maintenant, toujours aussi noirs, aussi squelettiques, les incisives supérieures saillant à la façon de celles des têtes de morts ou de rongeurs, leurs chevelures crépelées et gonflées, drapés comme dans des suaires dans des sortes de péplums, bibliques, poussant devant eux quelques chèvres, squelettiques elles aussi : « Somalis ») : « Je n'ai pas grand-chose à ajouter à la longue lettre que » (ici le nom de celui sur lequel, par l'effet de cette fondamentale inaptitude à tout effort, elle se déchargeait maintenant — comme elle l'avait fait pendant trente ans sur le patriarche et la vieille dame — de tout ce qui pouvait

135

constituer une gêne ou une responsabilité) « t'a écrite hier. J'ai seulement... » — car même pour cela, même pour ses rapports avec sa propre mère, elle s'en remettait à présent à lui, se contentant de continuer à flotter sur son orgastique et tiède océan de félicité, lui de son écriture ramassée, précise, aux lettres détachées, faite pour rédiger des ordres ou des instructions, remplissant scrupuleusement les pages de ces détails propres à satisfaire et à rassurer une vieille dame, tels que par exemple la situation et la disposition des pièces dans la maison, le nombre de domestiques, leur qualification, des informations sur le climat, les températures diurnes et nocturnes, la qualité de l'eau, les conditions sanitaires du pays (et, quand naquit l'enfant, la qualité du lait, la possibilité d'une nurse — ou du moins d'une domestique spécialement affectée à lui), faisant en quelque sorte son rapport comme il l'aurait fait à l'intention d'un supérieur hiérarchique à propos de l'installation d'un camp, d'un poste en brousse ou d'un cantonnement, terminant peut-être par : « Votre fils » ou « Votre fils respectueux », ou « Respectueusement à vous », ou quelque autre formule de ce genre, la vieille dame oubliant peu à peu l'image du garde-chasse debout sur le quai d'une pluvieuse petite gare perdue pour lui substituer insensiblement celle, à la fois ornementale (l'uniforme, les épaulettes) et affective du fils qu'elle avait peut-être souhaité avoir, le privilégiant, peut-être même aux dépens de ses autres gendres, pour ce mariage qu'elle avait presque cessé de croire possible, l'adoptant, le faisant sien comme un cadet tardif, inespéré, de même que les cousins et la joyeuse bande d'amis l'adoptèrent aussi, non seulement par affection pour elle (poussés peut-être par une certaine curiosité, un certain respect et une certaine admiration pour celui qui avait su triompher de cette imprenable forteresse d'inertie) mais encore avec cet inconditionnel enthousiasme d'une jeunesse oisive et dorée pour tout ce qui peut apparaître comme marginal, excentrique, à l'exemple du Juif turc ou du violoneux de brasserie, comme ils auraient adopté d'enthousiasme dans ce même rôle de séducteur de l'inaccessible et paresseuse sultane un baryton toulousain ou un comte polonais, sans compter qu'un homme qui ne devait sa situation ni à sa naissance, ni à sa fortune, ni à quelque hasard ou chance, constituait sans doute à leurs yeux un spécimen particulièrement étonnant et attractif, eux dont le seul à porter un uniforme (et le seul uniforme concevable dans leur milieu, c'est-à-dire celui de la cavalerie) ne devait ses galons qu'à la puissante et sénatoriale influence paternelle : un jeune homme un peu gras (il partageait avec sa cousine la même tendance à l'indolence et à l'embonpoint) pour lequel, de l'avis de tous (à commencer par le sien) le concours d'entrée à Saint-Cyr représentait un obstacle si évidemment insurmontable qu'il avait finalement été engagé de force aurait-on pu dire, si sa répugnance à tout effort ne lui avait pas aussi interdit de s'opposer à une décision prise pour lui, puis hissé (toujours de force : force dîners, force cigares, force lettres à force généraux et ministres) de la condition de simple cavalier à celle de lieutenant de dragons après, pour la forme, un passage à Saumur où, comme ailleurs, il s'était contenté d'attendre passivement, comme ces gamins que l'on voit assis dans les salons d'attente des dentistes (avec cette différence qu'il était assis sur un cheval et qu'au lieu de feuilleter des revues écornées il offrait le champagne à ses camarades), tandis que la toute-puissance paternelle continuait par voie parlementaire à remplacer les galons de brigadier par ceux de maréchal des logis, puis d'aspirant, puis de sous-lieutenant, les regardant se succéder sur les manches de ses tuniques avec la même indifférence que pour l'argent dont il payait les bouteilles de champagne et les pensionnaires des bordels de luxe où sa paresse (par paresse aussi sans doute, il était l'un des rares à n'avoir jamais dédié à sa cousine quelque galanterie rimée : peut-être, à défaut d'esprit, était-ce lui qui avait envoyé sans signature la petite femme en culotte et bas noirs qui faisait des ronds de fumée ?) lui avait fait trouver la solution la moins fatigante à ses problèmes de jeune étalon, placidement assis sur quelque banquette capitonnée, laissant avec la même placidité d'enfant un peu gras élevé par des gouvernantes les filles assises sur ses genoux dégrafer en riant le col de sa tunique, puis faire sauter un à un les boutons de cuivre doré et dégager enfin de ses linges soyeux cette tige sortie de lui, à la peau transparente et veinée de bleu, ce bourgeon gonflé et rose qu'il contemplait avec le même placide et passif émerveillement, une naïve satisfaction, renversé sur les coussins, humectant de champagne sa fine moustache blonde, le regardant se gonfler encore au milieu des rires sous quelque langue experte, disparaître enfin, englouti, tandis que sa main libre se crispait un peu dans le flot d'une chevelure brune, blonde ou rousse qui s'abaissait et s'élevait avec lenteur : le même fragile bourgeon, plus

138

tard, le même organe, et aussi la même phallique et rituelle bouteille au col enrobé de papier doré (comme si, pour lui, l'un et l'autre incarnaient complémentairement les viriles vertus dont il avait fait son credo : la seconde (la bouteille de champagne) à titre d'obligatoire accessoire de tout cérémonial, le premier, selon son état et la nature du liquide expulsé, priapique ou flasque, injurieusement exhibé alors de ce geste ignominieux ordinairement reflété par les parois vernissées des urinoirs)... le même organe donc, mais rétracté, recroquevillé, difficilement extrait de l'élégante culotte de cheval par sa main dégantée, aux doigts gourds, gelés, tandis que le visage empreint de la même impénétrable placidité, de la même animale et puérile satisfaction, le corps aux trois quarts sorti de l'étroite carlingue de toile et de bois, cramponné d'une main à quelque hauban ou quelque longeron, la paire de jumelles pendant sur sa poitrine, il regardait le chapelet de gouttelettes dorées emportées par le vent de l'hélice s'égrener et disparaître parmi les flocons noirs des explosions, fêtant le soir sa première mission et l'exploit accompli (l'acte non de bravoure mais de calme fureur) devant la ou plutôt les sacramentelles bouteilles (il en avait, à l'avance, fait mettre au froid une caisse accompagnée de la mention : « A boire quand même si je ne reviens pas »), avec cette différence que les cols enrobés d'or sortaient d'un seau de ferme apporté par un mécano aux ongles cassés et noirs et qu'au lieu d'être douillettement renversé sur une banquette de velours il se tenait maintenant sur un banc de bois (au mieux, une chaise dépaillée) devant une table grossière, la fine moustache blonde de nouveau humectée de perles sur lesquelles

139

scintillait la lueur des bougies, son monocle de nouveau vissé à l'œil, les lèvres gourmandes de nouveau étirées par le même vague sourire de satisfaction et d'euphorie, sauf que, dans le joyeux tapage et les hurlements de rires qui saluaient le récit du pilote, son regard, ses yeux de chien ou plutôt d'éléphant de mer étaient maintenant voilés par quelque chose que plus jamais aucune langue experte, aucune habile main parfumée, ne pourrait effacer, comme s'il était à la fois présent et absent dans ce mess enfumé, assis sur cette vieille chaise ou peut-être une simple caisse retournée, avec ses bottes veuves d'éperons, son élégante culotte sur mesure, sa tunique de dragon qu'il n'avait pas encore eu le temps de remplacer, son pachydermique embonpoint, arrivé là une fois de plus par recommandation sénatoriale sauf (au cours d'une brève permission il n'avait eu avec son père en vêtements de deuil qu'un court entretien à la suite duquel le sénateur effondré avait de nouveau écrit les lettres nécessaires) ... sauf, donc, qu'il ne s'agissait plus cette fois d'ajouter un galon à ceux qui ornaient les manches de sa tunique mais, là où il se portait alors, agrafé sur les anciennes tenues de cavaliers, d'artilleurs ou de fantassins, l'insigne pourvu d'ailes dont le port équivalait à peu près à un aller simple pour la mort. Comme si quelque chose que l'on n'aurait jamais pu soupçonner chez le placide gros garçon habitué des maisons closes, quelque chose qui, après tout, avait peut-être aussi son siège dans cette partie érectile de son corps, cet organe en quelque sorte à tout usage et fonctions (s'il est permis de considérer la haine et l'exécration comme une fonction du corps), lui avait fait dicter à son père la ou les toutes-puissantes lettres et, un peu plus tard, acheter cette carte postale, non pas de celles, coloriées, patriotiques et sentimentales que le commerce fabriquait à l'époque, mais choisie non pas tellement encore par goût — en fait de beautés, celles qu'il trouvait dans les maisons de rendez-vous suffisaient à ses besoins — que parce que c'était le genre de cartes postales qu'il savait qu'elle était habituée à recevoir — ou peut-être encore plus simplement parce que le camp d'entraînement où il apprenait son nouveau métier d'observateur (il était déjà trop âgé pour faire un pilote) se trouvait dans la région, reproduisant en sépia le célèbre et angélique sourire d'une cathédrale mutilée au dos duquel il écrivit le nom et l'adresse de sa cousine et, dans la partie gauche réservée à la correspondance, les simples mots : « Je les vengerai. Je t'embrasse », suivis de sa signature. Car si finalement la mort ne voulut pas de lui (tant bien que mal son pilote réussit à poser dans un champ, criblé d'éclats, l'espèce de cerf-volant ou si l'on préfère de libellule apparemment fabriqué à l'aide de fils de laiton et de percale sur lequel (on pouvait à peine dire « dans ») il allait chaque jour, armé de jumelles et d'un revolver, se promener parmi les explosions de shrapnells — s'arrangeant encore pour y mettre le feu avant que n'arrive la patrouille de la feld-gendarmerie)... si la mort ne voulut pas de lui (par une de ces facéties du destin, il ne devait mourir — ou plutôt lentement agoniser, lentement étranglé — que vingt ans plus tard, solitaire, plus éléphant de mer et plus pachydermique que jamais, un élégant foulard dissimulant le monstrueux œdème qui distendait son cou, secoué de quintes de toux semblables à des rugissements, cachant sa déchéance physique dans la vieille maison familiale entourée de magnolias au sein de la petite ville où les gens pouvaient le voir passer, coiffé comme son grand-père d'un feutre gris perle, vêtu de complets coupés par un maître tailleur aux mesures de cette obésité héritée sans doute du colossal général d'Empire, maniant lestement une canne au pommeau d'ivoire et courant jusqu'à la veille de sa mort les salons de thé ou les pâtisseries dans l'arrière-salle desquels les complaisantes serveuses agenouillées (ou les vieilles patronnes) rendaient à cet organe phallique qui avait constitué pour ainsi dire le pivot de son existence leurs hommages mercenaires et buccaux tandis que tassé dans quelque bergère et fourrageant d'une main sous une jupe il s'efforçait douloureusement de faire descendre à petits coups de porto dans son gosier martyrisé des gâteaux à la crème)... si donc la mort ne voulut pas alors de lui, sur les trois de la famille qui étaient partis, deux avaient déjà été tués, et à moins d'un mois d'intervalle, le premier par une belle journée d'août tandis que peu après une autre balle traversait la carotide du député-poète lequel, à vrai dire, depuis quelques années déjà, n'était plus député, n'avait pas été réélu (n'avait au demeurant rien fait pour l'être, laissant s'entasser autour de son bureau les lettres des solliciteurs et se contentant d'applaudir le sénateur qui parlait pour lui dans les réunions publiques), employant sa liberté retrouvée à écrire des vers, escalader le mont Blanc, visiter New York, hiverner à Majorque, peindre des aquarelles et continuer à envoyer d'un peu partout ces cartes postales au dos desquelles, au contraire de son frère, du gros garçon au pudique laconisme militaire et aux bouteilles de champagne, il s'appliquait (peut-être en souvenir du temps où la capricieuse jeune fille lui imposait — le mettait au défi — de la faire rire chaque matin par correspondance ; peut-être aussi par l'effet d'une autre sorte de pudeur) à maintenir jusque sous l'ombre menaçante qui les enveloppait déjà tous ce ton d'insouciante légèreté qu'affectionnait la bande des faux rapins montmartrois et des aimables fils de famille, écrivant au verso d'une carte où l'on pouvait voir une caserne devant laquelle la garde et quelques gamins posaient complaisamment pour le photographe : « Magnac-Laval, le 18 avril 1912 — Mon capitaine, J'ai l'honneur de porter à votre connaissance qu'éprouvant le plus vif désir de retrouver mon régiment dont je vous envoie ci-contre une vue magnifique, je viens de rengager comme adjudant. J'espère que nous allons entrer en guerre et que j'aurai l'occasion de mourir pour le drapeau. Respect. Dévouement. Adjudant C... », la carte rapidement lue, puis tendue avec un joyeux (trop joyeux ?) éclat de rire au-dessus de la table par l'homme au visage tanné, à la barbe carrée, dont l'éclatante tunique de toile blanche s'ornait aux épaules de pattes dorées et en face duquel elle prenait maintenant ses petits déjeuners servis par la jeune négresse à qui, en même temps qu'elle l'affublait de tabliers empesés, elle avait appris à faire cet épais chocolat à l'espagnole qu'elle continuait à boire invariablement chaque matin, de même qu'elle continuait à porter sous les soleils tropicaux les chapeaux en forme d'abat-jour ou d'exposition florale et les sévères guimpes qui lui engonçaient le cou, la salle à manger aux volets déjà clos en dépit de l'heure matinale comme pour

143

empêcher de pénétrer, pour endiguer, contenir la poussée extérieure de quelque chose de compact, solide et incandescent qui se glissait par les fentes des jalousies sous la forme de plaques laminées, rigides, où tournoyaient avec lenteur d'impalpables atomes de lumière, la photo au dos de laquelle figuraient les explications à l'usage de la vieille dame (« ... en bas la fenêtre de la salle à manger, puis la balustrade qui borde la terrasse, enfin plus à gauche la fenêtre fermée du petit salon où je t'écris et... ») comme dévorée elle-même de lumière, décolorée, pâle, d'une uniforme couleur soufre ou safran, comme si une implacable couche de poussière, une poussiéreuse et jaune épaisseur de temps ensevelissait la maison, le morceau de jardin entrevu, la terrasse d'où maintenant, appuyée à la balustrade de briques, elle suivait des yeux la tunique de toile blanche qui traversait le jardin, passait derrière le bouquet de bambous, hachée par les découpures des petites feuilles effilées, sèches, et disparaissait — la carte toujours entre ses mains, le visage soudain pensif, tendu, pouvant entendre le frémissement des feuilles faiblement agitées, un moment froissées avec un bruit de papier, palpitant, puis reprenant leur immobilité.

Ou peut-être pas. Continuant peut-être à flotter, invulnérable, hors d'atteinte, dans cette espèce de léthargie, de tiède nirvana, cet orgastique état de végétal épanouissement, ce monde vaguement fabuleux, comme à l'écart pour ainsi dire de l'autre, et où les bruits d'armes, les rumeurs de guerre ne lui parvenaient qu'assourdis, lointains, incrédibles. Plus tard elle raconta que là-bas les gens avaient coutume d'entretenir un boa dans leur jardin, comme en Europe un chien ou un chat, parce qu'il (le boa) était le meilleur moyen de se débarrasser des rats, mais qu'elle n'en avait pas voulu, d'abord par une instinctive répulsion, puis, quand elle se fut peu à peu habituée à en voir, par peur, à cause de l'enfant. Avec la quotidienne régularité de l'arrivée de la pluie pendant la saison humide (elle raconta qu'elle tombait chaque jour à cinq heures précises, qu'on pouvait jouer au tennis jusqu'à moins le quart — car là aussi elle y jouait, ou du moins elle conservait des photographies où on pouvait encore la voir munie d'une raquette, toujours coiffée d'un de ces écrasants chapeaux et vêtue de ses jupes qui balayaient la poussière, silencieusement observée de loin, elle et ses partenaires masculins aux tenues de sportsmen, par une immobile frise de silhouettes drapées de blanc, aux impassibles visages d'ébène — après quoi on avait juste le temps de rentrer s'abriter avant que les épaisses trombes d'eau tiède transforment les rues en torrents et le jardin en lac), avec aussi la brièveté des crépuscules où sans transition la nuit remplaçait le jour, les palanquins dans lesquels elle se faisait véhiculer, mollement balancée au pas de porteurs noirs, les boas domestiques et les fabuleux menus des dîners chez le gouverneur semblaient constituer à peu près tout ce qu'elle avait retenu, ou plutôt tout ce qui, du monde extérieur, était parvenu jusqu'à elle à travers les protectri- ces épaisseurs de cette béatitude au sein de laquelle elle flottait, impondérable, dans une sorte d'état pour ainsi dire fœtal, elle-même bientôt porteuse dans les tièdes ténèbres de son ventre d'une vie au stade embryonnaire, ou plutôt élémentaire. Comme si (quoique continuant à se rendre le dimanche à l'église de la Mission, à porter

145

sur ses austères guimpes une croix de grenat, à réciter mécaniquement ses prières et à lire des romans aux couvertures jaunes) elle avait vertigineusement remonté le temps, transportée dans un primitif Eden, un primitif état de nature, au côté de l'homme à la barbe sauvage, entourée de serpents et de sauvages également domestiqués : en plus de l'ordonnance, elle possédait trois de ces derniers, deux mâles et une femelle, dont les noirs visages luisaient dans l'ombre de la galerie où ils posaient debout derrière elle assise dans un fauteuil de rotin, sa main sur l'échine du chien familier, souriante, comme si le photographe avait saisi ce fugace instant d'immobilité, d'équilibre, où parvenue à l'apogée de sa trajectoire et avant d'être de nouveau happée par les lois de la gravitation la trapéziste se trouve en quelque sorte dans un état d'apesanteur, libérée des contraintes de la matière, pouvant croire le temps d'un éblouissement qu'elle ne retombera jamais, qu'elle restera ainsi à jamais suspendue dans l'aveuglante lumière des projecteurs au-dessus du vide, du noir. Et peut-être le crut-elle, réussit-elle à le croire, à s'en persuader, ou peut-être réussit-il, lui, à le lui faire croire encore, alors que déjà la courbe de la trajectoire commençait à basculer, puis à s'infléchir, puis à chuter pour de bon, la précipitant vers le bas avec la même vertigineuse vitesse qui avait présidé à son ascension, quoique tout continuât encore un moment comme si rien n'était changé : les mêmes toilettes, les mêmes robes claires incrustées de dentelles, les mêmes chapeaux à présent maintenus par une voilette nouée sous son menton tandis qu'accompagnée de la négresse portant l'enfant elle balayait de ses jupes le pont-promenade du navire qui les ramenait en Europe, les mêmes poissons volants, les mêmes fades galanteries à la table du commandant, les mêmes négrillons plongeant aux escales pour attraper les sous de bronze, le même rassurant sourire à son côté, le même long-courrier peut-être, bas sur l'eau, aux ponts protégés par des tentes de toile, qui l'avait quatre ans plus tôt emportée sur le même océan parcouru maintenant en sens inverse, le bateau dont ç'allait être l'un des derniers voyages avec à bord des femmes et des enfants, qui, à moins d'être torpillé, n'allait plus, pendant quatre longues années, transporter, empilés comme des bestiaux dans ses entreponts pêlemêle avec des canons, que des hommes qui allaient mourir, se faufilant bientôt entre les rives calcinées des deux continents sauvages, retrouvant au sortir cette mer ou plutôt ce lac intérieur, cette mare, cette liquide matrice d'alphabets, de chiffres, de colonnes cannelées et de marbres en même temps que peu à peu la chaleur s'atténuait, que les noms des îles, des caps, des détroits, des montagnes aperçues au loin perdaient leurs consonances bizarres ou barbares, que déjà, dans les cabines, on rangeait au fond des malles les tenues de toile et les robes trop légères, que les aubes se faisaient plus fraîches, qu'il fallait une écharpe, un châle pour monter la nuit sur le pont où ils se promenaient peut-être tous deux, marchant à pas lents, s'arrêtant, s'accoudant peut-être côte à côte au bastingage, écoutant rejaillir avec régularité sous l'étrave l'écume phosphorescente qui s'enfuyait rapidement au-dessous d'eux, la sourde trépidation des machines, le temps en train de s'enfuir aussi cependant que diminuait jour après jour, heure après heure, à chaque tour d'hélice, cette étendue d'eau sur laquelle, confusément, elle pouvait encore se sentir hors d'atteinte, silencieux tous deux, ou peut-être chuchotant, lui du moins, tandis qu'elle pétrissait entre ses mains le journal aux gros titres acheté à l'escale, les sommets des mâts oscillant lentement sous les étoiles indifférentes, et lui se penchant encore, rapprochant encore d'elle son visage amaigri ou plutôt émacié, ardent, avec cette barbe qu'il taillait court maintenant, noire dans la nuit, lui rongeant les joues, comme celle que laissent pousser les malades, son transparent regard de faïence comme déjà absent, ailleurs, comme un démenti à ses paroles, et par moments quelque gerbe d'étincelles rougeoyantes s'élançant de la cheminée au-dessus d'eux, tournoyant, affolée, s'éteignant, emportée dans les noires volutes de fumée, et toujours l'implacable et sourde trépidation des machines, les immobiles et froides constellations, l'ardent et vain chuchotement qu'elle n'écoute sans doute pas, pas plus qu'elle n'est consciente des mouvements nerveux de ses mains qui continuent à pétrir le journal, ne sachant sans doute même plus qu'elle le tient, regardant devant elle dans les ténèbres les faibles reflets jouant sur la surface mouvante et vernie de la mer, tendue, raidie, son pâle profil bleuâtre dans la nuit semblable à du marbre, les yeux secs, fixes, et elle ne répond même pas, ne dit même pas : « Un régiment comme le tien ! Crois-tu que je ne sache pas, que je... » : elle se tait, elle pense : « Mais je le savais, je le savais, je l'ai toujours su, j'ai toujours su que c'était cela que j'épousais... », les paquets de mer continuant à se briser régulièrement contre l'étrave, explosant, rejaillissant, retombant en pluie,

l'écume s'enfuyant, se tordant, rapide, disparaissant, re-
commencée : comme si elle pouvait sentir l'étendue d'eau
en train de se rétrécir, de se rétracter à la façon d'une
peau de chagrin, de moins en moins large, de plus en
plus précaire, dérisoire ; puis le dernier jour, les dernières
heures, les malles maintenant cordées dans la cabine, les
courroies de la cantine réglementaire bouclées, la mince
ligne immobile de la terre à l'horizon grossissant peu à
peu, inexorablement, inexorablement immobile, se rapprochant, un phare sur la droite, l'écume paisible battant
à son pied, des roches grises, une corniche, des voitures,
des maisons, des jetées...

Une foule se presse contre les grilles de la douane et
des mains agitent des mouchoirs. Elle ne voit pas la
foule. Elle voit un confus amas de particules multicolores,
claires ou foncées, agglutinées et mouvantes. Autour d'elle
les maisons, les quais, les grues dérivent maintenant de
plus en plus lentement. Elle peut entendre le timbre
d'une sonnerie et sentir les membrures du navire trembler sous la poussée inversée de l'hélice. Elle peut voir
l'eau brassée remonter en gros bouillons en même temps
que s'en élève une faible odeur de croupissure, de vase.
Elle peut sentir le pont cesser de trembler. Elle regarde
l'étendue d'eau formant un angle qui sépare encore du
quai le flanc du long-courrier maintenant immobile. Elle
peut voir le filin lesté lancé de la poupe, l'aussière
rapidement amarrée s'incurver, plonger dans le bassin,
puis resurgir, se tendre peu à peu, ruisselante, frangée de
gouttelettes qui scintillent dans le soleil tandis que ron-
ronne le moteur du cabestan. Lentement le long navire
pivote sur lui-même et les côtés de l'angle se rappro-

chent. Un court instant les rayons du soleil se reflètent sur le flanc peint en noir où se déplace une zone couleur bronze. Maintenant elle peut voir l'ombre de la cheminée et des ponts supérieurs s'étendre sur le quai. L'ombre gagne les grilles de la douane et recouvre la foule pressée contre elles. Elle peut sentir une poussée contre son coude et elle élève la main. Elle peut distinguer les visages usés des deux femmes en vêtements sombres qui font des signes avec leurs mouchoirs. Le plan d'eau entre le navire et le quai forme maintenant un angle aigu. Elle sent remuer au-dessus d'elle l'enfant élevé à bout de bras et qui contracte et détend ses jambes dans le vide. Elle continue à agiter la main. Elle essaye de sourire. Elle pleure. Le ronronnement du cabestan s'arrête. Des cris de joie, des appels, s'échappent des ponts du long-courrier et de la foule massée derrière les grilles de la douane. Les larmes coulent lentement sur ses joues. Entre le flanc noir du navire maintenant tout à fait immobile et le quai, il ne reste plus au fond de la profonde tranchée qu'une étroite bande d'eau sale où flottent des détritus.

VI

27 août 1939

A la fois aérienne et monumentale, s'avançant au ralenti, comme portée sur un nuage, les jets de vapeur fusant entre les bielles nappées d'une huile jaunâtre, ébranlant le sol sous sa masse, tirant derrière elle une suite de wagons d'un modèle ancien exhumés des dépôts où on les conservait sans doute en prévision de ce jour (en bois, peints d'une couleur marron écaillée et pourvus d'une galerie à chacune de leurs extrémités), la locomotive pénétra avec un sourd fracas sous la verrière de la gare où, sur le quai, se pressait une foule compacte dont le premier rang recula d'un pas à son approche, non pas tellement par crainte d'être ébouillanté par la vapeur ou de trébucher sous les roues que par une sorte d'instinctive horreur, d'intuitif instinct de répulsion qui lui commandait de conserver le plus longtemps possible entre elle et la paroi verticale des wagons en train de défiler de plus en plus lentement un illusoire et ultime intervalle de vide, comme un fossé, un étroit canyon ou plutôt une invisible muraille, un invisible rempart au-delà duquel, une fois franchi, serait scellé quelque chose d'irrémédiable, définitif et terrible.

Accoudés à la rambarde de leur plate-forme, le mécanicien et le chauffeur aux lunettes relevées sur le front, aux vêtements et aux joues noircis de suie, regardaient de leurs yeux bordés de rouge glisser au-dessous d'eux, puis, tandis que dans un long grincement la file des vieux wagons s'immobilisait, s'immobiliser en même temps le confus grouillement d'hommes et de femmes aux visages levés vers eux, aux bras parfois chargés d'enfants et qui, bien après l'arrêt du train et au lieu de l'assaut habituel, continuaient à fixer les flancs brunâtres des wagons avec une sorte d'incrédule stupeur, d'incrédule consternation. Un moment encore, les deux parois du fossé (celle faite de bois marbré d'écailles et celle formée par les corps pressés sur le quai) restèrent face à face dans un silence seulement troublé, tout là-bas, au-delà de la verrière sous laquelle se dissolvaient les volutes de fumée, par le halètement cadencé de la locomotive laissant échapper à intervalles réguliers ses jets de vapeur qui s'élevaient dans le soleil, d'un blanc gris, et s'évanouissaient. Puis soudain, en même temps que çà et là quelques silhouettes se détachaient de la foule et commençaient à escalader les marchepieds des wagons (sans doute celles d'hommes étrangers à la ville, ou sans famille, ou qui avaient refusé de se laisser accompagner), il s'éleva sous la verrière un confus brouhaha non pas de cris ou de protestations, comme une sorte de plainte plutôt, de gémissement, à la fois timide, discret et monumental, fait de centaines de prières, de centaines de sanglots et de centaines d'impuissantes malédictions. La gare était celle d'une ville du

Midi de moyenne importance, construite en briques roses sur lesquelles se détachait l'appareil de pierre des portes d'accès aux quais, de la salle d'attente, du buffet et des bureaux. C'était l'été, et les femmes qui tenaient sous leurs yeux un mouchoir roulé en boule étaient pour la plupart bras nus, arborant des robes claires, parfois même, comme certains hommes, des tenues de plage. On aurait dit des gens surpris par un orage ou quelque cataclysme au milieu d'une noce ou d'une partie de campagne, à la fois endimanchés et débraillés, et parmi lesquels on pouvait voir, anachroniques à côté des légères tenues estivales et dans la chaleur de l'été agonisant, quelques vieilles venues des villages voisins ou des quartiers misérables de la ville, fragiles, muettes, tout entières vêtues de leurs invariables robes noires, avec leurs fichus noirs noués sous le menton encadrant leurs visages crevassés de rides, jaunes, indifférents aux larmes qui les inondaient, empreints de cette permanente expression d'hébétude, d'épouvante et de résignation des faibles et des pauvres. A présent, comme si, plus encore que l'entrée du train dans la gare, la vue des premiers qui s'étaient décidés à monter dans les wagons avait déclenché le signal de l'irrémédiable, loin de diminuer de densité, la foule, ou plutôt le conglomérat humain d'où s'extrayaient l'une après l'autre de nouvelles silhouettes se hissant sur les marchepieds, semblait se resserrer plus étroitement, comme si non seulement il refusait de se désagréger, de se laisser entamer, mais encore se rétractait pour ainsi dire sur lui-même, les particules qui le composaient comme soudées les unes aux autres dans une sorte de cristallisation, une inextricable multitude d'étreintes non pas, pour la plupart, de deux corps mais de plusieurs, assemblés en couronnes autour de centres où parvenaient des voix étranglées de femmes et des pleurs d'enfants, de sorte que ceux qui s'en arrachaient et cherchaient à gagner le train, le plus souvent suivis par un cortège allant s'amenuisant, s'égrenant dans leur sillage, étaient encore retenus, empêchés de progresser ou parfois même repoussés, éloignés des marchepieds par quelque poussée, quelque convulsion ou dilatation du grouillement bigarré, incohérent, parcouru d'imprévisibles courants, d'imprévisibles reflux. Comme par dérision enfin, ou pour augmenter la confusion, un second train vint se ranger de l'autre côté du quai sur lequel descendirent, aussitôt noyés dans la foule, les concurrents d'un championnat de boules : des hommes entre deux âges, parfois obèses, vêtus de tenues plus ou moins sportives et coiffés de casquettes blanches qui bientôt semblèrent flotter, éparpillées, dérivant à leur tour, immaculées, à la surface de la marée humaine qui maintenant, de la même façon dont elle s'en était éloignée un moment plus tôt, était venue par un mouvement inverse se coller ou plutôt adhérer avec quelque chose de furieux, d'obstiné et de gluant au flanc des wagons vers les fenêtres desquels des bras élevaient des bébés, tendaient des musettes, des paniers, parfois seulement un pain, continuant à s'y accrocher en dépit des coups de sifflet et des cris des employés, même lorsqu'eut retenti le signal de la locomotive et tandis que par une série d'à-coups, dans un fracas de tampons et d'attelages entrechoqués, comme hoquetant, la traction se répercutant de wagon en wagon, comme s'il cherchait à secouer à la façon d'un animal

156

couvert de parasites les grappes humaines attachées à ses flancs, le train s'ébranlait.

De sorte que pendant un moment il (le train) parut ne pas pouvoir se dégager (soit qu'ils se soient mis à le suivre sur le quai au pas d'abord, puis courant, soit que certains fussent toujours sur les marchepieds) de l'espèce d'hétéroclite conglomérat d'hommes et de femmes aux paradoxales tenues de fête, aux visages crispés ou baignés de larmes, entraînant ou plutôt portant dans leur course comme des fétus ou de simples détritus à la surface d'une eau trouble les masques desséchés des vieilles vêtues de noir, couleur de bois mort, semblables à des mortes, le train prenant peu à peu de la vitesse, les grappes humaines s'en détachant l'une après l'autre, jusqu'à ce qu'il ne restât plus sur le marchepied d'une des galeries, non pas cramponnée mais tenue à bras-le-corps, étroitement embrassée, que la mince forme cambrée d'une jeune femme le buste et la tête renversés en arrière, ses deux bras entourant les épaules de l'homme dont les lèvres étaient collées à sa bouche, sa légère robe d'été faite d'un tissu voyant, bon marché, imprimé de fleurs rouges, relevée par le bras qui lui encerclait la taille, dévoilant la face postérieure des genoux, commençant à flotter, puis soulevée par l'air, puis claquant sur les cuisses, des cris d'effroi s'élevant, et un moment elle parut pour ainsi dire suspendue dans le vide, seulement encore reliée à l'homme comme par une ventouse à l'endroit où les deux bouches se joignaient, comme dans une sorte de coït aérien, comme ces oiseaux capables de copuler en plein vol, rattachés par leurs seuls organes génitaux et fendant l'air comme des pierres, une gerbe de mains se tendant vers elle, la tirant (ou la recevant), le train roulant maintenant à peu près à la vitesse d'un homme courant au pas de gymnastique, la mince silhouette s'échappant, se mettant alors elle-même à courir à la hauteur de l'homme toujours penché hors du wagon, repoussant sans même y prêter attention avec une puissance de bête sauvage les corps qui lui faisaient obstacle, la distance qui la séparait de l'homme augmentant peu à peu tandis qu'elle courait maintenant sur la partie du quai encore cimentée au-delà de la verrière, puis, se tordant les pieds, sur le ballast, trébuchant, perdant l'un de ses souliers, sautillant sur une jambe, cessant enfin de courir et restant là debout au milieu des voies, toujours hurlant, les occupants du train penchés aux fenêtres voyant s'éloigner, diminuer maintenant rapidement la mince forme en robe rouge, au visage peinturluré de putain (ou peut-être de dactylo ou de vendeuse maladroitement maquillée), continuant à hurler, jusqu'à ce qu'elle ne fût plus qu'une silhouette perdue dans le soleil d'août au milieu des aiguillages, des rails étincelants, minuscule maintenant à côté du hangar à marchandises décroissant lui aussi de plus en plus vite.

Puis le train s'engagea dans une courbe et tout disparut : la femme, l'ouverture béante de la verrière derrière elle, le hangar à marchandises, la baraque de la lampisterie, le poste d'aiguillage, la rivière au lit de cailloux, ses bordures de roseaux : maintenant le train roulait sur un remblai au-dessus de jardins maraîchers protégés par des haies de cyprès ou de lauriers entourant des maisons aux toits de tuiles, aux cours abritées de figuiers, encombrées de cageots, de machines à sulfater saupoudrées de bleu, de futailles et de charrettes déte-lées, comme précipitamment abandonnées sur place au passage de quelque silencieux cyclone qui aurait laissé subsister derrière lui un monde intact mais vide, inhabité, à l'exception ici et là de quelques poules errant au hasard, comme aveugles, affairées et manchotes entre les brancards des carrioles et les charrues échouées. Bientôt les vergers laissèrent place aux étendues plantées de vignes où, de loin en loin, s'étiraient les lignes de platanes bordant les routes. Un peu plus tard la voie courut entre des marais salants, non loin de la mer dont on voyait les vagues s'arrondir, basculer au ralenti, se briser et rebondir de proche en proche en longs rouleaux au-delà desquels scintillait dans le matin une étroite bande argentée.

Le train s'arrêtait à toutes les gares, même aux simples haltes, et l'on pouvait de nouveau entendre le halètement régulier de la locomotive lâchant à intervalles ses jets de vapeur dans le silence seulement troublé par le grelotte-ment d'une sonnette et le chuintement du vent dans quelques pins le long du quai ensoleillé (des quais même pas cimentés, des gares pas plus grandes que des maisonnettes, avec seulement une horloge à double face, deux bancs et un jardinet) où se tenaient de petites foules — quelquefois seulement un ou deux groupes, toujours comme vaguement endimanchés aurait-on dit, les immémoriales vieilles vêtues de noir maintenant entourées d'hommes simplement en manches de chemise et de femmes en sarraus qui regardaient hoqueter, s'entrecho-quer et s'ébranler de nouveau la suite ferraillante des vieux wagons, restant là, debout sur le quai, serrés les uns contre les autres comme s'ils ne pouvaient pas se résigner à s'en aller, bien après que le flanc écaillé du dernier wagon se fut brusquement effacé, continuant silencieusement à suivre le train des yeux tandis qu'il s'éloignait, les visages craquelés empreints de cette même expression de consternation, d'incrédulité et de désespoir — puis même plus des visages : des taches — puis même plus des taches : des points — puis même plus des points : rien qu'un indistinct et sombre agrégat sur le quai de la gare miniature perdu au milieu de l'océan des vignes dans l'éblouissante lumière d'août, aspiré en arrière, s'éloignant, rapetissant encore, puis, à son tour, comme un peu plus tôt la verrière béante, la fille en rouge hurlant, les dernières maisons de la ville, disparaissant.

A partir d'un moment, dans les gares d'une certaine importance abritées de nouveau de verrières, aux quais débordants de foules compactes d'où s'élevait (ou plutôt au-dessus desquelles stagnait comme un invisible brouillard) un invisible et long gémissement, cette même rumeur, non de révolte, de colère, mais de plaintive stupeur, les wagons ne cessèrent de changer d'occupants, les nouveaux venus aux mêmes chargements de musettes — quelquefois de petites valises —, aux mêmes visages comme mal réveillés (quoique peu à peu la journée s'avançât) remplaçant ceux qui descendaient, luttaient de nouveau pour se frayer un passage vers la sortie auprès de laquelle se tenaient des piquets d'hommes en armes et casqués.

Entre les arrêts, tandis que le train roulait de nouveau parmi les étendues de vignes, à part quelques ivrognes

qui chantaient et brandissaient des bouteilles aux fenêtres, la plupart des occupants parlaient pcu. Parfois,
machinalement, l'un d'eux se baissait, ramassait sur le
plancher quelque exemplaire froissé d'un journal du jour
(à quelques variantes près, ils portaient tous le même
titre en lettres énormes (les titres qui étaient en quelque
sorte une simple dilatation typographique de mots que les
journaux avaient déjà imprimés, ou plutôt que postulait
l'ensemble des mots imprimés par les journaux (mais en
caractères plus petits) depuis déjà plusieurs semaines
— en fait, depuis plusieurs mois — en fait, depuis
plusieurs années), comme si, en même temps que les
règles de la syntaxe qui leur assignait un ordre pour ainsi
dire de bienséante et rassurante immunité, les autres (les
autres mots : ceux dont ils étaient habituellement entourés) avaient subitement perdu toute raison d'être, la
syntaxe expulsée elle aussi, les manchettes (les manchettes qui dans les jours à venir allaient être suivies de
plusieurs autres de taille chaque fois croissante, jusqu'à
ce qu'enfin les lettres remplissent la moitié de la page)
réduites à l'assemblage de deux ou trois substantifs isolés
et démesurément agrandis — les dessins des lettres
simplifiés aussi : épaisses, sans pleins ni déliés, simplement grasses, massives — comme à l'intention de myopes
ou d'idiots), l'homme un moment passivement secoué par
les cahots, les avant-bras appuyés sur les cuisses écartées,
le journal déployé, les yeux fixes, contemplant sans les
voir les caractères imprimés et les photographies elles
aussi démesurément agrandies, puis laissant tout tomber.
L'une des gares était construite en pleine ville sur un
viaduc, et quand le train repartit en roulant lentement ses

occupants purent voir sous les ombrages d'un boulevard en contrebas une grande quantité de chevaux rassemblés, leurs propriétaires debout à leurs côtés, le fouet passé à l'angle du coude, l'autre main tenant la bride ou la longe des gros percherons aux croupes pommelées ou d'un rouge orangé, parfois occupés à passer par-dessus leurs oreilles l'anse d'un sac à avoine dont, arrivées au fond, les bêtes happaient les derniers grains en hochant vivement la tête. Sous le soleil, cela ressemblait à quelque foirail, sauf que des gradés en tenue, coiffés de képis et munis de feuilles attachées à des cartons par des pinces, allaient et venaient d'un groupe de chevaux à l'autre et s'assemblaient pour comparer leurs listes. Puis le train reprit de la vitesse et tout (les paisibles chevaux aux têtes à demi enfouies dans leurs mangeoires, leurs propriétaires debout à leurs côtés, les hommes en képi avec leurs listes) disparut aussi. Peu à peu, l'espèce de stupeur léthargique qui régnait dans les wagons (c'étaient des wagons sans compartiments ni cloisons aux banquettes de bois seulement séparées par leurs dossiers, comme il en circulait autrefois sur les petites lignes d'intérêt local) s'alourdit encore, à peine troublée par quelque voix avinée dont les échos retombaient dans le silence scandé par le martellement des roues aux cassures des rails. Retardé par ses arrêts incessants, le train ne progressait que très lentement et la nuit commença à tomber. Avec son arrivée semblèrent aussi s'éteindre les chants d'ivrognes, tandis que le poignant crépuscule se faisait de plus en plus épais, jusqu'à ce que dans les vitres relevées (l'air avait soudain fraîchi) commence à apparaître, déchiqueté d'abord par d'obscures silhouettes d'arbres, de maisons, de collines se succédant, s'enfuyant, venant à nouveau se plaquer contre la surface laquée, le ténébreux reflet de l'intérieur des wagons éclairés d'une lumière jaunâtre, comme si au-dehors (à la fin, du côté de l'est, tout fut noir) étaient emportés parallèlement dans la campagne nocturne où dérivaient parfois lentement une ou deux lumières les doubles immatériels et immobiles des occupants assis ou couchés sur les banquettes, les journaux à gros titres déchirés et étalés sous eux.

*
* *

Et maintenant il allait mourir. Il était déjà tard lorsque le train s'arrêta à Lyon. Des employés passèrent sur le quai en criant qu'il n'allait pas plus loin et que ceux qu'il avait amenés jusque-là devaient en changer. On avait aveuglé à la hâte l'éclairage de la gare et de loin en loin brillaient d'avares lueurs qui semblaient épaissir encore l'obscurité. L'immense verrière de fer et de verre noircis de fumée dont la voûte se perdait dans la nuit répercutait les échos de tampons entrechoqués et de grincements de freins qui retentissaient dans un paradoxal silence où dérivait, comme contenue par les parois des trains rangés parallèlement, une indistincte cohue dont, contrairement à celles qui se pressaient dans les gares le matin, ne s'élevait maintenant aucun cri, aucun éclat de voix, à peine un confus brouhaha : tout juste le bruit, le frottement léger, inoffensif quoique vaguement inquiétant, que peuvent faire des centaines de pieds, des centaines d'hommes errant comme au hasard, renvoyés d'un quai à l'autre, s'entremêlant, s'entrecroisant, rebroussant che-

163

min, hâtant le pas, parfois même courant, se heurtant dans le noir, reprenant leur route, dans une sorte de morne, muet et docile tumulte : plus de femmes, plus de pleurs, plus d'étreintes, plus d'enfants tendus à bout de bras : comme si dans l'espace d'une journée s'était produite une espèce de mutation, c'est-à-dire comme si, quoique entourés par la ville endormie (ou peut-être réveillée, incapable de trouver le sommeil derrière les façades et les fenêtres closes), ceux qui se trouvaient là maintenant avaient été déjà rejetés, exclus, abandonnés dans la nuit peuplée de cet innombrable et invisible piétinement semblable à un furtif bruit de fond au-dessus duquel, de partout et de nulle part dans le noir, continuaient à retentir, sporadiquement ponctués du fracas d'enclume des tampons, les bruits de locomotives en train de manœuvrer, les tintements d'attelages et les sifflements de vapeur.

A présent il était étendu de tout son long dans le noir (peut-être le système d'éclairage n'était-il pas encore raccordé — ou peut-être était-il en panne — ou peut-être avait-il été délibérément coupé, quoique les premières classes fussent en principe réservées aux officiers, mais l'autre réserviste (un garçon coiffé d'une casquette, l'air d'un mécano, d'un aide-boucher ou d'un livreur d'épicerie) avait dit qu'on n'avait rien à foutre aujourd'hui des officiers et de toute façon qu'est-ce qu'on pouvait leur faire de pire que ce qui les attendait tous tant qu'ils étaient, alors ?...), immobile, les yeux ouverts, respirant lentement l'âcre odeur de suie refroidie et de crasse qui s'exhalait du drap des coussins, comme la senteur même, délétère, anonyme et charbonneuse de tout arrachement

et de tout désastre, pouvant percevoir au-dessous de lui
l'inerte et pesant assemblage de métal (roues, essieux,
boggies) immobile aussi et comme soudé, mais menaçant,
comme si un moment encore lui était ménagé pour la
première fois depuis le matin, une sorte de halte, d'incer-
tain répit (l'employé qui avait indiqué la rame obscure
des wagons rangés le long du quai n'avait pas dit
d'heure, simplement haussé les épaules et tourné le dos,
simplement exaspéré) pendant lequel il pouvait contempler dans une perspective télescopique (de même que, la
tête légèrement relevée, sa nuque reposant sur ses deux
mains croisées, il pouvait voir son corps tout entier gisant
à plat sur la banquette, depuis les chaussures luisant
faiblement dans l'ombre jusqu'aux replis de son blouson
s'élevant et s'abaissant au rythme de sa respiration) les
vingt-six années qui maintenant allaient selon toute
probabilité trouver une fin : vingt-six années au long
desquelles, depuis qu'encore enfant il avait été traîné
dans un paysage d'apocalypse à la recherche d'un introu-
vable squelette, il avait avec le même égal et docile
étonnement, sans bien comprendre, vu d'abord la femme
toujours vêtue de sombre qui était sa mère fondre peu
à peu, se résorber, échanger son visage bourbonien contre
celui d'un échassier, puis d'une momie, puis (grâce aux
bistouris qui taillaient et retaillaient dans le corps) même
plus une momie : quelque chose comme un bistouri
lui-même, une lame de couteau, une sorte d'épouvantail
vivant, la tête d'oiseau décharné émergeant de châles qui
recouvraient quelque chose de plat d'abord étendu sur
des liseuses, puis des divans, puis dans un lit, de plus
en plus plat, soulevant à peine le drap, puis disparaissant

tout à fait, ne laissant plus rien d'elle qu'une boîte de chêne verni sous un amoncellement de fleurs au violent parfum mêlé à l'odeur des cierges, et rien d'autre, de même, pensa-t-il, que gisant comme dans une boîte à l'intérieur d'un compartiment de chemin de fer sur une banquette aux relents de charbon refroidi ne subsistait plus à présent que l'insignifiant résidu de même pas quelque violente réaction chimique, quelque sulfureux bouillonnement de matières antagonistes et contradictoires mais de vingt-six années de paresse et de nonchalante inertie — au mieux, de velléitaire expectative, d'attente frustrée de quelque chose qui ne s'était jamais produit (ou qui peut-être, pensa-t-il encore, était maintenant en train de se produire), que n'avait pu provoquer (ou tromper) aucun des déguisements successivement imposés ou essayés, depuis le rigide uniforme à la coupe militaire dont, la boîte de chêne disparue, on avait revêtu le gamin de onze ans, pourvu d'un col semblable à un carcan, de boutons dorés et d'une casquette à la visière de cuir verni, jusqu'au dernier en date qui comportait comme accessoires les pinceaux et une boîte à couleurs de peintre cubiste, après avoir entre-temps essayé d'un blouson d'anarchiste, puis, toujours avec la même incrédule indolence, le même incrédule étonnement, vêtu de tweed et de flanelle, suivi tout autour d'un continent trop vieux, malade, résonnant de bruits de bottes et de salves de pelotons, la valise où l'un après l'autre les portiers d'hôtels collaient des étiquettes multicolores tandis que tout ce qu'il avait à faire était d'apposer sa signature au bas de petits rectangles de papier portant avec la date la somme à payer et ressortir d'une banque ou de quelque

166

agence avec en poche la sueur monnayée des hommes et des chevaux qui arpentaient pour lui des hectares de vignes dont il ne connaissait même pas l'emplacement exact, seulement approximatif (le vieux régisseur à tête de négrier était mort, avait été remplacé par un autre, plus jeune mais, lorsqu'il retirait sa casquette, découvrait aussi le même crâne chauve, blanc ou plutôt livide, contrastant avec son visage hâlé), visités (les hectares de vignes) selon l'immuable coutume familiale quatre ou cinq fois par an, de loin, distraitement pour ainsi dire, ou plutôt avec ennui (et à un moment on entendit une valise cogner contre les parois du couloir, s'approcher, puis quelqu'un fit brutalement coulisser la porte du compartiment, chercha en tâtonnant le commutateur, renonça, en même temps qu'une voix sèche, dure, disait Qui êtes-vous qu'est-ce que vous faites là les premières sont réservées aux officiers sortez d'ici !, l'autre garçon disant sans se lever Sans blague ?, la voix sèche répétant Qui êtes-vous montrez-moi vos papiers où allez-vous ?, l'autre garçon répondant toujours sans se lever On va tous au même endroit : au casse-pipe, la voix sèche disant Sortez tout de suite d'ici ou..., le garçon disant Ou quoi ?, la voix sèche disant Je suis officier je vous ordonne de vous lever et de sortir immédiatement d'ici c'est un ordre, le garçon disant Pouvez pas nous laisser dormir non ?, la voix sèche, rageuse, indignée disant Dor... Do... Ah par exemple, par ex On va voir ça, on va..., la porte coulissante restant ouverte, la voix furibonde et les valises entrechoquées s'éloignant dans le couloir, la voix furieuse parvenant un moment plus tard mais à présent de l'extérieur, criant Gardes ! Gardes !..., le garçon disant Cours toujours! tandis qu'ils se levaient tous deux, abaissaient la vitre, se penchaient, regardaient s'éloigner sur le quai, se frayant un passage dans l'obscur et morne moutonnement d'ombres errantes, la mince silhouette coiffée d'un feutre, vêtue d'une courte gabardine laissant voir les mollets guêtrés de leggins : au loin on voyait luire des reflets sur un groupe de casques, Gardes! cria encore la voix de plus en plus faible : ils le virent s'arrêter près du piquet d'hommes en uniformes noirs et leur parler en montrant du bras leur wagon, mais aucun ne bougea : L'enculé! dit le garçon à casquette; il remonta la vitre et revint s'étendre sur la banquette) — et lui aussi de nouveau recouché, de nouveau inerte dans le train plongé dans l'obscurité et silencieux (à part l'intrusion de l'officier dont, à un moment, ils entendirent de nouveau la valise cogner dans le couloir avec quelque chose d'outragé, furibond, passer sans s'arrêter à leur hauteur, puis, un peu plus loin, le bruit d'une porte coulissant et refermée avec violence, le train semblait vide, inoccupé, comme s'il était abandonné sur une voie de garage, oublié, retranché du monde extérieur par l'épaisseur des vitres relevées à travers lesquelles ne parvenait plus que la vague et irréelle rumeur de piétinements et d'errance), incapable (ou refusant) de trouver le sommeil (dans le noir il pouvait maintenant entendre la respiration régulière, légèrement embarrassée, de son compagnon endormi) — et à un moment il y eut un choc, ou plutôt la brève répercussion d'un choc (comme si la suite des wagons était parcourue d'un hoquet se propageant de voiture en voiture) très loin, en tête du train sans doute, et après cela, quoique le train fût toujours immobile et plongé dans l'obscurité, ce fut comme si on l'avait pour ainsi dire de nouveau rattaché au monde extérieur, pensant alors que vingt-six années de quelque chose qui n'avait pas encore commencé d'exister vraiment allait définitivement cesser d'exister, de sorte que tout ce qu'il pouvait raisonnablement se demander c'était après combien de zéros après la virgule à droite du premier zéro commençait à s'inscrire le nombre des décimales par lesquelles il convenait de multiplier (c'est-à-dire diviser, réduire à sa véritable dimension) ce qui s'était produit pour lui pendant ces vingt-six années, pensant (à présent le train roulait, c'est-à-dire que tout d'abord de rares lumières blafardes balayèrent en éventail, lentement, puis de plus en plus vite, l'intérieur du compartiment, de sorte qu'il put voir que son compagnon avait gardé sa casquette pour dormir, la visière seulement rabattue sur ses yeux, puis tout fut noir de nouveau)... pensant à tous les trains qui roulaient en ce même moment dans la nuit, acheminant leur cargaison de peur (maintenant c'était comme s'il se sentait se rétracter : Comme une huître sous le citron, pensa-t-il, comme s'il s'efforçait désespérément de rapetisser, rentrer dans lui-même, diminuer sa surface vulnérable, tressaillant d'un rire sans joie), pensant (toujours furieusement inerte, son corps horizontal faiblement secoué par les légers cahots) que s'il collait son oreille au drap de la banquette (mais il ne bougea pas : obstinément dans cette même position où le figeait l'impossibilité — ou le refus — de dormir, les mains toujours croisées derrière la nuque, les yeux grands ouverts) il pourrait sans doute percevoir à travers le bruyant fracas des roues au-dessous de lui et leurs chocs réguliers à chaque jointure des rails comme un vaste et sourd grondement qui monterait du sol lui-même, comme si d'un bout à l'autre de l'Europe la terre obscure était en train de trembler sous les innombrables convois emportés dans la nuit, remplissant le silence d'un unique, inaudible et inquiétant tonnerre, tenant aussi éveillés dans leurs lits, les yeux ouverts aussi sur le noir, épiant la nuit avec une inquiète hébétude, une même apathique terreur, les habitants des fermes éparses dans les campagnes, des hameaux, des villes éteintes : comme si les pleurs, les visages baignés de larmes se détournant, abandonnant les gares, avaient reflué, d'abord en mornes cohues, puis se séparant, se divisant, se ramifiant à la façon d'un fleuve qui remonterait vers ses sources, puis s'égrenant, puis chacun réfugié au fond des chambres aux lits désertés, froids (les pleurs taris maintenant, les yeux secs, rien que rougis), et lui jurant de nouveau silencieusement, pensant : C'est ce papier; si au moins elle ne les avait pas emballés dans ce putain de papier de soie, ou de riz, ou je ne sais pas comment ça s'appelle !..., pouvant sentir peser comme une pierre dans son estomac la moitié du sandwich dans lequel il avait mordu, le mastiquant interminablement avant de parvenir à l'avaler, remballant alors avec précipitation la seconde moitié (et les deux autres auxquels il n'avait pas touché) dans ce papier à demi transparent dans lequel la femme les avait enveloppés avec soin : la femme — presque une jeune fille encore — qui dormait à côté de lui, se tenait à côté de lui, lisant un livre — ou se dévêtait docilement, restait nue, patiente et immobile, avec ses seins blancs et roses, son ventre nacré, sa peau transparente — tandis que suivant les leçons du professeur de l'académie cubiste il essayait d'étaler des couleurs sur ce qu'il appelait (ou essayait de se persuader qu'on pouvait appeler) des tableaux, convertissant sous forme d'ineptes triangles, d'ineptes carrés ou d'ineptes pyramides (ou cônes, ou sphères, ou cylindres) les voiles, les barques et les rochers du port de pêche où ils passaient l'été (ou les seins, les cuisses, le ventre, la tendre chair respirante) — puis, plus tard, suivant (la femme) des cours de dactylo pour taper les pages de ce qu'il se figurait que devait être un roman, et maintenant sans doute elle aussi à l'écoute des trains dans la plaine —, et de nouveau il jura tout bas, pensant : Du papier de soie, qu'est-ce qu'elle s'imag..., la pâteuse et gluante boule de pain et de jambon mastiqués de la consistance maintenant d'une coulée de ciment refusant de descendre : Même si je me fourrais les doigts dans la gorge, pensa-t-il, jurant encore, comme si la colère (ou plutôt les simulacres de la colère et de la grossièreté) constituait à présent le seul recours, se décidant toutefois à remuer, décroisant ses mains, les abaissant jusqu'à son ventre, dégrafant sa ceinture, s'apercevant que le train était de nouveau arrêté mais ne se levant même pas pour voir le nom de la gare, pensant alors à penser d'urgence à autre chose...

En Pologne elles étaient toutes construites en bois, surgissant soudain, apparemment sans raison (simplement le train ralentissait, roulait de plus en plus lentement, puis s'immobilisait sans qu'il y eût rien d'autre : ni faubourgs, ni trace d'aucune habitation) dans la plaine sans fin (ou sans raison elle aussi — c'est-à-dire qu'on ne voyait pas de raison pour qu'une plaine absolument nue entoure une gare ou qu'une gare soit plantée au milieu d'une plaine absolument nue), solitaires à côté d'un bouquet de bouleaux dont les feuilles remuaient sans arrêt, comme d'elles-mêmes, sans raison non plus puisque la fumée de la locomotive s'élevait toute droite, et seulement quelques enfants blonds, pieds nus, les petites filles avec des nattes, et des carrioles basses attelées de trois chevaux de front qui partaient en trottant dans diverses directions, soulevant d'immenses panaches de poussière sur l'étendue plate où si loin qu'on pouvait voir on n'apercevait aucune maison, et rien d'autre : les enfants à tresses blondes, les bouleaux inquiets, la gare de bois, les panaches de poussière soulevés par les troïkas et qui mettaient longtemps à retomber dans l'air immobile, les troïkas rapetissant jusqu'à n'être plus qu'un point à l'horizon, puis même plus un point, cela avant que le train ne s'arrêtât définitivement, ou plutôt non : penché à la fenêtre dans l'air frais (le soir tombait), il vit d'abord descendre le chauffeur et le mécanicien de la locomotive immobilisée dans la continuation de ce qui semblait être la même plaine (ou la même steppe) sans fin, sauf qu'à cheval au-dessus de la voie se dressait un arc de triomphe (ou plutôt la carcasse d'un arc de triomphe) portant à son fronton une inscription en hautes lettres cyrilliques découpées dans de la tôle (ou du contreplaqué) surmontées d'une faucille et d'un marteau entrecroisés surmontés eux-mêmes d'une étoile à cinq branches, le tout (lettres cyrilliques, instruments de travail et étoile) peint en rouge (et il pouvait se rappeler cela : la steppe grise dans la fin du jour, la triomphale carcasse, l'inscription, le sigle et l'étoile rouge sang), les fuseaux de

172

vapeur s'échappant régulièrement de la locomotive à la rencontre de laquelle deux silhouettes exactement semblables à celles qui venaient d'en descendre s'avançaient, encadrées d'un piquet en armes, à partir de la triomphale carcasse dressée au milieu de la steppe nue, les deux silhouettes escaladant l'échelle du tender, un coup de sifflet se faisant entendre, le train presque vide de voyageurs se remettant lentement en marche, passant au ralenti sous l'emphatique injonction, suivi des yeux par les quatre hommes du piquet en armes vêtus de longues capotes grises, puis ralentissant presque aussitôt, s'immobilisant cette fois pour de bon dans ce qui ressemblait plutôt à une petite station de triage qu'à une vraie gare (car on ne voyait non plus alentour ni ville ni village : seulement quelques bâtiments bas — ou plutôt des baraques —, l'air d'entrepôts, de lampisteries ou de casernes) et où, cette fois, on les invita à descendre, lui et son compagnon de voyage (un étudiant en cubisme aussi, qui non seulement parlait aussi l'anglais mais encore l'espagnol — et sans avoir eu la peine de les étudier parce qu'il les parlait pour ainsi dire depuis sa naissance à Mexico City, de sorte qu'outre le cubisme il avait encore eu le temps d'étudier (ou du moins il le prétendait) les principes de la philosophie de la matière rédigés en allemand ce qui, combiné à ceux de la peinture géométrique et à une connaissance approfondie des diverses marques de whiskies, lui permettait de tenir d'irrécusables discours) : le long du quai où s'immobilisa le train courait un baraquement à l'intérieur duquel se tenait, assis derrière une table, l'interchangeable fonctionnaire qui officie à toutes les frontières du monde, pourvu du même interchangeable visage à la fois ennuyé, com-passé et expressif à force d'inexpression, qui, pendant que ses subalternes inventoriaient le contenu des valises, étudia longuement les papiers et les photographies que les deux étudiants lui présentaient, les dernières (c'est-à-dire la dernière série de photos : il en fallait une bonne dizaine qu'il (le fonctionnaire) agrafait l'une après l'autre à de successifs formulaires) prises par un artiste photo-graphe aux longs cheveux, vêtu d'une lévite, opérant à l'aide d'un appareil à soufflet et un voile noir sur la tête dans un atelier orné de portraits d'autres personnages au même système pileux et aux mêmes vêtements, comme ceux qui déambulaient dans le quartier où se trouvait la boutique, peuplé (vieillards, hommes faits ou garçonnets) d'une multitude de répliques d'un même type : habillé de noir, barbu s'il était adulte, le visage encadré de petites tresses s'échappant de sous un chapeau noir, l'air, à douze, treize ou quatorze ans déjà (même courant, jouant à la balle ou se poursuivant dans les squares, uniformément vêtus de cette espèce de robe ou plutôt d'étui qui leur battait les talons), de quelque chose comme des séminaristes, des religieux aux visages pen-sifs, tristes et doux, comme endeuillés, comme condam-nés à porter éternellement en même temps que leur propre deuil celui de quelque lointain Eden, quelque terre promise puis dérobée, voués depuis à la prière, aux viandes rituelles, au commerce des fourrures et aux lamentations — quartier (ou refuge, ou conservatoire, ou réserve, ou phalanstère) qui semblait comme une ville à l'intérieur d'une autre, la dernière capitale où ils (les deux étudiants) s'étaient arrêtés avant de prendre le train

174

qui devait les amener à l'arc triomphal et que leur avait
indiqué avec dégoût (c'était un jour de fête religieuse
— c'est-à-dire de la religion du portier) le géant galonné
qui se tenait à l'entrée de l'hôtel où une plaque rappelait
que l'empereur Napoléon Iᵉʳ avait logé (entre deux
batailles, deux de ces indéfectibles traités d'indéfectible
amitié où il partageait l'Europe comme on déchire une
carte de papier), reçu dans son lit, rosissantes et nues,
les blondes comtesses ou les hardies intrigantes que lui
amenaient ses chambellans emplumés, le dégoût du
portier (ce fut tout juste s'il se retint de cracher par
terre, de rendre le pourboire sur lequel son poing s'était
refermé) croissant encore lorsqu'il sut à quel usage étaient
destinées les photographies, parce qu'un honnête portier
d'hôtel polonais galonné jusqu'au coude et décoré jusqu'au menton pouvait sans déchoir glisser une carte
portant l'adresse d'un bordel (ce qu'il venait de faire le
moment d'avant), à la rigueur indiquer celle d'un photographe juif travaillant le jour virginal de l'Ascension (ce
à quoi les putains polonaises ne répugnaient apparemment pas non plus — et le Mexicain avait dit qu'ils
auraient dû y aller, rien que pour voir si elles font ça
avec une petite croix attachée au cou...) mais pas endurer
que deux riches étudiants en cubisme dont l'un avait au
surplus une tête d'Indien sauvage prennent le train pour
se rendre de l'autre côté de la ligne de barbelés encadrant une carcasse d'arc de triomphe surmontée d'une
étoile rouge — et avant cela les villes aux noms de fer,
de charbon, d'acier, de marteaux-pilons, l'horizon hérissé
de cheminées d'usines comme les arbres d'une forêt, les
quais des gares soigneusement balayés couleur gris fer

(c'est-à-dire en ciment, comme partout ailleurs, mais un ciment sans doute spécial qui ressemblait à du fer) où attendaient, descendaient du train, y montaient sans désordre, des voyageurs, hommes ou femmes non pas exactement gourmés, ou raides, ou sévères, ou tristes, mais taillés (pardessus, gabardines, chapeaux, visages, valises ou porte-documents) dans du bois (ou peut-être aussi de l'acier), et parmi eux parfois, en bois eux aussi (ou peut-être en acier), des hommes sanglés dans des uniformes bruns ou noirs, avec des visages d'acier — ou de porcs —, des culottes de cheval en ailes de papillon, des bottes étincelantes, une manche ornée d'un brassard rouge avec, au milieu d'un disque blanc, quelque chose qui ressemblait à une grosse araignée noire —, et cette capitale comme boursouflée, aux musées remplis de temples grecs transportés pierre à pierre, aux avenues de tilleuls, avec ses lourdes coupoles, ses palais baroques, ses philosophes emplis de philosophie grecque, ses colonnes et ses arcs de triomphe surmontés d'animaux de fer, son Opéra, son orchestre philharmonique, les terrasses noc-turnes de ses restaurants éclairées de petits abat-jour roses où des femmes semblables à des fleurs en fer mangeaient délicatement ces comment s'appellent ces gâteaux un peu mous, gélatineux, faits de couches super-posées, roses, crème, mauves, tremblotants, « Bavaroi-ses », avait dit le Mexicain — « Voilà le mot que je cherchais !... Ce que c'est tout de même que de connaître comme toi la philosophie ! Merci ! Des Berlinoises savou-rant des Bavaroises. Ha, ha !... Non, pardon, ce n'est pas très fort. Excuse-moi. C'est même minable. J'essaie seu-lement d'être drôle. Parce que ces types à araignées me

176

foutent salement la trouille... » (pensant, allongé dans ce wagon aux senteurs âcres de suie refroidie qui roulait dans la nuit — la nuit où roulaient au même moment dans un menaçant et inaudible grondement tous les trains de la vieille Europe emplis de chairs juvéniles : « Bon Dieu, que nous étions jeunes, que nous étions jeunes !... », comme si non pas deux années seulement mais quelque chose comme un invisible mur, une irrémédiable coupure le séparait maintenant de ce printemps — c'était presque l'été — où ils s'étaient assis à cette terrasse éclairée de petits abat-jour roses, peuplée de ravissantes femmes en acier rose, dans cette ville à la fois sévère et frivole qui avait l'air de quelque chose comme le produit d'une série de coïts compliqués entre le style rococo, l'ordre dorique, la philosophie en redingote et l'opéra wagnérien : « Une vieille dame, avait-il dit : une vieille dame un peu obèse, gourmée... » (« Une vieille rombière oui !, avait dit le Mexicain, boudinée comme un saucisson ! ») — « Bon : une vieille rombière boudinée comme un saucisson, couverte de bijoux, de coupoles, de frontons, et avec une ribambelle de ravissantes lectrices, ou soubrettes, ou héritières, comme on en trouve dans les romans : la vieille veuve d'un général en fer aujourd'hui tombée sous le charme... (« Tu pourrais trouver un autre mot », dit le Mexicain)... de son premier valet de chambre, ou du second cocher... » — « Plutôt du garde-chasse, avait dit le Mexicain : quelque chose en somme comme une Chatterley séduite par son chef piqueur, ou plutôt palefrenier, à la fois terrifiée et ravie... » (pensant de nouveau : « Mais que nous étions jeunes, que nous étions jeunes !... ») « Et maintenant », avait-il dit un peu plus

177

tard (à ce moment le fonctionnaire au visage expressif à force d'être neutre leur avait rendu leurs passeports, ses subordonnés avaient refermé leurs valises et ils se trouvaient de nouveau dans le wagon en train de rouler), « ... maintenant nous venons d'avoir le privilège de voir la philosophie de la matière (ou, si tu préfères, la matière philosophique) matérialisée sous la forme d'une carcasse d'arc de triomphe élevé au milieu de la steppe... Ne fais pas cette tête : j'essaie encore d'être drôle. Ce collectionneur de photographies me fout aussi la trouille... » (se souvenant du visage impassible d'Indien aux yeux en grains de café, mi-clos, se détournant, faisant semblant de regarder par la vitre où il n'y avait rien à voir (la nuit était tombée) que son propre reflet, avec cet air à la fois sauvage et endormi, son nez d'aigle aux larges narines, sa noire chevelure lustrée qui plaisait aux femmes), et lui reprenant alors : « De nouveau pardon, excuse. D'accord : celui-là était juif. Mais quand même aussi allemand, non ?... », disant encore : « Bon. Très bien. C'est sans doute parce que je n'ai pas étudié la philosophie. Reconnais en tout cas qu'ils semblent tous avoir la même frénétique passion pour les bottes, les uniformes et cette même esthétique couleur caca. Sans parler de leur commune et également frénétique passion pour le rouge. Sauf qu'ici ils portent de jolies casquettes bleues et vertes. C'est sans doute ce qui fait la différence. Mais toi qui connais la philosophie, dis-moi : celles des flics, ce sont les bleues ou les vertes ?... », pensant toujours maintenant : « Bon Dieu, bon Dieu ! Mais que nous étions jeunes !... », comme si des années et des années s'étaient écoulées depuis qu'il avait asticoté son compagnon de voyage dans un train qui roulait à travers les ténèbres de cette plaine sans fin où rien sauf le squelette d'arc de triomphe qu'ils avaient laissé derrière eux ne marquait la frontière entre l'Europe et l'Asie, ou plutôt ce qui n'était déjà plus tout à fait l'Europe mais pas encore tout à fait l'Asie.

Dans les trains russes tous les voyageurs étaient allongés la nuit, même en troisième classe où les banquettes de bois se transformaient en couchettes. C'étaient de vieux wagons datant encore de l'époque du tsarisme mais ils étaient infiniment plus confortables que leurs équivalents français. En payant un supplément on avait droit à un mince matelas et à un oreiller. Les compartiments n'étaient pas fermés et dans la journée les gens allaient et venaient sans cesse, se rendant à l'extrémité du wagon où se trouvait un samovar, revenant en tenant de grands verres de thé chaud qu'ils mettaient longtemps à boire, bavardant et avalant à petites gorgées, puis allant de nouveau les remplir. Il pouvait se rappeler les longs doigts osseux d'un vieillard tâtonnant maladroitement pour aller cueillir au fond d'un verre de thé vide une rondelle de citron détrempée et collée, brunâtre, pliée en deux, et la faire glisser dans sa bouche. Tout en buvant sans cesse leur thé, les voyageurs regardaient avec curiosité les deux étrangers dont l'un avait l'air d'un sauvage apprivoisé, avec ses noirs cheveux huileux et ce visage qui ressemblait à un masque de terre cuite émergeant au-dessus d'un nœud papillon du col immaculé d'une chemise. Par signes, en comptant sur leurs doigts et sans cesser de contempler les vestons de tweed et les pantalons de flanelle, ils leur firent comprendre que le vieillard avait plus de cent ans. Plus encore que leurs vestons et leurs pantalons dont certains tâtaient les tissus ils semblaient intéressés par leurs chaussures. Toujours par signes, l'un de leurs voisins leur fit comprendre qu'il serait plus prudent de les mettre sous leurs oreillers lorsqu'ils se coucheraient pour dormir. Mais ce n'était pas seulement la langue — quoique le Mexicain (ou plutôt l'Indien) possédât un don, un sixième sens semblait-il (il prétendait être de parents européens — mais quelqu'un (un autre des étudiants en cubisme, un autre de ceux qui fréquentaient la coûteuse école (« académie ») où un ingénieux professeur apprenait à transformer les tendres et pâles nudités assises ou mollement allongées sur la table à modèles en assemblages de tubes d'acier, de cônes et de sphères) avait dit un jour qu'alors son honorable mère européenne devait appartenir à la catégorie des fanatiques des musées et qu'il devait sans doute s'agir d'un cas de mimétisme — ce que l'on pourrait appeler, avait-il dit, du mimétisme archéologique)... un sens hérité de ses ancêtres à idéogrammes et qui malgré son air endormi semblait lui permettre de converser longuement sans avoir besoin de mots avec n'importe quel étranger dans n'importe quel pays ; mais il y avait autre chose : comme une opacité, quelque chose qui résistait à tout, passif, patient, naïf aurait-on dit, et qui ne permettait pas (même en usant avec dextérité de cet idiome idéographique) d'aller au-delà des élémentaires et pittoresques informations concernant l'âge d'un centenaire ou les précautions à prendre pour éviter de se faire voler ses chaussures, comme si avec leurs vêtements non pas exactement misérables mais (comment dire ?) uniformément ternes, uniformément usagés (même lorsqu'ils étaient visiblement neufs), qui semblaient toujours ou trop étroits ou trop larges, ou trop courts ou trop longs (ce qui sortait des magasins — des magasins de l'Etat — où ils les avaient achetés semblait déjà fripé et froissé (et irrémédiablement indéfripable, indéfroissable) avant même d'avoir été porté), ... comme si les communicatifs et obligeants voyageurs rencontrés dans les trains (ou les moins communicatifs passants croisés dans les rues — toutefois eux aussi fixaient avec insistance les chaussures) n'étaient pas seulement condamnés à vivre à l'intérieur d'un réseau de barbelés qu'il leur était interdit de franchir, dont le chauffeur et le mécanicien des trains venant des pays voisins n'avaient pas le droit d'approcher à moins de vingt mètres, mais que c'était là un état de choses normal qui ne les changeait pas de ce que leurs pères, leurs grands-pères et les grands-pères de leurs grands-pères avaient toujours connu : une opacité donc, un écran, comme la vendeuse de magasin — du magasin de l'Etat — où ils avaient voulu acheter de ces calottes brodées que portaient certains passants (des passants aux têtes ridées et jaunes, couleur de déserts, aux yeux bridés, aux impénétrables visages de montagnards ou de bergers, vêtus aussi, sauf la calotte couleur de fleurs, des mêmes informes costumes fripés et indéfroissables, venus de quelle lointaine province, de quelle lointaine République philosophique, elle aussi ridée, jaune, et, comme eux, impénétrable : il y en avait aussi parfois, habillés de robes, pourvus d'une mince barbiche de mandarin, assis comme des idoles, comme ces peintures sur soie, imperturbables, attendant, dans les fauteuils du hall de l'hôtel, ou plutôt du caravansérail : une longue galerie aux portières de tapis orientaux, toute bruissante de l'incessant cliquetis des bouliers), la vendeuse se contentant de poser l'une après l'autre sur le comptoir une seule calotte en même temps qu'elle escamotait prestement la précédente, le tout d'une manière mécanique, l'air absent, ne laissant paraître ni agacement, ni impatience, ni intérêt, ni pour ce qu'elle faisait ni pour les acheteurs, pas plus que n'aurait pu en manifester une machine à sous ou un distributeur automatique, seulement attentive à ne pas lâcher la calotte qu'elle présentait et à surveiller les mains des deux clients jusqu'à ce que deux hommes (des jeunes hommes, en fait, à peu près de leur âge) surgis aurait-on dit du néant, matérialisés tout à coup, lui glissent quelques mots dans leur langue coloriée, après quoi elle consentit à permettre le choix entre plusieurs calottes alignées maintenant sur le comptoir, à portée immédiate de sa main toutefois et sans cesser de surveiller avec une vigilance accrue celles de ceux qui se trouvaient de l'autre côté, les deux nouveaux venus se présentant en français, souriants, cordiaux : des étudiants avaient-ils dit, heureux de pouvoir parler un peu le français, ayant à peu près autant l'air d'étudiants qu'un renard a l'air d'une poule, habillés de vêtements sinon cossus du moins pas aussi fripés que ceux des gens que l'on voyait dans la rue ou les trains, de plus en plus obligeants, courtois, amusants, désireux, comme ils venaient de le faire pour l'achat des calottes brodées, de faciliter les choses à leurs nouveaux amis, les aider pour d'autres achats, puisqu'on pouvait bien imaginer que deux étudiants, même vêtus de confortables tweeds, même cravatés de nœuds papillons, ne pouvaient pas acheter beaucoup de souvenirs au cours abusif (on pouvait bien le dire entre amis, c'est-à-dire depuis que le Mexicain leur avait confié son désir de rapporter aux autres amis qu'il avait dans son pays un drapeau rouge d'origine, avec instruments de travail, étoile et caractères cyrilliques brodés en or) du change officiel tandis qu'en vendant par exemple une seule de leurs montres-bracelets (ils — les nouveaux amis matéria- lisés à partir de rien — savaient où cela pouvait se faire) il leur serait possible d'inverser par quatre (multipliant ainsi par seize) leur pouvoir d'achat — ce qui fut fait un peu plus tard, l'un des deux aimables inconnus s'éclip- sant quelques instants avec la montre du Mexicain et revenant presque aussitôt avec une liasse de billets cras- seux, roses, orangés ou verts, d'une consistance pelu- cheuse et tellement épaisse (la liasse) qu'ils (les deux cubistes) ne savaient où la fourrer, même en en faisant deux parts, le Mexicain disant : « Je te l'avais bien dit : ce ne sont ni des voleurs ni des flics. Si c'étaient des flics, ils nous auraient fait arrêter », et lui « Et si c'étaient des voleurs ils auraient disparu. Ben voyons ! Cet avanta- geux bureau de change se tient apparemment à tous les coins de rue. Parce qu'il n'a fait que tourner autour de ce pâté de maisons et revenir. Quant à cette complaisante vendeuse, il a suffi qu'ils lui disent deux mots pour qu'elle se dépêche de nous sortir à toute vitesse son assortiment complet de calottes. Des types vraiment utiles, vraiment sympa !... », le Mexicain ne répondant pas, regardant résolument ailleurs, avec son visage de dieu endormi, ses lèvres épaisses, son masque aux yeux mi-clos qui plus que jamais ressemblait à une de ces terres cuites que l'on voit dans les musées : l'horloge de la porte monumentale dans la muraille de briques s'était alors mise à tinter et trois gardes étaient apparus, très jeunes, blonds, habillés de gris avec des ceintures jonquille, tenant leur fusil vertical en équilibre dans la main gauche, marchant en cadence, comme des jouets mécaniques, lançant très haut en avant leur jambe raide et bottée, et lui : « Ne fais pas la tête comme ça. Tout le monde sait que des flics, dans ce pays, il n'y en a pas. Rien que ces jolis petits soldats mécaniques qu'on remonte avec une clef dans le dos. Ce philosophe barbu et juif, il avait décidément aussi un solide fond de culture allemande !... Allons, viens, notre charmante guide nous fait signe... » (c'était une vieille femme, ou plutôt une vieille dame — et peut-être, en fait, n'était-elle pas si vieille — au visage fatigué et gris, à la dignité elle-même flétrie, qui parlait d'une voix terne, mécanique aussi) : en tant qu'étrangers assez riches pour n'avoir qu'à signer au bas de rectangles de papier, elle leur fit couper la longue queue d'hommes et de femmes qui serpentait sans avancer au pied du cube de marbre rouge, à la porte encadrée par les deux nouveaux gardes aux armes astiquées comme des miroirs, aussi immobiles que s'ils avaient été coulés dans de la cire, avec cette différence que celle-là (la cire) respirait imperceptiblement tandis que ce auprès de quoi ils montaient la garde ne semblait rien d'autre qu'une momie desséchée, avec une petite tête jaune aux méplats de Mongol, à la courte barbiche repeignée sans doute tous les matins par les embaumeurs, l'air à la fois d'un proviseur de lycée et d'un satrape oriental, barbare, pédant et impitoyable, reposant sous un projecteur comme à l'intérieur d'un reliquaire dans un silence de crypte rendu plus silencieux encore par le religieux chuintement des pieds traînant sur le sol de marbre tandis que défilaient dans la pénombre, ectoplasmiques, fascinés et craintifs, les larges visages aux pommettes saillantes, coiffés de casquettes ou entourés d'un châle, les masques ridés, couleur de pommes cuites, venus du fond de l'Asie, les têtes blondes d'enfants, se succédant lentement, comme suspendus à un invisible fil, traînant avec eux de tièdes et suffocants relents de chou aigre, d'huile rance et de corps mal lavés, et il se souvenait qu'à la sortie, en retrouvant le grand air, la lumière, il avait dit : « Mais ça doit être parce que je n'ai pas étudié la philosophie. Maintenant, s'il te plaît, arrête une fois pour toutes de faire la gueule ! Ce soir on va s'amuser ! Maintenant qu'on est pleins de flics... je veux dire : de fric, on va jouer les grands-ducs !... » : et leurs nouveaux amis étaient venus les chercher à l'hôtel, accompagnés de deux filles aux jupes et aux blouses fraîchement repassées — ou du moins défripées —, les filles toutefois moins fraîches elles-mêmes, mais pas ce que leur maquillage aurait pu faire croire, simplement comme fripées elles aussi, quoique jeunes, pas flétries : fanées, avec déjà de petites rides presque invisibles, mais des rides quand même, aux coins de leurs bouches : plutôt comme des secrétaires ou des dactylos, du genre de celles qui doivent se contenter d'un sandwich sur le banc d'un square à midi, « En admettant, avait-il pensé, qu'il y ait un peu de lard ou de graisse de porc entre les deux tranches de pain. Ne parlons pas de jambon. En admettant même qu'il y ait des tranches de pain. Comme

185

le fameux couteau sans manche dont la lame manque-
rait... », disant tout haut (et se méprisant presque aussitôt de l'avoir dit) : « Parce qu'ils pourraient peut-être
aussi leur parler comme ils ont fait à la vendeuse et elles
nous étaleraient leur assortiment ?... », et le Mexicain
disant : « Ta gueule, à la fin ! Merde ! », et il avait dit :
« Cette fois, excuse-moi. Sincèrement, excuse-moi... » ;
mais pas de grands-ducs, pas de jeu, pas même, semblait-il, de joie (seulement des dîneurs dont les vêtements
n'étaient pas fripés, aux visages un peu larges, un peu
lourds, un peu compassés, accompagnés de femmes à
l'élégance maladroite — ou pas accompagnés : à plusieurs
autour d'un seau à champagne, comme ces hommes au
sortir d'un comité, d'une discussion d'affaires, silencieux
ou échangeant de rares propos) dans ce restaurant où on
mangeait des chachniks accompagnés de petits oignons
crus et parfumés, comme dans tous les restaurants russes
ou caveaux caucasiens du monde, avec là aussi des
portières en tapis d'Orient, des candélabres et des
bougies allumées sur les tables, un orchestre à balalaïkas
et un danseur habillé en cosaque avec une toque d'astrakan, des bottes souples, et une tunique noire dont les
plis volaient autour de lui comme ceux d'une jupette
tandis qu'il tourbillonnait et sautait prodigieusement haut,
deux espèces de torches (ou était-ce des brochettes
flambées ?) dans ses mains, les balalaïkas jouant de plus
en plus fort et de plus en plus vite, les voix russes (ou
cosaques, ou tziganes) des chanteurs de plus en plus
fortes (des voix de basse et une voix de femme), graves,
profondes, déchirantes, les voix de quelques dîneurs (des
dîneurs habillés de vêtements qui n'étaient pas fripés,

186

cossus plutôt, même ceux qui ne portaient pas de cravate, dont le col de la chemise était simplement fermé par un bouton) les accompagnant, plusieurs claquant des mains à une cadence de plus en plus rapide, le Mexicain claquant des mains aussi, commandant une autre bouteille de vodka, remplissant les verres (et à la même heure, le même soir — mais ils ne l'apprirent qu'à leur retour en Europe — on fusillait (ou on expédiait d'un coup de revolver au fond d'une cave) le commandant en chef de toute l'armée, et comme chaque jour, chaque nuit, dans des centaines de maisons, d'appartements, ou de simples fermes, des coups (des coups de pied) retentissaient contre les panneaux des portes — et peut-être celles de quelques-uns des dîneurs à la mine compassée ou du danseur cosaque, ou de l'un des serveurs, ou de n'importe qui), et un peu plus tard les quatre hommes et les deux filles entassés dans un taxi qui rebondissait dans les ornières des chaussées défoncées, puis même plus de chaussées : des étendues bourbeuses trop longues, trop larges (comme des terrains de chantiers) qui s'étiraient dans la lumière avare de quelques lampadaires entre des blocs d'immeubles, certains tout neufs, en ciment brut, d'autres tout neufs sans doute l'année précédente mais déjà délabrés, comme s'effritant, écaillés, puis sortant du taxi, traversant en trébuchant dans les ornières un espace boueux, puis passant sous un porche, trébuchant de nouveau dans une cour obscure, puis passant sous un second porche, puis assis tous les six dans une pièce : mais sans doute était-il déjà ivre à ce moment et il ne pouvait rien se rappeler d'autre que des murs jaunâtres, comme dans une caserne (ou peut-être était-ce la lumière jaunâtre dans la cuisine qu'ils avaient traversée et dont la porte était ouverte, laissant passer comme des bruits de casseroles remuées sur un fourneau), un divan recouvert d'un tissu marron, des chaises — en tout cas des sièges — mais en nombre insuffisant car ils semblaient maintenant ne plus être six mais dix, ou douze, ou quinze, et jamais les mêmes : des visages inconnus qui se pressaient à la porte, regardant avec une sorte de curiosité enfantine les nœuds papillons et les chaussures, changeants, la porte qui donnait sur la cuisine apparemment commune à plusieurs logements, comme apparemment non seulement les locataires du même palier mais ceux de tout l'immeuble, femmes, hommes et enfants, semblaient se succéder et se remplacer, entrer dans la pièce, en ressortir, y rentrer de nouveau sans que cela parût déranger ses occupants, comme si c'était là aussi un état de choses normal, comme s'il était normal que personne ne dorme à cette heure de la nuit et que quelqu'un fasse cuire des choses dans la cuisine (des choses qui sentaient le chou, la graisse rance), le Mexicain tenant toujours à la main la bouteille de vodka qu'il avait achetée en partant du restaurant, discutant de problèmes philosophiques avec les deux (« Alors, mettons : agents de change, avait-il dit : puisqu'il semble que ce soient les fonctionnaires de la police qui s'occupent de ces questions-là. Bon, disons : agents de la providence, mais bon Dieu une fois pour toutes arrête de faire la gueule ! »), lui pour le moment assis sur le divan trop bas, écrasé par une terrible envie de dormir, cherchant tant bien que mal à caler entre son dos et le mur deux coussins trop petits, regardant avec ahurissement le visage de l'une des deux filles qui lui parlait avec volubilité, entendant la voix de l'un des deux Russes interrompant un instant la discussion philosophique pour lui dire : « Elle te (car ils se tutoyaient maintenant)... elle te demande si tu veux te marier avec elle », et lui : « Me marier ? Me... Mais... », et trop ivre, trop fatigué, s'efforçant toujours de caler les deux coussins dans son dos, et plus tard, seul avec la fille qui lui avait demandé de l'épouser et les deux Russes, les locataires de la maison continuant à aller et venir, à lui jeter des regards curieux, la fille maintenant à l'autre bout du divan fumant une des cigarettes du paquet qu'il lui avait donné et l'ayant apparemment oublié car elle semblait à présent s'intéresser à la discussion qui continuait en russe entre ceux qu'il appelait les agents de change, le Mexicain disparu avec l'autre fille dans la pièce voisine dont elle avait fermé la porte à clef, ce qui donnait à penser que certaines pièces de l'immeuble — ou de l'appartement — fermaient tout de même à clef, en tout cas celle-là où elle ne voulait pas être dérangée pendant qu'elle coudrait dans la doublure du veston que portait le Mexicain le fameux drapeau rouge brodé d'or (il avait renoncé à en acheter un à frange (dorée aussi) dont l'épaisseur dans la doublure aurait pu attirer l'attention des douaniers (ou des policiers) aux frontières des pays hostiles que le Mexicain devait encore traverser avant de rentrer chez lui), ceux qu'il avait appelés les agents de change écoutés par la fille qui fumait des cigarettes (de longues cigarettes dont la moitié était constituée d'un tube en carton qu'on aplatissait deux fois en sens inverse et qui de la sorte faisait office de filtre), le plus grand des deux qui se

189

disait lithuanien jetant en direction de la porte fermée à clef des regards de plus en plus fréquents, les gens continuant toujours à entrer et à sortir de la pièce comme s'ils étaient chez eux (et peut-être y étaient-ils, en fait), le visage du Lithuanien se creusant, s'altérant peu à peu, la conversation elle-même se creusant de vides, de silences, le visage du Lithuanien de plus en plus tendu, décomposé à présent, tragique, et lui maintenant non plus sur l'inconfortable divan mais étendu sur la banquette d'un wagon, dans l'un de ces trains qui tous ensemble, au même moment, grondaient sur des ponts, s'engouffraient dans des tunnels, franchissaient des fleuves, sifflaient lugubrement, haletaient à travers les plaines d'un continent couturé de cicatrices, cousu et recousu tant bien que mal comme on recoud tant bien que mal le ventre ou le poitrail des chevaux déchirés par les cornes du taureau pour les lui présenter à nouveau, pensant : « Bien sûr ils étaient de la police ! Bien sûr !... Et probablement les filles aussi. Mais il n'y avait pas que cela... Non. Autre chose encore. Quelque chose de bien plus compliqué, bien plus... », pensant encore : Mais que nous étions jeunes ! Bon Dieu, que nous étions jeunes, que nous étions jeunes !... »

**

Et maintenant tout cela était loin, fini, et il allait mourir : à peine pourtant plus de deux ans depuis — deux ans à essayer de croire que ce qu'on pouvait lire à travers les articles des journaux n'arriverait pas, et sachant que cela ne pouvait pas ne pas arriver —, à peine plus de deux ans qu'il s'était trouvé là, au fond d'une nuit elle-même au fond d'une banlieue défoncée elle-même presque au fond de l'Europe, presque aux limites d'un autre continent, incorfortablement assis à l'intérieur d'un bloc de béton écaillé sur un inconfortable divan à côté d'une femme — d'une jeune fille fanée — qu'il avait offensée sans le vouloir, et à demi ivre, tombant de sommeil, écoutant discuter (ou faire semblant de discuter) deux (mais quoi? : indicateurs, espions de police? — mais pour indiquer quoi? espionner qui? : deux oisifs, deux étudiants en cubisme, venus là avec leurs nœuds papillons, leurs vestons de tweed et leurs chaussures en cuir de veau comme on va dans un jardin zoologique regarder des bêtes curieuses, et sans plus de pudeur que les visiteurs d'un zoo, eux qui n'avaient qu'à vendre leurs montres-bracelets quatre fois ce qu'elles leur avaient coûté pour payer seize fois moins cher des chachniks aux oignons et des bouteilles de vodka en regardant tournoyer un danseur déguisé en cosaque) — et même pas trois ans depuis ce jour où cette fois sans nœud papillon ni veste de tweed mais vêtu (ou plutôt déguisé à l'aide) d'un vieux blouson — le blouson qu'il mettait lorsqu'il allait à la pêche : le même, en fait, qu'il portait maintenant, étendu comme un cadavre, mais les yeux grands ouverts, glissant horizontalement dans la nuit, sur cette banquette rembourrée d'un compartiment réservé aux officiers et où il n'avait pas le droit de se trouver, la banquette alors de bois, le compartiment de troisième classe mais où il n'avait pas plus à la vérité (ou moralement, ou convenablement) le droit de se trouver, exhibant pour y monter ce qu'encore une fois on aurait

191

pu appeler un faux en écriture, c'est-à-dire la conjonction frauduleuse de son nom (le même qui figurait sur les petits rectangles de papier au bas desquels il n'avait jamais eu qu'à apposer sa signature pour qu'un obligeant caissier lui compte une liasse de billets de banque) et la carte d'un parti politique dont le but déclaré était de supprimer les banques en même temps que leurs clients, la carte (couverte de timbres de cotisation témoignant de sa conviction en des idées (notamment celle de supprimer les banques) qu'il n'était pas lui-même très sûr d'approuver) obtenue (il avait payé les timbres d'un coup, tous à la fois — toutefois pas au moyen d'un chèque — et juste le jour avant) pour ainsi dire par tricherie, habile persuasion, l'étalage, le bruyant affichage de son adhésion à ces projets de fermeture des banques alors en honneur (sinon obligatoires) chez un étudiant en cubisme, trichant donc aussi avec lui-même (c'est-à-dire trichant à moitié, c'est-à-dire dans la proportion où ce programme philosophique de suppression des banques ne le séduisait qu'à moitié), et alors se tenant là, tandis que ceux qui l'examinaient (le faux en écriture) sur le quai (ou était-ce dans un bureau?) de la gare-frontière l'examinaient lui aussi : ils étaient deux, paradoxalement deux étrangers au pays où il cherchait à entrer (ou plutôt à se faufiler) : un Américain en manches de chemise, avec un pistolet gros comme un canon passé dans la ceinture de son pantalon, l'air précisément d'un braqueur de banques (ce qu'il était d'ailleurs, selon toute probabilité — ou avait été — ou se voulait, en accord avec ses convictions) et un Italien tout nu dans une salopette, porteur d'un fusil plus grand que lui, l'Américain renfrogné, méfiant, peu amène, méprisant même, pour lequel la carte et les timbres qui la recouvraient ne semblaient pas particulièrement constituer une bonne référence (sinon même une exécrable — non qu'il soupçonnât un faux mais, précisément, parce qu'elle lui paraissait présenter tous les signes d'authenticité), l'Italien, lui, au contraire, cordial, fraternel : un tueur, ou plutôt un pistolero, qui avait abattu en plein Paris, à la table d'un restaurant, un des chefs politiques de son pays (il raconta l'affaire entre la frontière et Barcelone dans le train où finalement l'Américain s'était laissé persuader par lui de laisser monter le nouveau venu et où il était monté avec lui — un train dont ils étaient apparemment les deux seuls voyageurs, de sorte que, quoiqu'il fût exclusivement composé de wagons de troisième classe aux banquettes de bois marron et qu'il partît à peu près à l'heure (ou peut-être sur ordre de l'Italien rentrant chez lui — si tant est qu'il eût un chez lui — sa journée de travail terminée) il semblait faire pour ainsi dire fonction de train spécial, comme ceux que l'on affrète pour les chefs d'Etat : la nuit était tombée et tandis qu'il parlait on pouvait voir dans la vitre obscure du compartiment se refléter sa tête : un visage pas beaucoup plus gros que le poing surmonté (ou entouré comme par une auréole) d'une volumineuse boule de cheveux crépus, hérissés et noirs, comme on en voit aux violonistes virtuoses et aux guerriers zoulous), l'Italien, donc, prolixe, fraternel et pourvu du cerveau d'un enfant d'à peu près douze ans — puis, de nouveau (il n'avait fallu au voyageur muni de son vrai faux laisser-passer que quelques jours pour voir ce qu'il voulait voir, savoir ce qu'il voulait savoir : c'était à la fois pathétique, naïf, furieux, navrant), de nouveau par ruse, au prix d'une nouvelle subornation pour ainsi dire morale (cette fois c'était sur la personne d'un Autrichien au visage boursouflé, terrible (on l'avait sauvagement battu dans son pays), lui aussi tout nu dans une salopette, propriétaire en tout et pour tout d'un béret basque, d'une paire de chaussures éculées, d'un fusil et de relations dans la police), de nouveau donc dans un train tout semblable qui le ramenait d'où il était venu, s'arrêtant aussi aux moindres stations, aux moindres haltes, les gares aux murs barbouillés d'inscriptions et de sigles triomphalistes, mal éclairées, et où, sur les quais, en dehors de quelques silhouettes en combinaisons brunes de mécanos et armées de longs fusils, on ne voyait ici et là que des groupes de gens habillés comme des paysans, rassemblés autour de bagages confus et attendant on ne savait trop quoi puisque pratiquement personne (sauf pourvu du papier nécessaire) n'avait le droit de prendre le train : dans l'une des gares, au bout du quai, à peu près en face de l'endroit où s'était immobilisé le wagon, pendait un drapeau détrempé par la pluie ; ç'aurait pu être un de ces drapeaux rouges que les employés des chemins de fer portent roulés sous le bras et qu'ils agitent au moment du départ, mais il n'était sous le bras de personne, agité par personne, simplement accroché là, à l'angle du toit d'une lampisterie, sa hampe de guingois penchée sous son poids, non pas rouge mais (pour autant que l'on pouvait distinguer les couleurs tel qu'il était maintenant, imbibé d'eau et pendant lourdement) mi-partie rouge et noir selon la diagonale du rectangle (le noir du deuil, du désespoir, de la mort) ;

194

dans la lumière du lampadaire proche c'était seulement une loque sombre autour de laquelle scintillait en minces vergetures le poudroiement de la pluie qui tombait sans discontinuer : il était trop chargé d'eau pour que le vent qui parfois rabattait la pluie sur la vitre du wagon pût beaucoup plus que le faire osciller faiblement et à son extrémité se formaient de grosses gouttes que l'on voyait se gonfler peu à peu, s'étirer en forme de poire, diamantines dans la lumière du lampadaire et se détacher l'une après l'autre avec régularité ; avant de s'ébranler, le sifflet de la locomotive fit entendre une sorte de hululement plaintif, lugubre, répété deux fois, rappelant le son qu'émettaient les locomotives dans les films se déroulant au Far West.

Trois ans. Et maintenant sans doute avait-il tout de même fini par s'endormir, car il sursauta, la porte du compartiment ouverte soudain avec fracas, la lumière l'inondant, sauvage, aveuglante, tandis qu'ils pénétraient l'un après l'autre dans l'étroit espace (mais cela se fit si brusquement qu'ils semblèrent entrer tous à la fois, avoir déjà été là lorsque la lumière s'était allumée, énormes semblait-il (peut-être en raison de l'exiguïté de l'endroit) dans leurs uniformes noirs, leurs buffleteries), comme enfantés par la nuit et la guerre, amenant avec eux en même temps que l'air frais du dehors une odeur de désastres (celle du cirage, de la graisse d'armes et de corps bien nourris), parlant fort, les voix rudes s'interpellant tandis qu'ils lançaient dans les porte-bagages des objets durs qui s'entrechoquaient avec un bruit de métal, débouclaient leurs baudriers, les envoyaient rejoindre casques et mousquetons (le train arrêté, le wagon tout entier à présent retentissant de piétinements, de souliers à clous, de choses jetées dans les filets et cognant contre les cloisons), puis déjà assis, leurs tuniques déboutonnées (le train roulant maintenant de nouveau), sortant de leurs sacs des fromages plâtreux qui s'effritaient sur les tranches de pain où ils les étalaient avant de se mettre à mastiquer — le tout (faire irruption, se déséquiper, s'installer, ouvrir les boîtes de fromage et mastiquer) enchaîné avec une sorte de tranquille violence, innée, mécanique en quelque sorte, c'est-à-dire leur violence naturelle d'anciens valets de ferme, de laboureurs ou de manœuvres (mêmes visages rougeauds et ronds, mêmes muscles saillants des mâchoires mastiquant, mêmes mains aux ongles carrés, même façon de maintenir du pouce les morceaux de fromage sur les lames de couteau en les portant à leurs bouches) comme domestiquée, comme la poudre tassée dans la douille d'une cartouche est domestiquée tant que le percuteur ne vient pas frapper la capsule, et aussi pacifiques, aussi inoffensifs qu'un pistolet ou un fusil non chargés — la crosse toutefois renforcée de cette plaque de métal destinée à casser une côte ou écraser un pied (ou un visage) —, les deux réservistes brusquement réveillés clignant douloureusement des yeux dans la lumière, tassés à présent dans un coin des banquettes sur lesquelles ils étaient étendus un peu plus tôt — mais aucun des nouveaux venus ne sembla faire attention à eux, ne fit mine de vouloir les chasser, ne parut même à vrai dire les voir (simplement, cela faisait deux places en moins dans le compartiment où on leur avait dit d'entrer), pas plus qu'ils ne semblaient particulièrement intéressés ou concernés par les événements (les

196

foules angoissées, les femmes en pleurs, les visages crispés, les gros titres noirs des pages des journaux dont
étaient enveloppés leurs casse-croûte), sauf qu'ils (les
événements) les obligeaient à monter dans des trains au
milieu de la nuit pour en descendre (probablement
encore au milieu de la nuit) quand on leur en donnerait
l'ordre, mettant à profit n'importe quel instant favorable
pour sortir leur fromage, leur pain ou leur saucisson,
échangeant entre eux, la bouche pleine, des plaisanteries
non pas de corps de garde mais d'écoliers, se faisant des
farces d'écoliers, s'appelant Toto ou Charlot, comme s'il
existait entre eux un langage non pas tellement d'initiés
mais spécifique, élémentaire, fait d'un nombre limité de
mots et de plaisanteries, comme s'ils appartenaient à un
monde à part, en marge de la gémissante et craintive
espèce humaine, semblables (avec leurs vareuses déboutonnées qui laissaient voir entre leurs pans sombres de
paradoxales chemises fantaisie aux couleurs suaves, rayées
de mauve, ou à pois, les mouchoirs de couleurs suaves
aussi noués autour de leurs cous de taureaux) à des
créatures à mi-chemin entre l'homme (ou plutôt le fort
des Halles, le maquignon) et ces bêtes à carapace à
l'intérieur violacé composé d'un élémentaire système
digestif et d'un élémentaire relais de neurones : sur un
ordre venu du couloir et avec cette même violence, cette
même sauvage docilité, ils cessèrent de manger, firent
disparaître les fromages, reboutonnèrent leurs tuniques,
endossèrent leurs baudriers, et tout équipés de nouveau,
casqués, la jugulaire au menton comme une sorte de
muselière, le mousqueton à la hanche, se pressant à la
suite les uns des autres dans un nouveau cliquetis de

197

métal, ils sortirent en file indienne du compartiment tandis que le train freinait et s'immobilisait à un nouvel arrêt.

Peu après on les entendit se mettre en rangs sur le mâchefer du quai désert en piétinant et dans un bruit de crosses. La faible lumière d'un lampadaire luisait sur leurs casques noirs comme sur un alignement de tortues. C'était encore une petite gare et de l'endroit où se trouvait arrêté le wagon on ne pouvait voir rien d'autre que des voies luisantes et des wagons de marchandises. Au bout d'un moment le train repartit, reprenant lentement de la vitesse, et sur une plaque émaillée portée par un poteau le réserviste (son compagnon au blouson de cuir s'était déjà de nouveau allongé sur sa banquette) put lire : CULMONT-CHALINDREY, le nom surgissant soudain de la nuit, passant rapidement devant les yeux et de nouveau englouti, comme si, de même que les gardes mobiles, il avait été enfanté, fabriqué tout exprès, par les ténèbres, vaguement menaçant, avec ses lourdes consonances d'enclume et de chuintement de vapeur, pour se trouver là, loin de tout (de la lumière, des mers, des régions habitées) au fond de ce temps sans dimensions où le train continuait à rouler. Il (le réserviste) eut beau regarder : il ne vit ni maisons, ni rivière, ni collines, ni ciel. Comme si les prés, les bois, les collines, le ciel, étaient indistinctement soudés dans une unique et impénétrable noirceur où seul dérivait lentement, éclairé par quelques ampoules jaunâtres, un bâtiment en forme d'étoile dont les branches s'enfonçaient à l'intérieur de hangars dans lesquels, comme au fond d'un terrier, se devinaient des locomotives. Deux ou trois étaient à demi sorties. De sous les roues d'une autre, immobilisée sur la plaque tournante au centre de l'étoile, fusaient des jets de vapeur grise. Puis, comme s'effacent une constellation ou les lumières d'un port, tout disparut et ce fut de nouveau le noir. Comme si après s'être arrêté pour respecter les prescriptions de l'indicateur, le train s'enfonçait dans un monde où la nuit n'aurait jamais de fin, seulement éclairé çà et là par d'insolites lueurs de forges ou de dépôts de locomotives dont les gardes mobiles aux chemises fantaisie, aux fromages plâtreux enfermés dans leurs cartouchières, avec leurs casques laqués, leurs cuirs vernis, leurs lourdes chaussures et leurs armes aux canons d'acier bruni étaient les gardiens vaguement mythiques et fabuleux, vêtus de noir, et harnachés comme des chevaux.

A l'arrêt suivant, ils furent remplacés par quelque chose qui, dans l'obscurité (ils n'allumèrent pas la lumière, laissèrent la porte ouverte, s'interpellant avec ceux qui, restés debout dans le couloir, n'avaient pas trouvé de place) ressemblait à un de ces vols de petits oiseaux piaillards s'abattant soudainement sur un toit ou le coin d'un jardin, sauf qu'ils ne se chamaillaient pas, se contentaient de criailler comme font pour s'encourager des gamins dans le noir, mêlant leurs voix fraîches aux accents faubouriens avec une gaieté et une grossièreté forcées, hâbleurs, vantards, maudissant les chefs d'Etat et les employés de gare qui les avaient égarés dans cette nuit où ils erraient en aveugles d'un embranchement à l'autre, reprenaient des trains en sens inverse, exténués, encore à demi ivres, se passant dans l'obscurité des litres aux trois quarts vides, protestant, jurant, puis se ruant tous ensemble à l'arrêt suivant et disparaissant, enfantés par la nuit et engloutis par elle comme l'avaient été les gardes mobiles. On entendit leurs voix discordantes décroître à l'extrémité d'un quai mal éclairé. Dans le silence revenu on percevait entre les jets de vapeur que lâchait la locomotive à l'arrêt, le bruit frais du trop-plein d'une écluse et, invisible, tout proche, comme un frisson, le majestueux frémissement d'un rideau d'arbres semblable à quelque vaste rumeur affolée, discrète, inapaisable et menaçante. Il releva le châssis de la fenêtre et s'allongea de nouveau.

Lorsqu'il se réveilla il était seul dans le compartiment et le jour se levait. C'est-à-dire qu'au-delà de la vitre il pouvait voir un brouillard gris clair où passaient des formes indécises. Au-dehors, quand il descendit du train, il se mit tout de suite à grelotter. Sur sa chemise il ne portait qu'un léger blouson d'été et il rentra dans la petite gare pour passer un chandail, puis se tint là, interdit, regardant autour de lui la salle vide, froide, comme sinistrée déjà quoique rien n'y fût détruit ou brisé, la marchande de journaux en train de relever les rideaux noirs qui masquaient les fenêtres, par routine déjà semblait-il, comme si en moins de vingt-quatre heures il était brusquement passé non seulement du soleil au froid, mais d'un univers normal (y compris les foules et les femmes en pleurs) à un monde endeuillé, sévère, catégorique, la porte qui donnait sur l'extérieur s'ouvrant, laissant passage dans un crissement de chaussures cloutées à deux territoriaux, deux hommes d'un certain âge déjà, vêtus de vieilles capotes bleu ciel, coiffés d'un casque et portant en bandoulière un masque à gaz dans sa musette de toile. A leur vue, l'une des deux formes allongées sur la banquette de bois s'assit et secoua son compagnon. Comme les nouveaux arrivants, ceux-là étaient aussi vêtus de vieilles capotes militaires et ils recoiffèrent leurs casques en bâillant. C'étaient aussi des hommes d'un certain âge et le visage de l'un était barré d'une profonde cicatrice d'un rose vif qui lui coupait le nez en deux. Il frotta ce nez et ses yeux, dit C'est pas trop tôt Au jus maintenant, rajusta son masque en bandoulière, tandis que son compagnon échangeait quelques mots avec ceux qui venaient les relever, et ils quittèrent la salle. Il y avait aussi sur les lampes des abat-jour coniques en carton noir récemment posés. Des papiers froissés et sales parsemaient le sol. Le réserviste s'approcha de l'étalage dont la marchande de journaux avait relevé le rideau et regarda les titres, mais c'étaient les mêmes que ceux de la veille. Il sortit alors sur le quai où il se tint un moment pendant lequel deux rapides à demi vides passèrent sans s'arrêter. Enfin un omnibus arriva et il y monta. L'omnibus lui aussi était pratiquement vide. Au bout d'un moment le brouillard se leva tout à fait. A l'horizon, sur un ciel blanc, se détachaient en gris des silhouettes de hauts fourneaux, de cheminées d'usines et parfois d'un haut clocher surchargé d'ornements baroques.

VII

1982 — 1914

Tout le long de la route il avait conduit au ralenti, s'arrêtant même à un moment, garant la voiture sur le bas-côté, coupant le contact, allumant un de ses petits cigares et se tenant là, les mains posées sur le volant, regardant disparaître peu à peu derrière la chaîne des sommets glacés déjà couverts par les premières neiges les derniers feux du soleil, jusqu'à ce que dans une échancrure il ne restât plus comme dans un creuset qu'un minuscule bouillonnement d'or en fusion se rétrécissant ou plutôt se rétractant, redoublant d'éclat aurait-on dit, puis plus rien, l'œil encore un moment aveuglé continuant à fixer les crêtes s'enténébrant, d'un bleu violent maintenant sur le ciel couleur d'absinthe, déjà gris du côté de la mer, tandis que les uns après les autres (comme dans un théâtre où les machinistes auraient allumé, modulé des rampes successives de projecteurs, comme si tout le ciel s'embrasait peu à peu) les nuages éparpillés à présent frappés d'en dessous par les ultimes rayons se coloraient de blond, puis de bronze, puis de cuivre, puis, dans un ciel pervenche allant s'assombrissant, s'étiraient en longues traînées obliques, laissant pendre comme des gazes leurs franges roses au-dessus de la plaine où les vignes achevaient de perdre leurs feuilles, laissant à nu la terre d'hiver, comme dépouillée, exténuée, abandonnée à la nuit, au silence et au sommeil.

Une coulée de lumière persistait encore entre les berges obscures du canal lorsqu'il le franchit, scintillante, argentine, teintée de jade, contrastant avec l'inerte lueur des globes électriques qui s'allumaient, égrenés le long des quais, éclaboussant de jaune les troncs écaillés des platanes, stagnant au-dessus de l'étourdissant et agressif carrousel de phares, de feux rouges, l'inerte et impuissant conglomérat de voitures enchevêtrées se suivant sans avancer autour des palmiers décoratifs, sous les néons des cinémas et des magasins, comme une stérile, aveugle et incohérente agitation tandis qu'au-dessus des toits, à peine distincts dans le ciel s'assombrissant, les vols d'étourneaux étiraient leurs écharpes, tournoyaient, se rassemblaient, se condensaient en soleils charbonneux, puis explosaient aurait-on dit, se déployaient de nouveau en myriades d'infimes et palpitantes particules.

Puis de nouveau le silence, la paix. Comme si au cœur de la vieille ville (avec ses étroites rues maintenant encombrées d'autos, empuanties de gaz, les rez-de-chaussée de ses vieux hôtels éventrés pour faire place à des vitrines illuminées, peuplées de clinquants mannequins, comme les palmiers en quelque sorte factices, importés eux aussi, accordés au clinquant de fausse Riviera, aux clinquantes musiques de conserve qui s'échappaient des portes, aux clinquants vendeurs ou vendeuses sortis tout habillés de boîtes de conserves garnies de surplus américains, de vestes de trappeurs ou de fourrures importées de Chicago ou de Hong-kong en même temps que les tentatrices affiches de voyages pour Chicago et Hong-kong) la maison constituait comme un îlot, une sorte de lieu épargné, préservé dans l'espace et le temps (la maison où avait vécu, jeune fille, la femme qui devait plus tard le porter dans son ventre, où il avait lui-même grandi, enfant, sous les plafonds de cinq mètres de haut entre deux veuves, l'une toujours obstinément vêtue de noir, l'autre, une très vieille dame au visage effondré, comme un permanent masque d'affliction fait, semblait-il, de larmes de cire solidifiées, les deux femmes (la fille et la mère) confondues pour ainsi dire dans leur condition de veuves, veillant sur l'enfant avec une sorte de féroce et possessive passion jusqu'à ce que la fille (la fille veuve) eût rejoint sa mère sous la tonne de pierre entourée de cyprès, après quoi (d'abord revêtu du sévère uniforme de la sévère institution religieuse, puis de vestons et de pantalons qui se voulaient agressivement le contraire d'un uniforme : le nonchalant débraillé, soigneusement étudié (tweed et flanelle) de faux étudiant d'Oxford ou d'apprenti cubiste) il n'était plus revenu qu'occasionnellement, n'occupant que de passage, presque en étranger, la moitié de la maison dont il avait hérité (c'est-à-dire la moitié d'environ mille mètres carrés de bâtiments (remise, écurie, caves, escalier, véranda, salons, salles à manger, chambres, corridors, cuisines, lingeries, offices, galetas) entourant une cour, un jardin et une terrasse) — et à présent il était à son tour un vieil homme, avait vendu sa moitié du mausolée, fui devant

207

l'irrésistible marée des juke-boxes et des marchands de vêtements américains pour aller habiter à la campagne une autre des maisons dont il avait hérité, à part entière celle-là : la maison au pavage décoré de fleurs rouges et noires et à la cheminée de marbre sculpté devant laquelle s'asseyait le vieux patriarche pour absorber lentement les pyramides de figues), et maintenant, de tous ceux et celles qui avaient autrefois vécu là, il ne restait plus que deux vieilles dames, deux veuves encore, aux visages d'ivoire, aux cheveux blancs, et qui, à l'époque où il ne marchait pas encore, où il était porté par une négresse ramenée de l'île aux boas, étaient, elles, déjà habillées de robes aux jupes plissées, aux cols marins sur lesquels retombaient leurs boucles de fillettes tout juste pubères, aux genoux encore nus, les mollets gainés de chaussettes sombres, mais assez grandes alors pour se souvenir (et pas seulement elles : c'était comme si la maison elle-même, l'énorme masse de maçonnerie, la pièce (celle où près de deux cents ans plus tôt, au soir d'une bataille perdue, un lointain ancêtre était venu se faire sauter la cervelle) où ils se trouvaient maintenant tous les trois, lui assis dans un rigide fauteuil de tapisserie à côté du guéridon où elles avaient posé le carafon de cristal et l'assiette à biscuits, les quatre murs, briques, mortier, moellons, la cheminée de marbre blanc où, disait-on, s'était appuyé le général vaincu pour diriger le pistolet contre sa tempe, le carrelage hexagonal, conservaient aussi, à la manière de ces lourdes boîtes d'acajou, de ces écrins où peuvent se lire en creux les formes des armes ou des bijoux qui en ont été retirés, la mémoire) de ce qui s'était passé là soixante-huit ans plus tôt : le tableau, la scène qui avait préludé à l'intrusion brutale, parmi les rires, les éclats de joie et les parfums des bouquets, de cette violence venue du dehors, faisant irruption dans leurs vies d'adolescentes pour lesquelles, jusqu'alors, la mort n'emportait, doucement, de manière feutrée, que des personnes âgées ou malades : cette chose qui dans sa crudité, sa brutalité, était venue les agresser, avait fait s'enfuir en courant le long de la mer la plus jeune en proie à un inapaisable désespoir d'enfant, le visage dans ses mains, les épaules secouées de sanglots.

Et elles racontèrent cela, lui faisant parfois répéter ses questions, tendant l'oreille, leurs visages ivoirins attentifs, plissés par la réflexion tandis qu'elles essayaient de se rappeler, parlant tour à tour de leurs voix songeuses, un peu absentes, comme lointaines, empreintes non plus de chagrin — c'était trop loin maintenant — mais de compassion, de pitié : trois semaines à peine après que dans cette même chambre elles avaient vu partir pour ne jamais revenir l'homme qui était entré dans la famille pour ainsi dire par effraction, par ravissement si l'on peut dire encore, appeler ainsi, dans les deux sens du terme, ce qui, en somme, avait été une sorte de rapt, un enlèvement : surgissant avec sa barbe, son uniforme couleur de nuit et ses bottes, de pays lointains, vaguement fabuleux, pour séduire une paresseuse génisse, l'épouser, la remporter avec lui à travers les océans, les mers chaudes, jusque dans une île peuplée de nègres sauvages, la ramener avec l'enfant qu'il lui avait fait, la replacer dans cette citadelle, cette forteresse de somnolente respectabilité, et l'abandonner, s'en aller quelque part au coin d'un bois ou d'un champ de betteraves à la rencontre d'un morceau de métal; ceci donc : le torride après-midi de l'été finissant, la plage (il l'avait encore connue à peu près comme elle était alors, c'est-à-dire non pas bordée elle aussi d'assourdissants juke-boxes, d'immeubles (ou plutôt de mille-feuilles) en béton, de fast-foods, de palmiers apprivoisés, de boutiques proposant des maillots de bain en lamé or et des accessoires de yachting, de néons, d'enseignes racoleuses, d'un forum, de parkings et de bars : rien qu'un long désert de sable où venaient mourir les rouleaux des vagues et, protégées par des dunes basses, leurs terrasses et leurs rez-de-chaussée à demi envahis par le sable, une vingtaine ou une trentaine de villas aux paradoxaux pignons et aux paradoxales tourelles, alignées de part et d'autre du terminus d'une ligne de tramway, un simple hangar de planches comme on en voit dans les gares de marchandises, brunâtre, à la peinture rongée par le sel, les rails venant se perdre contre un butoir lui aussi à demi enfoui dans le sable, un chemin de planches menant à un établissement de bains ou plutôt un ensemble de baraques en bois de démolition formant les trois côtés d'un carré d'où, les dimanches, lorsque le vent portait, parvenaient les échos d'un orchestre au son duquel dansaient les calicots et les employés des magasins de la ville, mais désert le reste de la semaine) ... la plage cet été-là (ou plutôt à la fin de cet été-là) non pas déserte mais désertée, de même que la plupart des villas avaient été abandonnées en catastrophe, et seulement six ou sept groupes sur l'immense étendue, en plus des cinq ou six barques tirées au sec et à l'ombre desquelles des femmes vêtues de noir raccommodaient des filets, et elles

(les deux vieilles dames qui parlaient maintenant) dans ces maillots semblables alors à des robes, sévèrement boutonnés jusqu'au cou, aux tuniques blousantes et aux culottes serrées au-dessous du genou, coiffées de ces bonnets bordés de festons, se tenant par la main, sautant à chacun des rouleaux qui s'avançaient vers elles, déferlaient, s'écrasaient sur leur dos, les renversant parfois, les noyant à demi, de sorte qu'assourdies par la vaste rumeur de la mer, tout ce qu'elles virent d'abord (peut être l'une d'elles roulée dans un tourbillon, se relevant en toussant, étourdie) ce fut, au-dessus de la ligne des dunes, entre deux toits de villas, l'ombrelle, puis le chapeau, lui-même semblable à une ombrelle ou un abat-jour, puis la tête, le buste, puis la femme tout entière, marchant aussi vite que pouvaient le lui permettre ses chaussures de ville, telle qu'elle venait de descendre du tramway, tordant ses talons dans le sable, grossissant et se précisant à mesure qu'elle traversait la plage dans sa largeur, en proie à quelque chose qui la faisait gesticuler à la façon d'un pantin, levant et descendant son ombrelle comme un signal, criant déjà peut-être (mais sa voix se perdant dans le fracas des rouleaux, les cascades de l'écume, l'immensité), et arrivée au bord, sans cesser de tenir son ombrelle, sautillant sur une jambe, se déchaussant, lançant l'un après l'autre ses souliers derrière elle, et même sans enlever ses bas entrant elle-même dans l'eau, sa longue jupe retroussée, insoucieuse des éclaboussures, le bas de sa robe déjà trempé, et malgré cela continuant à avancer, criant toujours, tandis que les baigneuses se rapprochaient, jusqu'à ce qu'elles puissent comprendre ce qu'elle criait déjà sans doute depuis qu'elle avait escaladé la dune, ce qu'elle n'avait pas cessé de crier pendant tout le temps qu'elle avait mis à traverser la plage avec ces déhanchements de boiteuse, ses gestes de folle, de pantin désarticulé, la voix enrouée d'avoir crié dominant maintenant le tapage indifférent du ressac, de l'écume, du vent, répétant pour la centième fois peut-être la nouvelle avec à la fois quelque chose d'effrayé, d'excité et de funèbre, la phrase que soixante-huit ans plus tard celles qui jouaient alors dans l'eau semblaient encore entendre : « On dit en ville que le capitaine... (et dans le fracas des vagues déferlantes, des cris discordants des mouettes, elles n'eurent pas besoin d'entendre le nom, le savaient déjà, avaient déjà compris la suite :) ... a été tué ! »

La même pièce, donc, la même chambre où ils étaient maintenant assis tous les trois (et l'une d'elles dit Tu veux un peu plus de grenache ? Prends encore un biscuit, et lui : Un bisc... ? Non, c'est très bien. Non. Je ... Alors vous... Et la plus jeune disant : C'est le lendemain que papa a reçu le télégramme. Et lui : Le télégramme ? D'où ?, et elle : De la mairie. Ou je ne sais plus. Ou bien il y est allé et là on le lui a dit. Tout le monde en ville en parlait déjà. Ta mère et notre grand-mère t'avaient amené aux eaux, à la montagne. Tu supportais mal la chaleur, tu souffrais de..., et lui : Et alors ?, et elle : Alors papa a pris l'auto et est allé leur dire...) : la même chambre, la même cheminée, et à cent vingt ans d'intervalle la triple agonie, celle de la femme qui ce jour-là comprit déjà qu'elle était morte et celle de deux hommes : le premier à perruque (ou peut-être sans perruque, sans l'extravagant bicorne à plumes, dépeigné, sale, le

visage défait, l'uniforme souillé de boue ou de poussière),
l'autre avec sa barbe carrée, sa moustache en crocs, ses
cheveux courts soigneusement peignés, ses yeux de
faïence, déjà équipé, n'ayant plus sans doute qu'à boucler
son baudrier, ajuster son pistolet, passer en bandoulière
ses jumelles et son porte-carte, et, dans la cour, le
premier cheval fourbu, crotté, poussiéreux aussi, aux
flancs déchirés par les éperons, les rênes jetées au
palefrenier (la scène éclairée peut-être par une lanterne,
la silhouette bottée s'engouffrant déjà sans se retourner
dans l'escalier, puis la lueur confuse d'un flambeau
(peut-être d'une simple chandelle) derrière les fenêtres,
allant et venant, s'immobilisant, puis un peu plus tard
dans la nuit sans doute (le temps de griffonner quelques
lignes sur un feuillet — ou de brûler des papiers — ou
simplement de se tenir là, debout, immobile à côté de
la cheminée sans feu à peut-être fixer le vide, le néant
— ou presque aussitôt peut-être, dans le même mouvement, le temps seulement de charger l'arme, l'acte décidé,
commencé déjà tandis qu'il galopait encore, déjà presque
accompli) la détonation, puis d'autres lueurs, des portes
claquées, des cris...), le second cheval (le cheval qui trois
semaines plus tard à peine se traînerait lui aussi, squelettique, sale, fourbu, ployant sous la charge non de son
cavalier mais d'équipements, de havresacs, d'armes de
soldats morts — ou peut-être mort lui-même) frais encore, juste sorti de l'écurie, la robe luisante, la selle au
cuir luisant aussi avec à son côté l'étincelante coquille du
sabre : et dans les deux occasions le martellement sonore
des fers sur le pavé répercuté par la voûte du porche,
comme un crépitement d'étincelles, le bruit que peut faire

une poignée de billes tombant au hasard sur une tôle, et qui, dirent-elles, lorsqu'il leur parvint (c'est-à-dire lorsqu'il parvint aux occupants de la chambre rassemblés autour du couple et de l'enfant : elles racontèrent que c'était comme ce qu'elles avaient pu lire de ces familles russes où avant que l'un des membres n'entreprenne un voyage tous les parents et jusqu'aux domestiques — tout au moins les familiers, comme cette fois la femme noire — se réunissent et s'asseyent dans une pièce, attendent ainsi le moment du départ) les fit sursauter, tressaillir, lui déjà debout, disant simplement d'une voix enjouée, calme, comme s'il allait prendre le train ou l'omnibus : « Eh bien voilà! C'est l'heure. Allons... », tendant à la femme noire l'enfant qu'il avait tenu sur sa cuisse, s'équipant, peut-être aidé de celle avec qui il avait passé cette dernière nuit — ou peut-être seulement quelques heures : rentré tard de la caserne après une dernière inspection, se dévêtant, s'allongeant auprès d'elle, la serrant contre lui, et elle raidie, sans voix, glacée — ou peut-être l'attirant une dernière fois sur elle avec une sorte d'avidité sauvage, s'ouvrant à lui, le recevant, cramponnée, déjà folle, hoquetante, dans une furieuse protestation, une furieuse, déchirante et ultime étreinte, et maintenant rigide de nouveau, l'œil sec, prenant sur le lit et les lui présentant l'un après l'autre ce baudrier, l'arme, les jumelles, sans détacher son regard de ce visage, de ces lèvres, puis le suivant tandis qu'il franchissait cette même porte vitrée devant laquelle elle s'était tenue quatre ans plus tôt, défaillante de bonheur, comme ivre, appuyée sur son bras, posant pour le photographe dans sa robe de mariée, au milieu de ses joyeux cousins cravatés de blanc, dans le brouhaha des voix et le tintement des coupes de champagne arrivant du salon, tous les autres franchissant la porte aussi puis s'arrêtant en même temps qu'il se retournait, les embrassait tour à tour, se penchait, disait d'un ton mi-grondeur mi-plaisant à la plus jeune des deux fillettes (des deux vieilles dames maintenant) dans leurs robes à col marin : « Toi, tu es verte ! », lui tapotant la joue, souriant, parcourant ainsi la véranda dans toute sa longueur, puis s'immobilisant devant le fantôme rigide, au visage vidé de sang, debout entre lui et la porte du palier, qui dit seulement : « A moi le dernier. »

Peut-être fit-il simplement un signe. Ou peut-être n'en eut-il même pas besoin. Sans doute la femme noire était-elle encore assez près de ce genre de choses, c'est-à-dire provenait-elle d'une partie du monde ou plutôt d'un univers où le combat, la mort, le malheur sont aussi familiers que le plaisir, la faim ou le sommeil. Toujours est-il que lorsqu'il sortit dans la cour, reparut (maintenant ils avaient ouvert les deux vantaux de la fenêtre au centre de la véranda, se tenaient tous là, dans leurs clairs costumes d'été, avec les enfants aux visages graves, alarmés, hâlés par le soleil, les femmes aux chignons compliqués, l'homme trop âgé pour partir, pressés contre le balcon aux élégantes volutes de fonte), la femme noire marchait immédiatement derrière lui, du même pas rapide, décidé, souple, animal, semblable, avec son mystérieux visage d'ébène, les deux mains d'ébène qui portaient l'enfant, et sa longue toge drapée qui flottait à chaque pas sur ses talons, à quelque statue venue du fond des âges, de la matrice même du monde, et elles

(les deux vieilles dames qui parlaient maintenant) racontèrent qu'elle s'arrêta en même temps que lui, s'immobilisa et se tint là : les mains vides maintenant, les bras pendant le long du corps, les paumes ouvertes laissant voir la peau claire, d'un rose brun, pendant que l'homme en uniforme saisissait l'enfant, le tenait un moment embrassé avant de le lui tendre de nouveau, les deux bras, les deux mains de bois se refermant sur l'enfant, puis restant là, toujours semblable dans les longs plis verticaux de cette espèce de toge à une colonne de marbre ; et ceci : le groupe : l'ordonnance toujours debout à la tête du cheval, le tenant par la bride au-dessous du mors, le cheval nerveux peut-être, piétinant sur place, levant et reposant l'un après l'autre ses sabots, les fers claquant sur le pavé dans le silence, et un bref instant (deux secondes, trois peut-être — et personne ne put voir si dans la barbe ou le visage ténébreux les lèvres de l'un ou de l'autre remuèrent) l'homme équipé pour la guerre, barbare, dans sa tunique sombre, botté, sanglé de cuir, posant la main sur l'épaule de cette statue, de cette colonne surmontée d'un impassible masque rituel et qui semblait déléguée là, à cet instant précis où sa vie à lui basculait, par ces terres, ces continents lointains, sauvages, d'où il l'avait ramenée, comme pour présider, muette, à la fois docile, ancillaire et funèbre, à quelque cérémonial : l'échéance, le point d'arrivée de ces vingt années pendant lesquelles l'ancien petit paysan qui binait les pommes de terre, menait à boire les bêtes (ou plutôt la bête : ils (sa famille) n'avaient jamais possédé plus d'une unique vache), maniant plus tard la faux, poussant les brouettes de

216

fumier, fendant le bois entre deux nuits passées sur des livres, avait couru non pas après la fortune (vêtu sous son uniforme de ces grossières chemises de toile que ses sœurs cousaient pour lui, dormant sous les étouffantes moustiquaires dans ces pyjamas qu'elles taillaient aussi à ses mesures — ou nu, étreignant le corps de quelque sauvageonne —, se faisant affecter pour quelque maigre supplément de solde à de lointains postes de brousse, coupé, retranché pour des mois du monde civilisé, affrontant les fièvres, buvant des eaux croupies, économisant sou par sou — empruntant peut-être — jusqu'à ce qu'au terme de cette ascèse (il savait que ce n'était pas une question d'argent, que rien d'autre que cette longue ordalie ne pouvait lui permettre de pénétrer à l'intérieur de cette caste, cette citadelle) il pût acheter la bague, le diamant, le caillou magique), mais en quelque sorte après l'habilitation, le laissez-passer, l'introduction sous forme d'épaulettes à franges, d'éperons et de l'uniforme de parade qui lui donnerait accès à l'inaccessible princesse, l'indolente et oisive sultane dans laquelle il pourrait déposer sa semence, tirant d'elle un fils, et cela fait, comme ces insectes mâles après avoir accompli leur fonction, s'en aller mourir : et alors détachant sa main de l'épaule, tournant le dos (il y avait maintenant quelque chose de presque violent dans ses gestes, hâtif, quoique précis), mettant le pied à l'étrier, puis en selle, rassemblant les rênes dans une main, ajustant rapidement les plis de sa tunique tandis que l'ordonnance lâchait la bride, s'écartait, le pavé de la cour retentissant déjà du pas du cheval, le large dos barré par les deux courroies entrecroisées s'éloignant, puis, au moment de franchir le portail, le buste pivotant de trois quarts sur la selle, et tout ce qu'on put voir encore pendant une fraction de seconde ce fut le profil, la barbe carrée, le bras levé dans un dernier geste, après quoi le cheval et son cavalier tournèrent à droite, et simplement alors la rue vide d'où quelques passants arrêtés jetaient un regard curieux par le portail resté ouvert comme pour une réception, un mariage, comme autrefois après le départ de la calèche dans laquelle le vieillard à barbiche, le dernier descendant mâle d'un colossal général d'Empire, allait quatre fois par an visiter ses propriétés : la cour vide avec ses deux palmiers nains dans leurs caisses, ses magnolias, ses deux rangées de plantes décoratives, la frange de lierre qui pendait de la véranda, et au milieu, là où il l'avait laissée, l'étrange et barbare divinité drapée de lin immaculé, tenant un enfant dans ses mains noires.

Puis elle bougea, disparut, réapparut un instant plus tard sur la gauche de la véranda, rejoignit le groupe des personnages entourant la femme restée elle aussi debout, serrant dans ses mains l'appui du balcon, continuant à fixer sans les voir le portail ouvert, la rue, les curieux, jusqu'à ce que quelqu'un du groupe se penchât, criant quelque chose, et que la concierge se dirigeât vers le portail. C'était une femme maigre, avec un goitre à demi dissimulé sous un foulard de serge noire, une tête jaune d'oiseau, un nez comme un bec, des yeux morts, reptiliens, entre des bourrelets de chair rose. Elle traversa la cour d'un pas traînard, arc-bouta son corps malingre pour pousser l'un après l'autre les énormes vantaux, rabattit la lourde espagnolette qui les verrouillait, après quoi elle referma la porte passante ménagée dans le vantail de gauche. L' ensemble était massif, peint en vert foncé, renforcé d'épais chevrons et de ferrures. La petite porte fermait à l'aide d'un loquet à bascule. Sous la poussée de la femme et emportée par sa masse, elle claqua avec un bruit d'enclume. En se retournant pour regagner sa loge, la concierge put voir que sur la véranda on s'efforçait de pousser doucement dans la chambre la femme qui avait repris des bras de la négresse le paquet de dentelles. La véranda resta vide un moment. Un peu plus tard quelqu'un ressortit de la chambre, s'avança de la droite vers la gauche jusqu'au milieu de la galerie, le bras gauche saisissant au passage le vantail de la fenêtre centrale restée ouverte, le bras droit se tendant pour atteindre l'autre vantail, la silhouette une fraction de seconde comme crucifiée, les bras écartés, puis la fenêtre se referma.

VIII
1939-1940

Une petite foule se pressait à la grille de l'usine désaffectée, un peu plus loin que les bordels, où avait été installé le centre mobilisateur de cavalerie : deux cents hommes environ, munis de petites valises ou de musettes, jeunes pour la plupart mais qui ne ressemblaient en rien à ceux qui étaient montés dans le train la veille ou pendant la nuit ; comme si, de même que la petite gare aux fenêtres aveuglées de rideaux noirs, le brouillard de l'aube, les boqueteaux humides, le pays triste aux faibles ondulations impliquaient pour ainsi dire ces visages déjà empâtés, déjà usés parfois, presque tous coiffés de la même casquette dont dépassaient les cheveux maladroitement taillés, les corps boudinés dans les mêmes vestons trop étroits, avec les mêmes chemises aux cols sévèrement boutonnés, sans cravates, ou paradoxalement endimanchés, cravatés de couleurs criardes, et la même expression vaguement inquiète, vaguement misérable, comme ces groupes rassemblés sur la place d'un village après quelque catastrophe naturelle, grêle ou inondation, ou devant l'église, à l'occasion d'un enterrement, silencieux ou s'entretenant à voix basse dans un confus murmure.

De temps à autre un planton en uniforme entrouvrait la grille et en faisait entrer une vingtaine à la fois, les autres avançant de quelques mètres, piétinant, soulevant leurs valises ou les poussant devant eux de la jambe sur le sol de mâchefer noir, puis reprenaient leurs conversations, l'humble et passif murmure, les humbles et passifs calculs de récoltes restées sur pied, de labours, de betteraves à arracher et de bêtes réquisitionnées.

Le brouillard était retombé et se déposait maintenant avec un inaudible bruissement en minuscules gouttelettes grisâtres, comme une moisissure, sur les vêtements, les casquettes, les vestes des paysans, les blousons des quelques citadins farauds, hasardant de temps à autre une plaisanterie, interpellant bruyamment une connaissance, les éclats de voix retombant, s'éteignant comme d'eux-mêmes, comme engloutis par le brouillard, le chuchotement des voix consternées, patientes. La forte odeur de l'usine à gaz voisine emplissait l'air. A l'intérieur du hangar étaient disposées de longues tables à tréteaux couvertes de fichiers, de registres et de classeurs derrière lesquelles se tenaient des officiers en tenue, leurs gants dépassant des coiffes de leurs képis posés à l'envers à côté des registres.

Vingt-quatre heures plus tard (il faisait beau maintenant : le soleil déclinant de la fin d'été étincelait sur l'herbe, sur les feuilles encore vertes des arbres, une brume bleutée estompait au loin les collines aux courbes molles) le réserviste, ou plutôt le brigadier (puisque, revêtu d'un uniforme neuf — tout était neuf : les tenues,

les souliers, les houseaux de cuir tout juste tanné,
pelucheux encore, les armes huileuses et noires déballées
des caisses de l'usine, les quartiers de bœuf congelé
débités à la hache, portant le tampon violet que les
services sanitaires argentins y avaient apposé trois ou
quatre ans plus tôt, le riz gluant qui les accompagnait
stocké sans doute également par milliers de tonnes depuis
des années aussi en prévision de ce qui se passait à
présent), était en train de coudre sur les manches de sa
vareuse les deux chevrons de laine bleue qu'on lui avait
attribués de force et qui lui donnaient le droit de (ou
plutôt l'obligeaient à) commander des corvées de four-
rage, désigner les gardes d'écurie, les balayeurs et les
porteurs de soupe — c'est-à-dire de négocier à l'amiable
avec les cinq cavaliers qu'il était supposé commander,
avec lesquels il couchait dans la paille des granges,
partageait le riz gluant, allait boire dans les troquets, la
répartition prosaïque des travaux quotidiens, et rien de
plus : trois donc assis dans l'herbe d'un verger, lui et
deux autres (un juif malingre, garçon de course (ou
commis, ou comptable) dans une boutique de drap de la
rue des Francs-Bourgeois et un jockey : un Italien — ou
du moins pourvu d'un nom italien quoiqu'il fût mobilisé
dans l'armée française — qui montait en obstacle :
c'est-à-dire pas un de ces nains, de ces petits singes
conservés dans la vapeur, comme on peut en voir,
recroquevillés, blafards et minuscules, sur le dos des
chevaux de plat : un garçon d'une taille normale, au
visage carré de condottiere ou de spadassin, sorti tout
droit du cadre d'un tableau de musée, grêlé de petite
vérole, avec un regard pensif, les lèvres minces de ces

ducs ou de ces comtes portraiturés de profil et vêtus de rouge sur un fond de collines couleur de perle et piquetées de buissons) en train de le regarder s'y reprendre à plusieurs fois (casser le fil ou le perdre, l'humecter, le faire passer en clignant des yeux dans le chas de l'aiguille, le perdre de nouveau, recommencer) pour coudre les fallacieux galons, tous les trois revêtus du même uniforme couleur de terre dans lequel le juif (il était si malingre qu'un étranger qui se serait approché du groupe l'aurait pris pour le jockey), avec ses cheveux coupés court, ses oreilles décollées, son cou maigre sortant du col trop large de sa vareuse avait l'air d'un poulet déplumé ou d'une souris déguisée en soldat, affublé comme par dérision de bottes trop grandes dans lesquelles il semblait aussi flotter, jugé apte cependant au service après une dernière vérification, c'est-à-dire après avoir attendu dans la file des appelés, puis s'être à son tour maladroitement avancé, les genoux entravés par la culotte baissée, les bretelles pendantes, dans la minuscule salle de mairie campagnarde où le lieutenant-médecin palpait successivement les testicules des valets de fermes et des cultivateurs de betteraves (l'avis favorablement délivré, non sans hésitation peut-être, comme à regret, l'affectation à une telle arme (la cavalerie) d'un juif (comme l'officier de santé avait pu s'en rendre compte non seulement aux sonorités du nom appelé par l'infirmier qui tenait le registre mais encore de visu, sous le pan de chemise brutalement écarté) ne pouvant relever (pensa sans doute l'officier) que de quelque aberration, sinon de quelque sardonique et facétieuse malveillance (c'est-à-dire malveillance à l'égard de l'arme, du corps tout entier de la cavalerie), sinon même d'un outrage délibéré, de la part des bureaux mobilisateurs) : le seul des trois réservistes (ou plutôt déjà cavaliers, dont l'un allait se trouver élevé à la puissance de brigadier dès qu'il aurait fini de se livrer à son délicat travail de couture), le seul des trois, à vrai dire, qui n'avait pas l'air déguisé (c'est-à-dire qui portait avec aisance la culotte de cheval, même celle de mauvaise coupe distribuée par l'intendance, les houseaux et les éperons, comme s'il était sorti tout botté du ventre de sa mère ou plutôt comme s'il appartenait à une espèce, une race spéciale, à mi-chemin entre le cheval et l'homme, pourvu en guise de jambes de quelque chose, comme les faunes ou les satyres, en forme de paturons et de sabots) étant l'Italien en train de raconter, tout en surveillant avec sérieux les va-et-vient maladroits de l'aiguille, comment il avait été récompensé de sa première victoire à l'âge de treize ans par une formidable paire de gifles et un terrible coup de pied lui brisant presque le coccyx décoché par l'entraîneur qui n'avait engagé le cheval malencontreusement gagnant que pour déprécier sa cote en vue d'une prochaine course : il parlait sans élever la voix (une voix un peu enrouée avec à peine une pointe d'accent canaille) et seulement quand on insistait : l'insistance du brigadier aux prises non seulement avec son laborieux travail de couture mais encore avec la conscience du vide de non pas à vrai dire ses vingt-six années, puisqu'il fallait en soustraire celles de sa petite enfance et celles qu'il avait passées dans l'institution religieuse au sévère uniforme déjà militaire mais, en comptant juste, dix bonnes années, ou, autrement comptabilisé, cent vingt mois d'oisiveté, d'impostures et d'inepties additionnées pour se dissimuler à lui-même son inexistence (et il pouvait se rappeler : Berlin, la gare de Friedrichstrasse, le soir ou plutôt déjà la nuit, le Mexicain et lui déjà installés dans leur wagon-lit, leur train à destination de Varsovie encore à quai, et sur un quai, plus loin, une foule grouillante d'hommes, de femmes et d'enfants chargés de ballots, attendant de monter dans un train composé de wagons de troisième classe, et eux deux, les deux nonchalants touristes, regardant avec simplement d'abord leur curio- sité de touristes dans un pays étranger, puis avec un sentiment croissant de malaise, puis (quand ils virent les quelques silhouettes en uniforme marchant parmi les ballots, les valises et les enfants, les poussant — sans brutalité particulière, avec patience même, mais inexora- blement, tranquillement, comme auraient pu le faire des machines —, les aidant même parfois à se hisser, eux et leurs bagages, dans les wagons, et à la fin refermant les portes, restant debout de loin en loin sur le quai désert) comprenant, le Mexicain lâchant alors un juron, tous les deux abaissant le rideau d'un même mouvement et restant là, incapables d'échanger un mot, assis côte à côte sur le lit déjà préparé de la couchette inférieure dans le compartiment aux petites lampes roses et aux boiseries d'acajou, incapables même de se regarder) — dix années, donc (ajoutées aux seize autres passées dans ce cocon capitonné de l'enfance), qui trouvaient maintenant leur accomplissement (leur sanction ? pensa-t-il : mais le joc- key et le petit juif malingre en étaient aussi pourvus) sous la forme d'une plaque ovale de laiton attachée à son poignet par une chaînette, pointillée de trous dans le sens de la longueur et qui, de chaque côté de cette ligne médiane facile à briser, portait, imprimé au poinçon, son numéro matricule et son nom : « De façon, dit le jockey, qu'ils puissent en garder une moitié pour tenir à jour leur tableau d'effectifs et renvoyer l'autre à ta famille. Remarque, ajouta-t-il, qu'ils y ajouteront peut-être une décoration. Je crois qu'à titre posthume c'est automatique. Il y en a qui la font encadrer. Ce à quoi les chevaux n'ont pas droit. Sans compter qu'il faut couper à la hache le sabot sur lequel est gravé leur propre numéro matricule et l'expédier dans un sac à la comptabilité. Pour qu'ils soient sûrs qu'on n'a pas volé le cheval. Mais qui aurait envie de voler un type comme toi et moi ? Ou un youpin qui monte à cheval comme une pine sur un morceau de savon ? Te fâche pas, Lévy : on est tous dans le même bain. » Il ne dit pas "bain", mais un autre mot. « Je ne m'appelle pas Lévy », dit le petit juif. — « Et moi je ne m'appelle pas Macaroni. Et pourtant c'est comme ça qu'ils me criaient les gosses des voisins quand j'étais môme. Ça n'a pas empêché que j'aille faire le guignol pendant un an de service et que je me trouve ici aujourd'hui. Pour là où ils vont nous envoyer, Lévy, Isaac, Abraham, Blum, Macaroni ou Mohamed, c'est pareil ; on est bons comme la romaine. Remarque que grâce à la chaînette on n'aura pas besoin de nous couper le poignet. Une chance encore qu'ils n'aient pas eu l'idée de nous tatouer ces numéros sur le dos de la main, comme aux gailles. Mince ! Tu vois le bureau des effectifs rempli de mains coupées ? Sans compter l'effet dans les familles en recevant une petite boîte avec ça enveloppé dans du coton... » Il ne disait jamais « les chevaux » ou

« ce cheval », mais « les gailles » ou « ce gaille » (quelquefois « cette bique », quand il s'agissait d'une jument), parlant toujours sans élever la voix, comme s'il s'adressait à un cheval nerveux (ou comme il devait parler à un entraîneur — ou à un propriétaire — nerveux), c'est-à-dire comme il avait appris à parler à qui que ce soit depuis l'âge de onze ans où il avait été placé comme apprenti par son maçon de père venu d'Italie avec son innombrable famille : cette voix légèrement enrouée qu'il devait au monde brutal et truqué où il avait été élevé à coups d'étrivières, dormant dans la paille à côté des chevaux, réveillé avec eux, couché en même temps qu'eux et pour ainsi dire mangeant aussi avec eux (ou, plus exactement, après qu'il leur avait donné à manger), avec cette différence qu'au lieu de substantielles rations d'avoine il dévorait des saletés refroidies dans des gamelles en fer blanc, de sorte que ce fut sur le même ton, ni moqueur ni agressif, sans cordialité particulière non plus, simplement comme il aurait signalé à son propriétaire que son cheval boitait ou ne tiendrait pas la distance (le propriétaire non pas maharajah ou quelconque magnat de la presse ou du music-hall coiffé d'un haut-de-forme gris perle et vêtu d'une redingote comme on peut en voir sur les photographies des journaux de mode : des bouchers, des maquignons ou de minables hobereaux de province, en Bretagne ou dans le Sud-Ouest où il montait sur des hippodromes aux tribunes de bois, ou parfois sans tribunes, et parfois même pas d'hippodromes : de simples parcours tracés dans la campagne, délimités par des rubans ou des cordes attachés à des piquets, avec une baraque en bois pour les paris, un public de marchands de bestiaux extirpant de leurs poches d'épaisses liasses de billets entourés d'élastiques rougeâtres, telles qu'ils les avaient touchées le matin à la foire locale; et parfois obligé de fuir à travers champs, poursuivi par des parieurs furieux — quand on ne l'emportait pas sur une civière avec un poignet, un bras ou une jambe cassés — à vingt-six ans il totalisait déjà cinq fractures dont on pouvait sentir les cals sous ses muscles durs), la voix monocorde, placide, sans même un accent de gouaille, disant à l'adresse du comptable juif de la rue des Francs-Bourgeois : « Avec un nom comme le tien et comme ils sont les gus d'en face tu feras bien de faire gaffe à pas te laisser faire prisonnier », l'espèce de souris, de Mickey Mouse déguisé en cavalier disant : « Je sais. Merci. Je ferai attention » (en fait, il devait l'être, et de la façon la plus absurde : le train qui ramenait les permissionnaires rappelés d'urgence arrivant à sa gare de destination, et là les portes des wagons brutalement ouvertes par des gaillards hilares, aux casques ronds, habillés de vert réséda, mitraillettes sous le bras, hurlant de leurs voix gutturales et rigolardes : « Halé! Raus! Tout le bonde tescend!... Tehors! Loos, loos!... » — et ensuite ceci : le wagon obscur, étouffant, pour chevaux huit et hommes quarante, où depuis deux heures déjà, avec soixante-quinze autres comme lui était enfermé le brigadier (c'était la nuit, sur une voie de triage de la gare d'une petite ville belge où tous les balcons arboraient gaiement l'obsédante flamme rouge frappée de l'obsédant sigle noir et où il était arrivé la veille après avoir une première fois traversé à cheval la moitié du sud de la Belgique, puis l'avoir retraversée,

231

toujours à cheval (mais parfois au galop, poursuivi par des bombes ou les tirs des mitrailleuses) en sens inverse, puis encore retraversée (suivant à peu près le même itinéraire qu'à l'aller, mais à pied cette fois, sous escorte en armes, mourant de soif et l'estomac déchiré de crampes), puis poursuivant (mangeant de l'herbe, un soir, dans un pré où on les avait parqués pour la nuit) le trajet qu'il n'avait pu continuer à cheval la première fois, puis tout un jour enfermé dans l'école de la petite ville pavoisée de rouge, et maintenant dans ce wagon et à peu près dans l'impossibilité de remuer un membre sans que dix ou douze autres membres enchevêtrés appartenant à d'autres corps soient obligés de bouger en chaîne dans un concert de jurons, d'obscénités et de malédictions, et soudain la porte à glissière brusquement ouverte du dehors, et en même temps que l'air frais de la nuit pénétrait, luttait avec la gluante puanteur des corps emmêlés, une forme se profilant en noir sur le noir de l'ouverture, et comme une lutte alors, comme si dans une sorte de gesticulante pantomime des ombres humaines répétaient l'affrontement, le conflit, le combat entre la suffocante puanteur intérieure et la fraîche pureté de l'air extérieur, une voix qu'il (le brigadier) reconnut tout de suite, et plus lasse que résignée, plus indignée que plaintive, bien timbrée encore, disant sans que l'on sût si elle s'adressait aux silhouettes qui poussaient de l'extérieur ou aux ombres furieuses qui luttaient en sens inverse, disant : « Ce n'est pas la peine de me frapper ! Je... Ce n'est... », le concert des voix vociférantes la submergeant, l'étouffant, hurlant : « On est déjà soixante-quinze là-dedans, on va crever, on est déjà... »,

232

le fracas du panneau à glissière refermé, le noir, le cliquetis du verrouillage au-dehors, les voix gutturales s'éloignant à l'extérieur, le silence se rétablissant à l'intérieur quoiqu'un bruit assourdi de coups et de jurons continuât de parvenir du côté de la porte, et alors le brigadier criant le prénom (le prénom seulement), criant son propre nom, criant : « Par ici ! Par ici ! Laissez-le passer, nom de Dieu ! Laissez-le passer, merde, on est du même rég... On est copains, on... », continuant à hurler tout en se débattant tandis que les coups pleuvaient sur lui, pensant en un éclair Bon Dieu mais ce ne sont pas des hommes ! C'est un chargement de mulets !..., puis sans que ni l'un ni l'autre eût pu dire comment ils y parvinrent, à côté maintenant l'un de l'autre, se palpant, s'étreignant, le brigadier répétant « Nom de Dieu ! Nom de Dieu ! Comment est-ce que tu... Nom de Dieu... », quelque chose de visqueux, tiède, ruisselant sur les deux corps, les deux respirations haletantes cherchant l'air, les deux visages invisibles dans le noir baignés par quelque chose de liquide, salé...).

Mais ils n'en étaient pas encore là : pour le moment il (le brigadier) élevait dans l'air en la tenant par le col la vareuse aux manches de laquelle il avait achevé de coudre les doubles chevrons, donnant de petites tapes au drap et aux galons pour les aplatir, le jockey disant : « Bravo ! Tu y es quand même arrivé !... », puis se renversant sur l'herbe, s'étirant, allongeant le bras jusqu'à l'une des prunes qui parsemaient autour d'eux le sol du verger sans que personne vienne les ramasser (le premier jour, la femme et les enfants restés à la ferme avaient rapporté de la ville leurs paniers — des paniers grands comme des paniers à linge — aussi pleins qu'ils étaient à leur départ et en avaient reversé le contenu au pied d'un arbre), tandis que le brigadier debout maintenant endossait sa vareuse, bouclait son ceinturon, disait : « Allons voir si cette bonne femme du bistrot peut nous faire cuire une omelette ou quelque chose de mangeable, je vous invite... ».

Et quatre jours plus tard encore, il (le brigadier) se tenait debout, accoté de l'épaule au montant de la porte grande ouverte d'un wagon de marchandises, le jockey resté avec les chevaux de l'escouade dans celui, en queue du train, où ils avaient été embarqués, le juif accroupi à son côté sur le plancher, les jambes repliées, adossé à la paroi du wagon, silencieux, jetant de temps à autre un coup d'œil à l'extérieur à travers les jambes du brigadier et les bustes des quatre ou cinq cavaliers assis les jambes pendantes dans le vide et qui, depuis le matin, depuis que le train roulait, n'avaient cessé de crier et de chanter, apostrophant les paysans dans les champs (le train ne roulait pas beaucoup plus vite qu'un cheval au galop), les employés du chemin de fer, les filles et les gens qui les regardaient, immobilisés aux passages à niveau ou sur les quais des gares traversées, brandissant des bouteilles et sinon véritablement ivres s'enivrant, s'étourdissant de leurs chants et de leurs cris. Comme si, en l'espace de quatre jours (les quatre jours qu'ils avaient passés, cantonnés dans le village aux vergers parsemés de prunes invendues, à toucher leurs équipements et leurs armes, se réhabituer aux commandements et aux chevaux), les paisibles et craintifs cultivateurs ou les paisibles employés de magasin qui étaient docilement venus s'agglutiner à la grille de l'usine à gaz avec à la main leurs petites valises, comme les rescapés de quelque désastre, de quelque cataclysme cosmique, parlant bas, soucieux et jetant autour d'eux des regards inquiets, avaient, en revêtant l'uniforme et en bouclant leurs éperons, revêtu en même temps comme une sorte d'anonyme et viril déguisement à l'abri duquel se donnaient maintenant libre cours une agressive fureur, une agressive rancœur, défiant ce monde qui moins d'une semaine auparavant était encore le leur et qui maintenant les excluait, les condamnait, les transportait ni plus ni moins que des bestiaux vers quelque inéluctable destin de bestiaux contre lequel ils élevaient sous forme de grossièretés et de chants obscènes une ultime et impuissante protestation.

Le soir tombait et des nuages bas, d'un gris froid, métallique, couraient au-dessus des sapins entourant la gare où s'était immobilisé depuis un moment l'interminable convoi de wagons d'un rose terreux le long d'un quai de l'autre côté duquel vint s'arrêter un train civil, un rapide aux longues voitures vertes où, derrière les vitres, s'encadraient les visages des voyageurs contemplant en face d'eux avec une muette consternation les groupes débraillés pressés dans les ouvertures des portes à glissière et dont les gesticulations, les chants qui avaient commencé à se lasser, s'apaiser, semblèrent ranimés, attisés ou plutôt exacerbés par cette consternation même, redoublant encore, comme sous l'effet d'un défi, d'une provocation, d'une carnavalesque et intolérable parodie, à la vue des masques à gaz que portaient en bandoulière, comme ils auraient porté des épuisettes ou des cannes à pêche, les membres d'une petite famille descendue du rapide et qui se hâtait en direction du passage souterrain, comme poursuivie, chassée de proche en proche par une suite de clameurs sauvages, le père et la mère chargés de valises poussant devant eux dans une fuite éperdue, comme pour les préserver de la vue d'une scène pénible et choquante, les deux fillettes qui se retournaient, et alors ceci : un des voyageurs descendu lui aussi du rapide et qui se dirigeait vers la sortie s'arrêtant soudain devant l'ouverture où le brigadier se tenait, accoté au montant de la porte au-dessus du groupe aviné qui s'agitait à ses pieds, et déployant alors à deux mains, la première page tournée vers les braillards, un journal dont la manchette portait cette fois en lettres si énormes que chacun des deux mots emplissait toute la largeur de la page (et l'ensemble presque sa hauteur) : MOBILISATION GENERALE.

Longtemps par la suite il (le brigadier) devait se rappeler cet homme debout, le journal déployé cachant son visage dont on ne voyait apparaître au-dessus de la manchette que les deux yeux qui le fixaient avec une sorte de fureur, de reproche et de vindicative méchanceté. Peu après le train civil et le convoi militaire démarrèrent presque simultanément en sens contraire. Bientôt la nuit ne tarda pas à tomber et avec elle, quoiqu'on ne fût qu'au début de septembre, une soudaine fraîcheur, comme s'il avait éclaté un orage quelque part. Dans le wagon l'excitation avait fait place à un silence morne et l'un après l'autre ceux qui s'étaient tenus toute la journée à la porte, les jambes pendantes dans le vide, rentrèrent à l'intérieur du wagon et vinrent s'asseoir comme les autres, le dos appuyé à la paroi, les genoux à demi repliés et taciturnes. Quelqu'un avait allumé une lanterne posée sur le plancher qui éclairait d'en dessous la trentaine d'hommes maintenant immobiles et sans voix. Dans le rectangle de la porte qu'au bout d'un moment on avait fermée à demi à cause du froid on pouvait voir onduler sur un ciel presque noir la ligne de faîte dentelée et à présent complètement obscure des sapins.

*
* *

Il tombait une pluie fine lorsque le train s'arrêta, tard dans la nuit, en pleine campagne semblait-il car on ne voyait ni bâtiments ni d'autres lumières que celles de quelques lampes-tempête ou de lampes de poche plus fluettes et voletant çà et là comme des lucioles, furtives dans les ténèbres, selon les allées et venues de leurs porteurs invisibles. Pendant un moment il n'y eut que des ordres brefs, des appels, puis on entendit le grondement des portes à glissière repoussées, puis les cris et les appels des hommes courbés sous le poids des lourdes planches des rampes, puis l'une après l'autre apparurent les silhouettes fantastiques et hennissantes des chevaux se profilant un instant en noir, à contre-jour sur le fond scintillant de la pluie autour d'un fanal, résistant d'abord, tirant à contresens sur le bridon, arc-boutés sur leur arrière-train, puis s'élançant soudain, dévalant au grand trot le plan incliné dans le bref tambour de leurs sabots sur la rampe, un moment entourés de pinceaux lumineux tournant comme les rayons d'une roue, et engloutis de nouveau par l'obscurité. A tâtons et dans le noir, les cavaliers commencèrent à replacer sur le dos des chevaux les selles alourdies par le poids des paquetages et des sabres. Maintenant ils s'affairaient en silence, étouffant parfois un juron lorsque l'un d'eux s'empêtrait dans les courroies ou se déchirait un doigt sur l'ardillon d'une boucle.

Quand tout fut fini, ils se tinrent debout, alignés à la tête de leurs montures dans la boue de mâchefer piétinée, commençant peu à peu à sentir la sueur en train de refroidir sur leurs épaules et dans leur dos. Avec les visières de leurs casques luisant faiblement sous la pluie qui continuait à tomber, leurs visages invisibles, leurs obscures silhouettes engoncées dans leurs longs manteaux et leurs éperons où s'accrochaient de faibles reflets, ils ressemblaient à des sortes d'oiseaux aux plumages détrempés, pourvus de becs et d'ergots de fer, qu'on aurait plantés là, espacés régulièrement comme sur un jeu d'échecs auprès de leurs bêtes apocalyptiques aux longs cous pendants, comme accablées sous le poids de la pluie qui collait peu à peu les poils en taches sombres s'agrandissant lentement de part et d'autre des crinières tondues et sur les croupes. De temps à autre, la lumière d'un fanal révélait les petits cercles d'argent qui semblaient éclore, disparaissaient et se reformaient sans fin à la surface des flaques d'eau noire.

Jusque-là, occupés à faire descendre les chevaux des wagons, les rassembler et les seller, ils (les cavaliers) ne s'étaient pas aperçus de la pluie. Ou du moins ils ne s'en étaient pas souciés. Maintenant, dans le silence et le noir, ils pouvaient l'entendre, tombant sans discontinuer sur les toits des wagons vides, les casques, les cuirs des selles et des sacoches. Non qu'elle constituât à proprement parler un souci : simplement ils en prenaient conscience. Mais, comme le reste, ils l'acceptaient. Comme si, pour eux, elle faisait inévitablement partie de ce à quoi ils avaient déjà consenti à partir du moment où ils avaient quitté leurs maisons et leurs fermes, puis s'étaient dépouillés de leurs vêtements, endossant en même temps que ceux fournis par l'armée (répertoriés jusqu'aux plus intimes — chemises et caleçons — au contact maintenant de leur chair et de leur sueur (comme pour bien signifier qu'à partir de ce moment leur chair, leur sueur elle-même ne leur appartiendraient plus) avec une tatillonne et maniaque minutie dans les registres de l'intendance au même titre que les pains de munition nécessaires à la nourriture de ces mêmes corps et les cartouches destinées à en déchirer d'autres) quelque chose qui avait succédé à l'inquiétude, à la stupeur, et qui n'était plus maintenant qu'une passive indignation, l'enregistrement sans plus de l'inéluctable et du fait accompli, de même qu'ils avaient enregistré, vaguement ahuris mais sans véritable surprise, peut-être même sans en comprendre tout à fait le sens, l'énorme manchette en lettres de deuil, comme un faire-part (celui de leur propre mort), qui s'étalait sur toute la longueur de la première page du journal déployé quelques heures plus tôt devant leurs yeux.

Et maintenant c'était simplement comme si elle devait être là elle aussi, à ce rendez-vous auquel, pour que tout fût dans l'ordre, elle était convoquée avec la nuit, c'est-à-dire pas la pluie que l'on regarde tomber de l'autre côté d'une vitre ou que l'on écoute tambouriner sur un toit, mais celle sous laquelle on reste immobile, debout ou monté sur un cheval, aussi longtemps qu'il lui plaira de tomber et exactement comme si elle ne tombait pas. Après un bref sifflement de sa locomotive déchirant les ténèbres (comme méchant, ironique et méprisant) et dans le bruit de ses attelages entrechoqués, le train vide était reparti, les abandonnant irrémédiablement, solitaires et misérables, comme si s'était détachée d'eux la dernière section de la chaîne (ou plutôt du cordon ombilical) qui les raccordait encore à leur vie passée, et il leur semblait maintenant être là depuis des heures, condamnés selon toute apparence à y rester pour toujours, à fondre et à se dissoudre lentement, toujours debout (ce serait sans doute, en commençant par les pieds, seulement une question de temps, pensa-t-il ; il devait avoir à apprendre cela : que désormais le temps était une notion dénuée de sens, qu'on pouvait dormir, rester éveillé ou immobile, marcher ou manger à n'importe quelle heure du jour ou de la nuit et dans n'importe quelles conditions : dans le noir, sous le soleil, dans la neige, l'obscurité, à l'aube, au crépuscule, au sec ou trempé — ou glacé — jusqu'aux os), jusqu'au moment où il ne resterait plus d'eux et de leurs anachroniques montures que de petits tas retournés à la boue originelle, s'élevant çà et là sur le mâchefer parmi les flaques d'eau.

Puis à cheval tout de même à la fin, la pluie toujours aussi drue, constante, impitoyable, mais malgré tout maintenant (pensa le brigadier) les pieds au sec (quoi-qu'il n'allait pas tarder à apprendre par où la pluie perverse et sournoise allait de nouveau attaquer, c'est-à-dire un peu plus haut : au genou, coincé entre les sacoches d'avoine et la selle, à l'angle du dièdre où se frayait un passage une petite rigole, de sorte que très vite le drap spongieux de la culotte se trouva à son tour détrempé et glacé), et à peine avaient-ils commencé à s'ébranler que le brigadier entendit le bruit : immémorial, comme parvenant des profondeurs de l'Histoire, menu pour commencer, insidieux, comme un léger grignotement de rat, un grésillement qui, tout d'abord, lorsque les premiers chevaux (ceux de la tête de la colonne) s'engagèrent sur la route asphaltée, s'ajoutait simplement à celui de la pluie, puis allant croissant, s'amplifiant à mesure que les uns après les autres les cavaliers qui le précédaient s'engageaient à leur tour sur la route, puis tout près, puis il put entendre les quatre fers de sa propre monture martelant maintenant l'asphalte sous lui, le bruit, le crépitement qu'il pouvait à présent décomposer en une quantité de chocs proches ou lointains, non seulement devant lui mais tout autour de lui, continuant à s'enfler, à croître, de sorte qu'à la fin il se trouva complètement noyé, précédé et suivi par cette alarmante et tranquille rumeur faite de centaines de sabots chaussés de centaines de fers s'élevant et s'abaissant, frappant le sol en un dur et multiple crépitement, continu, qui semblait emplir la nuit tout entière, s'étaler, formidable, désastreux et statique.

Car, dans le noir épais qui les enveloppait, le bruit n'impliquait ni déplacement ni progression à une vitesse quelconque dans une direction quelconque. Aussi bien (passifs, le dos voûté sous la pluie et la fatigue) les cavaliers auraient pu chevaucher de ces montures factices, vissées à un plancher et imitant par un ingénieux mécanisme les mouvements déhanchés et un peu raides d'un cheval au pas. Aucun vent d'une course, aucun mouvement de l'air (seule la pluie continuait, verticale, drue, même pas obstinée ou acharnée, se contentant de tomber), aucune modification perceptible du décor autour d'eux (c'était noir, opaque, impénétrable, sans que rien pût permettre d'espérer que tôt ou tard le jour reviendrait de nouveau) ne rendait sensible une avance, ni même un projet d'avance. Simplement ils étaient là, à peu près immobiles, assis ou plutôt à cheval sur des bêtes invisibles, ne déployant eux-même aucun effort (sinon celui d'endurer de la fatigue et de lutter contre le sommeil), entourés de ce qui était peut-être des champs, des prés, des labours ou des boqueteaux (parfois l'écho du crépitement se modifiait légèrement, comme s'ils traversaient quelque chose d'étroit, de resserré (un bois, un hameau ?), puis redevenait normal, s'étalait de nouveau) uniformément engloutis dans ces ténèbres d'encre emplies de ce vaste piétinement, ou crépitement, ou grésillement semblable (avec parfois quelques cliquetis, quelques tintements, de légers froissements de métal entrechoqué, comme des froissements d'élytres, les claquements de corselets ou de mandibules) à la confuse rumeur de myriades d'insectes s'abattant en d'obscures nuées, dévorant les campagnes ou, pensa le brigadier, se montant les uns sur les autres, pressés sur quelque charogne déjà puante : non pas la matrice mais (comme si celle-ci contenait à la fois son origine et sa fin) le cadavre noir de l'Histoire. Puis il pensa que c'était le contraire, que c'était l'Histoire qui était en train de les dévorer, d'engloutir tout vivants et pêle-mêle chevaux et cavaliers, sans compter les harnachements, les selles, les

242

armes, les éperons même, dans son insensible et imperforable estomac d'autruche où les sucs digestifs et la rouille se chargeraient de tout réduire, y compris les molettes aux dents aiguës des éperons, en un magma gluant et jaunâtre de la couleur même de leurs uniformes, peu à peu assimilés et rejetés à la fin par son anus ridé de vieille ogresse sous forme d'excréments.

Plus tard la pluie s'arrêta, mais il n'aurait pas pu dire à quel moment ni depuis combien de temps (il avait cessé d'y faire attention : sans doute s'atténua-t-elle peu à peu), et même, un peu plus tard encore, la lune se montra, pas très lumineuse, voilée, sans relief ni éclat, un disque légèrement aplati sur le côté, simplement blafard, comme recouvert d'un verre dépoli, ce qui suffit cependant pour que les cavaliers puissent maintenant distinguer des masses confuses et noires, boudinées (buissons, haies, groupes d'arbres ?) qui dérivaient lentement de chaque côté de la route, posées sur l'étendue à la fois laiteuse et obscure de la campagne, distinguer aussi la silhouette du cavalier qui les précédait et un moutonnement de pâles reflets sur les deux files des casques, prenant soudain conscience qu'ils étaient à présent restitués au mouvement et à l'action. Il se passa encore environ une heure ainsi pendant laquelle, semblait-il, les mêmes silhouettes boudinées d'arbres et de buissons continuèrent à glisser presque insensiblement, se masquant et se démasquant, isolés ou en groupes, comme s'ils flottaient sans poids, entraînés par quelque courant paresseux, à la surface d'une eau dormante, ou comme de bizarres concrétions minérales sur la croûte grisâtre et sans vie d'un astre mort. Plus tard encore il y eut des ordres criés en tête, courant de proche en proche : des ordres que, sans doute, les chevaux comprenaient avant même les ombres somnambuliques qui les montaient ; ils (les chevaux) se serrèrent d'eux-mêmes sur la droite et, quoiqu'ils fussent toujours au pas, il sembla soudain aux cavaliers que leur vitesse doublait, car ce qui défilait maintenant en sens contraire, sur l'autre côté de la chaussée, ce n'était plus seulement les vagues silhouettes d'arbres et de buissons mais, comme découpé en ombres chinoises, un cortège de voitures, d'animaux, d'hommes et de femmes, les uns à pied, conduisant les attelages par la bride, les autres recroquevillés en boule sur les charrettes hérissées de ce qui semblait être des entassements d'objets confus, buffets, tables, chaises, lits démontés, matelas, cages à poules (ou poules et coqs simplement liés par les pattes, jetés pêle-mêle parmi les paquets et muets d'épouvante), ou encore de ces ballots gonflés, semblables à d'énormes tomates ou d'énormes potirons surmontés, comme si des bouquets de feuilles y étaient encore attachés, par les oreilles des quatre coins noués d'une couverture.

Maintenant, au crépitement des sabots se mêlaient les grincements d'essieux mal graissés et les menus craquements des gravillons sous les roues. Et rien de plus, rien que ce double courant, cette double procession cheminant en sens inverse, les têtes des cavaliers toutes tournées d'un même mouvement vers la gauche, leurs yeux ensommeillés regardant défiler au-dessous d'eux avec ce morne abattement des protagonistes d'un désastre (séisme, tornade, inondation) ce qui constituait pour ainsi dire à la fois comme le négatif et la complémentarité d'eux-mêmes : d'un côté, donc, la longue et obscure colonne de chevaux et d'hommes en armes s'avançant entourée, ou plutôt nimbée comme d'une aura maléfique de l'apocalyptique crépitement de sabots et des cliquetis d'aciers — de l'autre, la lente succession des véhicules hétéroclites (charrettes à foin, carrioles, tombereaux) couleur de terre (c'était quelque chose que même dans la demi-obscurité on pouvait voir, comme on peut sentir une odeur dans les ténèbres; quelque chose qui était inhérent aux voitures, aux ballots entassés, aux vête- ments : le brun terne des couvertures, de la boue accrochée aux roues, des croûtes écaillées sur les jarrets des vaches et des veaux — seule parfois une tache noire trahissait le rouge d'un édredon ou d'une courtepointe), avec leurs chargements encordés et débordants, les bes- tiaux attachés par une longe à l'arrière, les femmes assises parmi les paquets, semblables elles-mêmes à des paquets (ils — les cavaliers — pouvaient parfois entrevoir un profil rigide, dur, sculpté dans une matière inerte, comme le malheur), les hommes conduisant les bêtes, et eux aussi de profil, regardant aussi avec une sorte de farouche obstination droit devant eux dans le noir, sombres, femmes, hommes, enfants — tout au moins ceux qui ne dormaient pas, enfouis sous des lainages au milieu des cartons et des batteries de cuisine ficelés à la hâte — frappés, aurait-on dit, d'une même stupeur, sous le coup de cette malédiction qui les chassait de leurs maisons et les jetait en pleine nuit sur les routes, traînant avec eux leurs entassements de bahuts, d'édredons, de machines à coudre et de moulins à café couronnés de vieilles bicyclettes couchées sur le flanc, semblables à des

245

squelettes, des carcasses d'insectes à la morphologie compliquée, arachnéenne et cornue.

Et à un moment (comme si se confondait dans leur malheur tout ce qui, d'une façon ou d'une autre, les avait chassés de chez eux, armé de papiers, coiffé d'un képi ou d'un casque : les secrétaires de mairie ou les gendarmes qui, quelques heures plus tôt, en même temps que les journaux imprimaient leurs énormes manchettes, avaient frappé à leurs portes), sans cesser de marcher, un homme qui conduisait l'une des charrettes se mit à crier quelque chose en direction des cavaliers, la tête levée, articulant avec violence dans une langue rauque, gutturale, des mots qu'ils ne comprenaient pas. Ce pouvait être un avertissement, des menaces ou des injures, ou les trois à la fois. Puis, dans la même langue, l'un de ceux qui suivaient cria aussi — mais cette fois à l'adresse de l'homme —, toujours dans cette même langue sauvage, violente, et il (le premier homme) se tut, ramena sa charrette dans la file. En fait, à la vitesse où les deux colonnes se croisaient (c'est-à-dire le double de la vitesse d'un cheval au pas) ce fut à peine si chacun des cavaliers put saisir quelques mots, ou plutôt quelques sons articulés qui ressemblaient eux aussi à quelque chose de boueux, primitif, lourd, c'est-à-dire comme une ébauche de langue, un patois, ou plutôt une corruption de langue, un des ces dialectes à travers lesquels se comprennent les populations à cheval sur deux frontières, pas exactement pareils de chaque côté mais conservant suffisamment de leur argile et de leur boue originelles pour que les cousins puissent s'asseoir le dimanche devant une bouteille ou que dans les bals de village les garçons et les filles s'entendent aussi sur ce que veulent les uns et les autres, avec ou sans frontières. Il n'y avait pas de vache à la longe à l'arrière de la dernière charrette, rien qu'un chien attaché sous le tablier par une ficelle, marchant silencieusement, sa silhouette de loup hachée par les rayons des roues. Une poêle sans doute pendait, mal arrimée, se balançant et cognant à chaque cahot avec un bruit de quincaillerie qui s'approcha, grandit, passa, décrut. Pendant un moment on l'entendit encore tinter, comme une cloche, tandis que s'éloignaient peu à peu les grincements d'essieux, comme une dernière protestation, un gémissement tenace, de plus en plus faible, ténu, recouvert à la fin, noyé, sous le monotone crépitement des sabots, seul de nouveau à remplir la nuit.

Comme s'ils (les cavaliers) avaient été une seconde fois abandonnés, reniés (la première par la locomotive au sifflet moqueur, le symbole du monde mécanique et civilisé emmenant avec elle les wagons d'où ils avaient été extraits en pleine nuit et sous la pluie pour être déposés dans un endroit dont ils ne savaient même pas le nom, la seconde par les habitants chassés d'un endroit vers lequel eux-mêmes se dirigeaient et dont ils ne savaient pas non plus le nom), et même maudits (car, de toute évidence, c'était bien quelque chose empreint de haine que venait de leur crier le conducteur de la charrette), ce qui (après l'homme qui dans la gare leur avait montré le journal déployé, les fixant au-dessus de l'énorme manchette de ses yeux à la fois sombres et furieux) faisait la seconde malédiction de la journée, ou plutôt (car un autre jour, à en juger par la position de la lune, était déjà entamé) de leur voyage.

Comme si la communauté qui les avait désignés (comme on choisit les bestiaux ou les animaux de trait et selon les mêmes critères : pour leur jeunesse et leur vigueur) s'était déjà amputée d'eux, les arrachait d'elle avec horreur, les excluant, les rejetant à sa périphérie sur une frange extrême du territoire tribal dont on chassait à leur approche les populations : la dernière charrette s'éloignant irrévocablement en laissant derrière elle, de même que l'air continue à vibrer bien après la fin du glas (depuis longtemps maintenant la voix furieuse s'était tue, depuis longtemps les cavaliers avaient cessé d'entendre des gémissements d'essieux, les craquements des gravillons sous les roues et même le tintement ferraillant de la poêle), son sillage de passive exécration. A présent, luttant contre le sommeil, les reins et les genoux douloureux, ils pouvaient sentir à chaque pas de leurs chevaux s'élargir dans leur dos cette cassure (ou ce mur : de même que l'homme au journal avait déployé entre eux et lui comme une sentence pour leur signifier leur bannissement la mince feuille de papier aux caractères monumentaux pour ainsi dire maçonnés, sans interstices ni fissures) qui désormais allait les isoler du reste du monde civilisé, les reléguant, eux, leurs hongres et leurs juments condamnées au célibat, dans un univers d'eunuques casqués confinés aux limites de terres dépeuplées, surveillés de loin par des gendarmes et des nègres gigantesques amenés tout exprès du fond de l'Afrique avec leurs dents éclatantes, leurs joues barrées de cicatrices rituelles, leurs fusils baïonnette au canon, pour refermer derrière eux un second rideau défensif (ou plutôt une sorte de cordon sanitaire) chargé de protéger le monde dont ils étaient

248

irrémédiablement coupés à présent non pas tant contre
d'improbables velléités de mutineries que de sa propre
culpabilité. Puis la lune disparut. En tout cas ils la
perdirent de vue, un moment indécis, car la lumière (ou
plutôt la vague lueur blanchâtre répandue sur la campagne où semblaient toujours dériver les mêmes îlots aux
formes boudinées et noires) subsista, un moment indécise
elle-même semblait-il quant à sa provenance, puis s'af-
fermissant, non plus par l'effet de la lune mais de son
propre chef, les prés à présent comme couverts de givre,
puis (en même temps qu'ils commençaient à distinguer
la couleur du cheval qui les précédait) ils se rendirent
compte que ce n'était pas du givre, distinguant aussi peu
à peu des labours, des champs moissonnés, des pâturages
— et non plus des formes noires mais des haies, des
buissons, des arbres qui semblaient peu à peu s'ébrouer
(quoiqu'il n'y eût aucun vent), palpiter faiblement,
comme pour se désengluer, s'extirper des ténèbres qui,
en même temps que s'égouttait des feuilles la pluie de
la nuit, se retiraient d'eux, comme une marée, un
brouillard obscur encore accroché par endroits, persistant
sous les branches, au sein d'un bosquet, la campagne
grisâtre pendant un moment, puis se diversifiant peu à
peu (comme si des pigments colorés remontaient à la
surface d'un liquide brouillé, se séparaient, se remettaient
en place), les prés d'un vert tendre avivé par la pluie, les
labours bruns, les haies d'un vert plus foncé avec, çà et
là, précocement touché par l'automne, un buisson ou un
arbre déjà roux, puis, dans un tournant, ils purent voir
devant eux, précédée du formidable capitaine sur son
formidable cheval d'ébène, à l'ondulante queue d'ébène,

à la crinière d'ébène, la longue colonne des cavaliers dans leurs uniformes couleur de boue, la longue répétition du même dos barré en oblique par le même mousqueton, surmonté du même casque, la longue répétition de la même jambe gainée de cuir dépassant du même manteau déployé en éventail, tombant presque jusqu'au pied engagé dans le même étrier au talon duquel brillait comme un minuscule éclat d'argent le même éperon, et, au-dessous, l'infatigable va-et-vient des centaines de jambes infatigables allant et venant comme sous quelque longue chenille au dos ocre, au ventre d'acajou, se croisant, se séparant, se croisant de nouveau, comme des compas, graciles, légères, élégantes au-dessus de leurs reflets sur l'asphalte de la route mouillée, emplissant le paysage de ce crépitement qui n'avait pas arrêté quoiqu'ils eussent cessé de l'entendre (ou du moins d'y prêter attention), mais à présent différent, non plus diffus, menaçant, mais comme triomphant, clair dans l'air lavé, plus rapide aussi aurait-on dit, comme si les chevaux eux-mêmes avaient aperçu, coincés entre deux collines au-delà des haies et des bouquets d'arbres, les grands toits de tuiles mauves, le clocher, les premières maisons du village où sur les portes des granges seraient tracés à la craie les numéros des pelotons, des groupes, des escouades : c'était le jour.

*
* *

Et ce fut à peine si, le surlendemain, l'appel du matin différa des autres : l'escadron aligné sur les trois côtés d'un carré, le capitaine debout au milieu du quatrième laissé vide, avec, un peu en retrait, les quatre lieutenants et, un peu à l'écart et légèrement plus en retrait encore l'officier de santé, le maréchal des logis de jour sanglé dans ses buffleteries, la jugulaire du casque coupant son menton en deux, la coquille de son sabre au creux du coude, écoutant (ou faisant semblant d'écouter) les brefs décomptes des gardes d'écurie, des hommes de corvée et des malades faits par les sous-officiers de chaque peloton, puis effectuant (le maréchal des logis de jour) un demi-tour, s'avançant en direction du capitaine, s'arrêtant à trois pas, claquant des talons dans un tintement d'acier qui, dans cette arrière-cour de ferme bordée d'un hangar, retentit avec un cliquetis menu, noyé dans la silencieuse rumeur des arbres s'égouttant. Il avait encore plu pendant la nuit : maintenant il bruinait seulement ou plutôt, en suspens dans l'air frais du matin, s'affalait un voile de minuscules gouttelettes qui ne mouillaient même pas, entretenaient seulement le vernis des feuillages, se déposaient en une poudre grise, comme d'impalpables gouttes de mercure, sur le drap des uniformes — et des bouches des sous-officiers, puis du maréchal des logis de jour, puis du capitaine lorsqu'il parla, s'échappait à chaque fois un faible brouillard, même pas de la consistance d'une bouffée de cigarette, se dissolvant aussitôt, comme si le bref échange des formules réglementaires se déroulait dans une sorte d'aquarium où les bouches des poissons s'ouvrent et se referment sans bruit, laissant parfois échapper d'argentins chapelets de bulles, sans plus de réalité et de signification que n'importe quel rituel réglé une fois pour toutes et dont aucun des acteurs n'attendait quoi que ce fût sinon que l'une après l'autre les bouches s'ouvrent pour laisser échapper de petits nuages de buée aussitôt évanouis ; le capitaine remerciant le maréchal des logis de jour en portant la main à son bonnet de police mais le maréchal des logis étant sous les armes ne salua pas, exécuta simplement un quart de tour, avança de trois pas, exécuta un second quart de tour, vint se placer sur la droite du capitaine et à sa hauteur, puis, après un demi-tour complet, s'immobilisa, figé, les talons joints, la coquille astiquée du sabre étincelant toujours au creux de son coude, demeurant ainsi même après que la voix du capitaine eut articulé les deux syllabes du mot « Repos », un confus relâchement se produisant alors sur les trois côtés du carré, puis les cavaliers de nouveau immobiles tandis qu'il (le capitaine) se raclait la gorge, son visage couperosé, charnu et sanguin s'empourprant seulement un peu plus lorsqu'il commença à parler, sa voix s'élevant alors avec netteté dans le silence, poussant devant elle, à chaque articulation de voyelles, de diphtongues ou de consonnes les petits nuages de vapeur aussitôt dissous, de sorte qu'il semblait aux cavaliers que ce qu'ils pouvaient entendre maintenant (c'est-à-dire simplement que la guerre était commencée) n'avait pas plus de signification et de réalité concrète qu'un peu plus tôt l'échange des formules réglementaires entre le capitaine et le maréchal des logis de jour, clôturé par l'inévitable cliquetis d'éperons. Pendant quelques secondes après qu'il eut fini de parler, il (le capitaine) se tint dans la même position, son épais visage charnu encore plus rouge maintenant, cramoisi, les sourcils fron- cés, l'air soucieux ou plutôt gêné, soit que le fait d'avoir lui-même articulé les quelques mots qui, à la même heure, s'étalaient sur les manchettes des journaux du monde entier en caractères gigantesques lui en eût fait sentir plus violemment encore la signification, soit encore qu'il eût préparé pour les accompagner quelque formule longuement calculée qui, maintenant, devant l'escadron immobile et muet, lui apparaissait soudain ou pas assez (ou trop) virile, ou pas assez (ou trop) paternelle, hésitant, le visage violacé maintenant, puis tout à coup, dans sa détresse, comme avec impatience (ou pour lui demander secours), tournant la tête en direction du maréchal des logis de jour, et sans même que le maréchal des logis eût paru s'apercevoir de non pas l'ordre mais la requête exprimée, la voix (celle du maréchal des logis) hurlant maintenant : de nouveau un cri inarticulé, rauque, bref, comme en poussent les bêtes, quoique n'impliquant ni effroi ni colère (comme pourrait en faire entendre quelque mécanisme d'horlogerie doué d'une voix), auquel répondit le cliquetis argentin de trois cents éperons claquant simultanément, les trois côtés du carré formé par les cavaliers alignés soudain figés de nouveau, le capitaine portant la main à son bonnet de police, saluant, puis, avant même que la voix (le cri) eût retenti une seconde fois, tournant brusquement le dos, marchant déjà à grandes enjambées vers la porte ouverte à l'arrière de la maison à laquelle appartenait la cour et où il s'engouffra, l'ouverture un instant presque complètement obstruée par son large dos, suivi à la file par les quatre lieutenants derrière lesquels, un instant, comme la toque du groom chargé de bagages et fermant la marche dans une porte à tambour, le képi de velours grenat de l'officier de santé venant en dernier fut encore visible, après quoi la porte

253

(une de ces portes à la partie vitrée ornée de rideaux de filet et protégée de ferronneries décoratives) se referma.

Et rien d'autre : les cavaliers rompirent les rangs, regagnèrent les granges, les écuries et les étables où les attendaient leurs chevaux, deux ou trois (des citadins, vendeurs de magasins ou employés de bureau) s'essayant sans écho à quelques-unes de ces plaisanteries fanfaronnes ou macabres, leurs voix gouailleuses et mal assurées se perdant dans le vide, cessant, et pendant toute la matinée, silencieux, l'œil fixe, ailleurs, absorbés avec une inhabituelle, méticuleuse et farouche concentration, balayant leurs cantonnements déjà balayés, nettoyant leurs équipements, s'acharnant à fourbir un étrier déjà fourbi, à graisser une bride déjà graissée, ils attendirent les ordres, jusqu'à ce que vînt simplement, exactement comme la veille, celui de seller les chevaux, et exactement encore comme la veille, toujours en selle nue, simplement pour les promener, et ensuite trottant à vive allure dans les chemins boueux, les sous-bois encore trempés de pluie, évitant toujours de parler ou de se regarder, s'élevant et retombant mécaniquement sur les selles, tournant parfois furtivement la tête ou tendant l'oreille en direction de l'est, mais sauf le souffle pressé des bêtes ou le choc d'un fer sur un caillou ne percevant qu'un monumental silence, insolite, et rien d'autre, et la même chose le lendemain, et la même chose encore le jour d'après, et la semaine d'après, et le mois d'après encore, et les mois qui devaient suivre ensuite : seulement la campagne déserte, mélancolique, les bois mélancoliques dont peu à peu les feuilles jaunissaient, se détachaient, se dénudant peu à peu dans la rutilante splendeur de l'automne, l'humide et vaporeuse lumière, sous les pluies, les vents peu à peu plus froids, puis froids pour de bon, puis glacials, puis non plus les perfides rigoles d'eau qui s'insinuaient entre les sacoches des selles et le drap des culottes à hauteur du genou, mais la neige fondante, la campagne et le monde tout entier sem-blait-il comme ensevelis, paralysés sous une couche uniforme et silencieuse de blanc, avec maintenant les bois et les haies d'un brun mauve, ou noirs, et eux toujours montés sur leurs anachroniques chevaux : l'ale-zane, l'élégant pur-sang qu'il (le brigadier) s'était vu attribuer mourut au bout d'un mois, squelettique, si épuisée par les interminables étapes qu'elle ne songeait même pas à renauder, se cabrer et ruer lorsqu'il mettait le pied à l'étrier (et, comme elle, le jockey au nom italien disparut aussi : par accident, le lendemain du jour où le capitaine avait annoncé à l'escadron réuni la déclaration de guerre, se prenant malencontreusement la cheville entre les barreaux de l'échelle qui conduisait à la grange où ils (les six hommes de l'escouade) dor-maient, mais, comme il l'avait dit lui-même, il n'en était pas à une fracture près, et étendu sur le brancard, tandis qu'on glissait celui-ci dans l'ambulance qui allait l'emporter et qu'il lui faisait un dernier signe d'adieu, il (le brigadier) n'aurait pu dire si dans le visage impassible de condottiere l'un des deux yeux qui lui rendaient son adieu n'avait pas légèrement cillé) et le brigadier avait remplacé l'alezane par une disgracieuse mais robuste jument capable (elle le prouva quand il le fallut, les éperons lui déchirant les flancs, la dragonne détachée du sabre fouettant sa croupe) de galoper sans presque reprendre souffle pendant quinze kilomètres — après quoi il dut aussi l'abandonner.

On vit ainsi maigrir peu à peu, puis se faire porter malades, puis disparaître, de solides paysans, d'herculéens cultivateurs de betteraves, tandis que le petit juif malingre, avec ses oreilles décollées, son cou de poulet et son air souffreteux de commis semblait de jour en jour plus indestructible, supportant du même air indigné, imperturbable, aussi bien les kilomètres parcourus à pied ou à cheval que les gardes d'écurie et l'alimentation à base du riz de la Banque d'Indochine et de bœufs fournis par les milliardaires argentins : ils couchaient le plus souvent dans des granges, parfois, lorsqu'ils avaient de la chance, dans des maisons évacuées par les paysans et dont ils pillaient les bûchers ou brisaient les meubles ; à cheval ou embarqués dans des trains (plus aucun maintenant ne gesticulait ou ne chantait, assis les jambes pendantes dans l'ouverture des portes : celles-ci étaient aux trois quarts — ou complètement — fermées à cause du froid, et c'était tout juste si aux arrêts l'un d'eux faisait légèrement glisser le lourd panneau, cherchait à voir le nom d'une gare, d'une ville (ne découvrant le plus souvent qu'un enchevêtrement de voies de triage et d'interminables files de wagons à bestiaux, comme le leur, de plates-formes bâchées, ou de ces curieux wagons de minerai qui ressemblaient à des cercueils, les rails, les wagons, les bâches, luisant sous la pluie avec des reflets blafards), le jetant (le nom de la gare) par-dessus son épaule aux trente ou quarante hommes silencieux, indifférents et mornes, recroquevillés dans leurs manteaux), ils descendirent d'abord vers le sud, chevauchant de nuit dans des montagnes, cantonnant dans des hameaux où vivaient des paysans sauvages, repartant, suivant des gorges, franchissant des ponts invisibles sur lesquels les claquements des sabots se faisaient plus sonores, longeant des fleuves laiteux, vaguement phosphorescents dans le noir, puis remontant vers le nord, débarquant dans une ville triste, aux toits gris, avec des casernes, de petites places au sol jonché de feuilles jaunies de marronniers (et c'était Sedan : à l'est courait à perte de vue comme une muraille, dorée par l'automne, la formidable lisière d'une formidable forêt ; au cours d'un exercice, ils passèrent devant une maisonnette au crépi grisâtre, située au bas d'une côte à la sortie d'un bourg : il y avait une plaque sur la maison, l'endroit s'appelait Bazeilles et sur la plaque de marbre apposée contre la façade au crépi grisâtre était écrit « Les Dernières Cartouches »). Aux premiers grands froids ils s'arrêtèrent enfin : c'était un village dont presque tous les habitants avaient été évacués, où il y avait un abreuvoir au centre d'une place boueuse, des tas de fumier devant les maisons et un estaminet. A Noël les officiers organisèrent une fête : on leur servit du pâté en boîte, du poulet, du mousseux. On tira une loterie où chacun gagna quelque chose : un stylo, un briquet ou une montre aussitôt détraquée. Peu après, comme il (le brigadier) rentrait de permission, il trouva en pleine nuit l'escadron en état d'alerte, les montures déjà sellées, les flammes de deux granges en train de brûler se reflétant sur les cuirs, les sacoches, les croupes luisantes des chevaux : ils firent la chaîne avec des seaux pour éteindre les incendies, puis partirent dans la nuit jusqu'à un bois où on leur fit mettre pied à terre avec l'ordre de garder leurs armes ; il faisait vingt degrés au-dessous de zéro et ils se couchèrent tant bien que mal sur la neige, les uns contre les autres, après avoir encordé les chevaux. Mais ce ne fut pas pour cette fois-là : le matin l'ordre vint de regagner le cantonnement.

Quand l'hiver prit fin, ils bivouaquaient sur la frontière dans une forêt que bordait un étang. A l'une de ses extrémités il y avait une petite plage aménagée, avec des cabines, un plongeoir et des tables de bois sous une pergola. Les cabines aux portes béantes, la pergola à la peinture écaillée avaient cet air habituel de délabrement et d'abandon que prennent ces sortes d'établissements à la morte saison, sauf que tout semblait avoir été précipitamment abandonné, comme dans une panique, comme aux premières gouttes d'un orage d'été, les mères rappelant leurs enfants, remballant leurs ouvrages et les goûters, le tenancier vidant sa caisse dans une sacoche et partant sans même prendre le soin de donner un tour de clef à la cuisine, tout dans l'état où les fuyards l'avaient laissé, corrodé encore par les mois d'hiver pendant lesquels la pluie, le froid, le vent avaient peu à peu attaqué la peinture, démantibulé les portes battant à vide dans la nuit.

L'étang était le plus souvent d'un gris terne, métallique. Entre ce gris et celui du ciel s'étiraient une bande jaune, horizontale, dessinée par les joncs qui poussaient sur les rives et une autre bande d'un brun violacé qui était la forêt. L'hiver venait de finir mais les arbres étaient encore nus et balançaient avec raideur dans le ciel leurs branches griffues. Entre leurs troncs les petits rectangles kaki des tentes s'étageaient sur le sol en pente et les taches acajou des robes des chevaux attachés par leurs licols aux cordes tendues d'un tronc à l'autre. De temps à autre les notes d'une trompette s'élevaient, répercutées en échos cuivrés dans les bois. Au bout d'une semaine, les sabots des chevaux dans le sol mou et détrempé avaient tellement malaxé la terre qu'en certains endroits on enfonçait jusqu'aux chevilles. La discipline s'était sensiblement relâchée et le travail se réduisait aux indispensables corvées d'un bivouac. Chaque jour on promenait les chevaux dans la forêt et le soir les cavaliers les menaient boire à l'étang, montant à cru, galopant joyeusement dans la boue en conduisant par la bride un ou deux chevaux de main. Au bord de l'étang, là où avait été la petite plage aux cabines et à la pergola peintes d'un blanc écaillé, la vase noirâtre et piétinée était marquée par les profondes empreintes des fers en forme de croissants empiétant les unes sur les autres et au fond rempli d'une eau grise. Pendant la journée on pouvait voir de loin, sur la colline qui s'élevait au-delà de l'étang, les hommes d'un régiment indigène vêtus de treillis clairs piocher et pousser des brouettes, allant et venant comme des fourmis, occupés à creuser un large fossé et poser des barbelés.

Peu à peu les taillis se couvrent insensiblement de minuscules points verts, comme une poussière d'abord, un brouillard, puis de feuilles. Celles des charmes sont striées de délicates pliures à partir de leurs bords dentelés, de part et d'autre de la nervure centrale. Le temps se met progressivement au beau et la boue commence à sécher. Plus tard, il (le brigadier) se rappellera les chevaux montés à cru, les échos de la trompette sonnant l'extinction des feux, les feux de camp orange dans les bois s'enténébrant, les senteurs d'humus, l'irrésistible et invisible poussée de la sève tout autour dans le noir comme si on pouvait l'entendre, les hennissements d'une bataille de chevaux parfois au milieu de la nuit, les cris du garde accouru pour les séparer, l'air plus doux. Les hommes du groupe ont construit (ou volé à la baignade ?) une table et des bancs de bois dans la petite clairière où ils s'assoient pour prendre leurs repas. Un matin, comme le peloton se prépare pour se rendre aux douches, les chevaux déjà sellés sans paquetage, le brigadier est en train de cirer ses houseaux en écoutant trois hommes de l'escouade discuter de labours et de travaux de ferme avec le maréchal des logis lorsqu'arrive l'ordre d'alerte. Il fait très beau et le soleil joue parmi les feuilles déjà grandes, vert tendre, émeraude, citron, étincelantes. Des avions passent de temps en temps, très haut dans le ciel, presque invisibles. Le brigadier se tient un instant immobile, la brosse à la main, regardant la cire d'un rouge gras dans la boîte ronde, le couvercle de la boîte sur lequel est représentée en noir sur fond rouge la tête du lion, le pourtour du couvercle décoré de petites hachures, alternativement noires et rouges. Il pense Maintenant, maintenant... Il n'entend pas les sonneries des trompettes répétées plusieurs fois en notes brèves, sèches, pressées, il n'entend pas les ordres que crie déjà le maréchal des logis debout au milieu de la clairière, il perçoit confusément l'agitation soudaine du bivouac, les va-et-vient des cavaliers qui s'affairent. Son cœur bat peut-être un peu plus vite. Il se sent léger, excité. Il pense à la mort mais il est trop excité : il a trop à faire et se met aussi à courir vers sa tente.

IX
1914

C'était la période où l'été commence à se retirer, basculer, s'affaler pour ainsi dire sous son propre poids, avec cette pesante et inexorable lourdeur lassée d'elle-même, et cette année-là, à mesure que les jours se faisaient plus courts, chaque soir apportant avec lui un peu plus de cette frustration nostalgique de la lumière, la chaleur s'apaisant par degrés, laissant derrière lui (l'été) ce quelque chose de monstrueux dont il s'était enflé, qu'il avait porté à terme comme une femme grosse, avec cette même stupeur, ce même orgueil hébété, s'en délivrant au son des clairons et des clameurs d'ivrognes, s'apprêtant déjà à l'abandonner, horrifié, pour le retrouver un an plus tard, devenu adulte, couvert de boue et changé lui-même en boue, enterré vivant jusqu'au cou ou pourrissant sous le soleil revenu dans une puanteur d'excréments, de purulence et de charognes décomposées.

Mais on n'en était encore qu'au tout début. Il n'y avait même pas un mois que la chose avait commencé, les maîtres d'hôtel aux dos voûtés déambulaient maintenant avec mélancolie entre les tables désertées (plus — ou presque plus — de dîneurs, plus de joueurs de tennis, plus d'excursionnistes aux souliers ferrés traversant bruyamment le hall le soir, plus personne ne se pressant autour du kiosque à musique silencieux, plus de joueurs, plus d'épaules nues, de taffetas ni d'œillets blancs autour des tapis verts à présent sous leurs housses de serge), et entre les jeunes grooms (gamins du village voisin recrutés à la hâte, inutiles, affublés de tenues trop grandes tant bien que mal retaillées) et les jardiniers qui continuaient à entretenir les corbeilles de fleurs décorant les pelouses, il s'était pour ainsi dire creusé une sorte de césure, de béance, comme si le monde au masculin n'était plus à présent composé que d'enfants et de vieillards.

On aurait pu croire que rien n'était changé dans la petite ville d'eaux au pied des montagnes où les gens aisés de la ville fuyaient les étouffants étés : la même fraîcheur sous les ombrages du parc, les mêmes omniprésents murmures de ruisseaux, les mêmes orages d'août s'amassant certains après-midi, tout là-haut, autour des pics, crevant, les calmes et majestueux échos du tonnerre roulant et se répercutant au flanc des vallées, contre les pentes chauves déchirées de chicots, d'esquilles rocheuses, se boisant peu à peu à mesure que l'œil descendait jusqu'à l'opulente végétation de châtaigniers et de platanes, leurs opulents feuillages s'égouttant sur les pelouses au milieu desquelles s'élevait comme une pièce montée sur un coussin d'hortensias géants l'insolite et géante construction dont l'enseigne (HÔTEL IBRAHIM PACHA) en lettres dorées épousant les courbes de la marquise en forme d'éventail, aux élytres de verre et de fer, accroissait encore le caractère incongru, paradoxal, comme si avec sa consistance de crème foucttée, sa blancheur pour ainsi dire enrubannée de bleu pâle et de rose par les banquettes d'hortensias semblables à ces décorations de sucre dont s'ornent les chefs-d'œuvre de pâtisserie, elle avait été édifiée là, dans ce fond de vallée pyrénéenne, par la fantaisie de (ou en hommage à) quelque adipeux joueur de baccara à l'olivâtre visage surmonté d'un fez, aux grasses mains baguées, venu des bords du Nil ou du Bosphore l'honorer de sa clientèle, de ses pourboires et de son faste vaguement frelaté, ou simplement figurer (peut-être simplement un vague escroc pincé une carte dans la manche dans quelque casino et amené là de force, marché en main, avec mission de jeter chaque soir sur les tapis les plaques et les jetons qu'il rendait le soir à la direction) à titre d'attraction en quelque sorte, pour que le tableau, l'ensemble, fût complet, comme si la respectabilité de la lourde construction, le hall garni de plantes vertes, exigeait le piment d'une note exotique et vaguement crapuleuse : la touche rouge du fez, la noire moustache frisée au petit fer, la face huileuse et ronde, chargées de conférer à l'endroit l'indispensable statut cosmopolite et vaguement interlope auquel est tenue toute station thermale (le gâteau, la pièce montée dont, vingt-six ans plus tard, l'enfant que la négresse, la vieille dame aux bajoues victoriennes et la femme encore jeune promenaient dans les allées désertes du parc — l'enfant devenu par la suite un petit garçon, puis un adulte, puis redevenu une créature ou plutôt un organisme vivant exclusivement habité de préoccupations animales, le seul souci de manger et de boire, et qui devait par la voix d'un haut-parleur sur la place d'un camp de prisonniers apprendre qu'elle (la pièce montée) avait disparu d'un coup, en l'espace d'une nuit, comme par l'effet d'une baguette magique, effacée de la surface du monde, comme si à vingt-six ans d'intervalle le désastre et la désolation devaient revenir frapper aux mêmes lieux, et cette fois non pas endeuiller, déchirer, blesser à mort une simple promeneuse marchant derrière un landau poussé par une négresse, mais le lieu lui-même, (et plus radicalement encore que n'auraient pu le faire les obus ou les bombes explosant mille kilomètres au nord), les murmurants ruisseaux mués d'un instant à l'autre en un torrent furieux, rugissant, ne laissant subsister après son passage (cela ne dura que quelques heures) des terrasses, de la marquise, des balcons, des pelouses, des banquettes d'hortensias et du souvenir du pacha oriental qu'un désert de pierrailles large de deux cents mètres et que les habitants du village construit sur un épaulement découvrirent avec stupeur lorsque le soleil se leva de nouveau).

Et peut-être, passés les premiers jours (les trois ou quatre nécessaires à leur installation, occupés à déballer les malles, suspendre les robes dans les armoires et disposer les meubles à leur goût dans l'appartement loué par la vieille dame au premier étage de l'hôtel, installer la négresse et la cuisinière amenées avec elles — car il y avait aussi une cuisinière, soit qu'en fin de compte l'établissement eût renoncé à payer les vieux maîtres d'hôtel rien que pour se tenir debout, ridés, voûtés et mélancoliques dans leurs habits noirs entre les rangées de tables sans dîneurs, soit que la vieille dame et sa fille aient préféré ne pas se montrer, redouté aux repas l'inconvenant voisinage de jeunes gens ou d'indifférents étrangers, vivant cloîtrées, ne sortant que pour promener l'enfant) peut-être envoya-t-elle alors à cette amie de jeunesse (à laquelle elle continuait, par une inerte et futile coquetterie, en souvenir de leurs années virginales à écrire en espagnol) une carte où on pouvait voir l'insolite construction avec, alignés devant le perron sous la marquise aux élytres de verre, le directeur entouré de son état-major de chefs de rang et de cuisiniers, et au dos de laquelle (commençant par l'habituel « Ninita querida ») elle donnait simplement sa nouvelle adresse, la justifiant seulement par la santé de l'enfant, taisant pudiquement (ou orgueilleusement) le reste, ce qui avait précédé, la véritable motivation de cette installation — ou plutôt de cette fuite, de ce retrait volontaire du monde, sévère, hautain : la séparation, le départ, le cheval dans la cour, l'homme harnaché pour la guerre, la famille au balcon de la véranda — et elle au premier rang, au milieu, comme dans une loge de théâtre, comme lorsqu'elle assistait à Barcelone à ces spectacles sanglants et cruels dont elle était friande, regardant cette fois, pâle mais sans larmes, les mâchoires serrées, l'homme de guerre saisir l'enfant que lui tendait la négresse, l'embrasser, le presser un instant contre sa poitrine barrée de courroies, le rendre à la négresse, enfourcher le cheval, l'éperonner et disparaître tandis qu'elle restait là, cramponnée à l'appui, les articulations blanchies, continuant à regarder l'ouverture béante de la porte cochère où un dernier instant s'était encadrée la silhouette équestre, l'homme qu'elle avait attendu jusqu'à sa vingt-cinquième année, puis attendu encore tout au long de ces intermi-

nables et secrètes fiançailles de quatre autres années,
tenant bon contre les préjugés, le scandale, le visage
désolé de la vieille dame (ses remontrances, ses objurga-
tions peut-être), opposant à toutes les objections cette
passive ténacité de statue, cette affable, souriante mais
inflexible inertie ; quatre années pendant lesquelles tout
ce qu'elle avait possédé de lui était ces cartes expédiées
de pays lointains, représentant des pagodes, des rizières,
des paquebots, des pyramides, des chameaux, des sauvages armés de sagaies, des montagnes calcinées ou couvertes de jungles, et au dos desquelles était tracé, d'une fine
écriture, un simple nom suivi d'une date, l'indéfectible
détermination triomphant enfin : alors, ces quatre an-
nées-lumière dans l'île tropicale peuplée de nègres en
péplum et de boas domestiques, ce vol nuptial, cette
libération, ce ravissement ; en même temps que sa chair
longtemps emprisonnée s'ouvrait, se dilatait, accueillait en
elle celui qui l'avait pour ainsi dire enlevée par un rapt
légal, la soudaine révélation ou plutôt irruption dans sa
vie du monde nombreux, inépuisable, bigarré, grouillant
de foules, d'animaux sauvages, de fleurs inconnues, et
dans lequel elle pénétrait, étourdie, épuisée peut-être
(dans ce moment où la chrysalide devenue papillon et
parvenue à s'extraire par saccades de sa gangue reprend
souffle, encore engluée des sucs nourriciers, encore ahurie
de sa métamorphose, avant de déployer ses ailes et
prendre son vol), pas encore débarrassée de cette gaine
protectrice faite de niaiserie, de fades afféteries, dont elle
s'était enveloppée (ou dans laquelle sa naissance, son
milieu, son éducation l'avaient pour ainsi dire corsetée),
s'émerveillant maintenant à regarder plonger les négrillons

auxquels elle jetait des pièces de menue monnaie, d'être portée sur les épaules d'esclaves noirs, recopiant avec gourmandise pour les envoyer à sa mère les interminables énumérations de consommés, de timbales, de foies gras, de pintades, de suprêmes et de bombes glacées qui constituaient les menus des dîners chez le gouverneur, envoyant des photographies où elle figurait, radieuse, obstinément coiffée d'extravagants chapeaux, vêtue de jupes entravées (comme si les femmes partageaient avec les architectes cette faculté de transporter imperturbablement avec eux sous n'importe quelle latitude les modes de Chantilly ou les styles architecturaux des cafés d'Agen et des casinos de stations thermales), assise sous la galerie de leur bungalow et entourée par sa maisonnée de domestiques aux côtés de l'homme qui, sans képi ni casque, dans son uniforme de toile blanche, semblait figurer là comme un cinquième domestique (ou le majordome), avec sur son visage cette énigmatique expression à la fois indulgente et amusée du premier maître d'hôtel ou du chef piqueur pour l'insupportable héritière aux puérils caprices et aux puérils émerveillements — lui sorti de ses années de brousse, de ses relevés géodésiques, de ses marécages, lassé sinon saturé de femmes, de ces dociles et tendres corps aux peaux de cuivre ou de safran qui l'avaient étreint, les exquis visages surmontés de madras ou aux yeux fendus dont parfois (lorsque ce n'était pas seulement au hasard d'une escale, d'une étape, lorsque l'exotique orchidée n'occupait pas seulement ses nuits mais encore ses jours, lui servait ses repas, commandait peut-être aux autres serviteurs, le distrayait de ses bavardages d'oiseau) il envoyait la photographie à ses sœurs — les austères vierges montagnardes là-bas, dans leur pays de neige et de pluie, partagées entre leurs vies de maîtresses d'école et de paysannes, rangeant madras et filles-fleurs dans l'album de famille aux feuillets de carton où, encadrés d'un filet d'or, les rigides portraits de cousines et de tantes aux cheveux sévèrement tirés sur les tempes, aux corsages baleinés, boutonnés jusqu'au menton, d'hommes endimanchés, alternaient avec les portraits de créoles ou de sauvageonnes conduites à moitié nues chez le photographe qui avant de les accouder à quelque console devant une balustrade peinte en trompe-l'œil leur confectionnait (tout au moins côté face) à l'aide d'épingles et de quelques mètres de taffetas une robe d'impératrice des Indes ou de Castiglione.

Maintenant, chaque dimanche (elle envoyait aussi la photo de l'église de la Mission, une hideuse construction de briques pseudo-gothique, insolite ou plutôt indécente sous le soleil tropical), il l'accompagnait à la messe, elle coiffée d'un de ses chapeaux Chantilly, lui portant sous son bras un de ces casques coloniaux semblables à des cloches à melon, lui qui jusque-là n'avait jamais mis les pieds dans une église, dont de père en fils et de mère en fille, par cette tradition montagnarde et rigoriste, la famille s'était fortifiée dans un farouche, un inflexible refus de tout ce qui ressemblait à un prêtre ou à une prière, pour laquelle pénétrer dans un de ces lieux était simplement considéré comme un signe de malhonnêteté. Et ce dut être sans doute la seule fois où il se heurta de front à ces femmes qui l'avaient élevé dans tous les sens du terme, s'étaient effacées, volontairement rayées du monde pour lui comme on enfermait autrefois de force dans les couvents les sœurs cadettes de l'héritier mâle destiné à faire son chemin à la cour ou dans la carrière des armes : la seule divergence, la seule occasion où il dut affronter cette puritaine intransigeance, la première fois où l'une d'elles (l'aînée sans doute — elles qui avaient tout naturellement adopté, intégré à l'album de famille les mulâtresses à madras et les enfantines congayes) se permit d'élever la voix pour dire : « Elle n'est pas de notre milieu ! », la même objection quoique formulée différemment (« Il n'est pas de notre monde ») qu'avait opposée à sa fille la vieille dame pour qui le monde se limitait à ceux qui pouvaient comme elle se prévaloir d'une interminable théorie d'ancêtres costumés, conventuellement elle aussi claustrée dans ses préjugés et le vieil hôtel familial, ce mausolée des gloires passées ; mais peut-être encore eussent-elles admis cela (la différence des situations sociales, des milieux) si cette différence n'avait postulé ou plutôt impliqué ce qui était pour elles un insurmontable obstacle, le mot (« croyante ») qui en lui-même constituait une offense à leur dignité, qu'entre elles, lorsqu'elles reçurent la lettre où il leur parla de ses intentions, celle qui la lut (pas à la mère : ce quelque chose (plutôt que quelqu'un) de ratatiné, terreux, réduit à la dimension d'une pomme sous un bonnet à volants, dépassant du drap tiré jusqu'au menton, et qui occupait nuit et jour la même place sur l'oreiller, sauf quand elles dérangeaient, pour verser un peu de lait sucré dans la bouche ou nettoyer de ses déjections, le corps qui ne soulevait même pas les couvertures) hésita sans doute à articuler, baissant la voix, finissant sans doute par lâcher le mot avec consternation comme on fait pour parler d'un

271

vice, d'une tare, d'une maladie honteuse, d'un objet de scandale, comme si tous les espoirs qu'elles avaient placés en lui (cette délégation d'elles-mêmes chargée par procuration de leur fierté et de leur ambition, par l'intermédiaire de laquelle elles accéderaient non pas tant à une quelconque élévation sociale de la famille qu'à son évasion, son affranchissement d'une condition de bête de somme) s'écroulaient d'un coup, comme si se trouvait renié tout ce que leur avait appris à considérer comme la lutte du bien contre le mal leur lignée de paysans, de scieurs de long et de vignerons où tenaient lieu de Bible ces brochures aux couvertures grisâtres décorées de dessins allégoriques représentant un laboureur ou un forgeron sur fond de soleil levant aux rayons en éventail, grisâtres eux aussi.

Et peut-être l'une d'elles (l'aînée encore?) ne put y tenir, lui dit — ou lui écrivit — ce qu'entre elles-mêmes, dans leur accablement, évitant de se regarder, elles n'avaient osé formuler qu'à mi-voix, sortant de sa réserve, faisant violence à sa pudeur, sa fierté, sa tendresse, puis attendant (et si c'était une lettre, à travers la feuille de papier et l'écriture appliquée d'institutrice, ce dut être comme s'il pouvait voir son visage ou plutôt leurs visages à toutes deux, déjà usés, un peu carrés, aux chairs commençant à se raviner, le contemplant d'un air anxieux, navré, presque effrayé), et lui leur répondant, les apaisant avec cette indulgente bonhomie, ce même sourire que depuis l'école, puis le collège, en classe préparatoire, dans ses costumes râpés de boursier, puis à Saint-Cyr, il avait appris à opposer aux obstacles, le même, patient et inaltérable, qu'il avait dû opposer aux vexations de ses condisciples aux titres de marquis ou de baron (ceux pour qui le port d'un képi à plumes, de gants blancs et d'une épée ne représentait pas une promotion sociale mais un droit, un dû, de simples accessoires déjà déposés dans leurs berceaux), répondant encore à leurs objections, à leurs silences butés, de ce même air enjoué, cajoleur, comme s'il eût parlé à des enfants (elles dont la cadette avait dix ans de plus que lui), appuyant peut-être ses paroles d'un clin d'œil, comme pour s'en faire des complices, écartant d'un geste (leur expliquant qu'il ne s'agissait que d'une formalité, de simagrées, de concessions à de ridicules usages) les mots ou les images trop insupportables (car il lui fallut bien se faire baptiser, s'incliner, s'agenouiller devant un de ces hommes vêtus de robes qui, pour elles, incarnaient l'iniquité et la scélératesse), et à la fin triomphant d'elles aussi, obtenant, arrachant leur assentiment sans lequel (fût-il donné du bout des lèvres, les larmes tremblant aux bords des cils) il eût peut-être renoncé, rompu ses fiançailles, fût reparti à un autre bout du monde, au fond de quelque jungle, de déserts ou de montagnes calcinées.

Et en regard (tandis que durant quatre ans il s'employait à vaincre l'austère et superstitieuse prévention des deux sœurs, les deux sœurs vêtues de ces robes semblables à du carton que leur confectionnait à l'aide d'anciennes celle qui tenait le rôle d'homme — car elle savait faire cela aussi, et même des chapeaux, avec des oiseaux aux ailes de jais, des velours drapés, d'un peu de tulle et de perles bon marché), cet autre affrontement symétrique : la vieille dame qui voyait régulièrement arriver, tantôt du Caire, tantôt de Ceylan, d'Aden, de Singapour, d'endroits dont elle n'avait jamais entendu les noms gutturaux, comme Lang Song ou Loc Binh, semblables (les noms) à des pierres de jade ou des crachats d'opium, les cartes postales qu'elle remettait sans un mot, refoulant peut-être un soupir, à la jeune fille, déjà plus jeune, toujours aussi imperturbablement sereine, soumise, secrète, les saisissant d'un geste négligent, contemplant un instant le marché de chameaux, la plage bordée de cocotiers ou le village de paillotes, les reposant sans même peut-être lire ce qui était écrit au verso sur la table où elles prenaient ensemble leur petit déjeuner sans plus paraître y accorder d'attention qu'au reste du courrier (une autre carte peut-être, que la vieille dame lui avait tendue en même temps avec un secret espoir, portant, griffonné au dos, un de ces joyeux et galants madrigaux — quelquefois en vers — que savait trousser quelque ami des cousins excursionnant dans les Alpes, essayant une nouvelle automobile ou en manœuvres avec son régiment de cavalerie), toujours de ce même air négligent, absent, derrière lequel se cachait une passive et formidable détermination, jusqu'à ce qu'à la fin, à sept cents kilomètres de distance, les deux converses laïques aux robes économisées et la victorienne vieille dame à la chambre ornée d'un crucifix renoncent, se résignent, s'avouent vaincues.

Donc, ces quatre ans, cette île, ce morceau d'Afrique détaché dans un océan peuplé de requins et de poissons volants, ces foules bibliques aux noirs visages abrités de chapeaux de paille, aux corps drapés de toges, ces marchés où alanguie, la chair comblée (et bientôt alourdie, sentant bouger en elle une nouvelle vie), abritée d'une ombrelle, appuyée au bras de l'homme qu'elle avait attendu pendant quatre années, elle achetait des fruits aux formes et aux saveurs bizarres, des broderies, d'inutiles vanneries, se rendait à ces mondanités de préfecture à la fois provinciales, guindées et vaguement frelatées où, parmi les femmes d'administrateurs, de fonctionnaires et de planteurs, vêtue d'une de ces robes copiées par d'habiles mains noires sur les derniers journaux arrivés de la métropole, elle côtoyait pour la première fois de sa vie des gens auxquels la vieille dame n'aurait pour rien au monde ouvert sa porte, étourdie, écoutant avec une indulgence amusée les propos maladroitement mondains, plus ou moins lestes ou plus ou moins lourds de cette société mêlée particulière à ces climats et où se croisaient dans le cadre d'acajou du Grand Café décoré de glaces ou des jardins de la Résidence à la façade d'établissement thermal les gouverneurs francs-maçons, les Frères de la Mission, de rapaces négociants et, dans leurs uniformes de toile blanche aux galons un peu ternis par les sables des déserts ou la moite humidité des marécages, ces hommes aux visages sévères, aux regards fiévreux, aux corps nourris de quinine et d'absinthe s'inclinant pour baiser les mains des dames qui, protégées d'ombrelles couleur de fleurs, les regardaient, les jours de parade, étouffer dans leurs sombres tuniques de drap, brossés, astiqués, immobiles sous le terrible soleil tropical, alignés au cordeau, sabre au clair, contenant avec peine leurs chevaux harcelés de mouches, et aveugles sous ces cloches à melon laissant tout juste dépasser les pointes des raides moustaches ou des barbes de lansquenets.

Quatre ans donc (et avant, les vingt-neuf autres — ou

plutôt les quatorze autres (ou seize) si c'est à partir de quinze ou treize ans que les jeunes filles commencent à rêver à celui qui dégrafera leur corsage, touchera et pénétrera ces parties de leur corps regardées à la dérobée dans les miroirs des salles de bains), et soudain, comme si le tout n'avait été qu'un intermède privé de réalité, un de ces éphémères vols de papillon (ou plutôt de phalène, éblouie, aveuglée, allant brûler ses ailes au verre de quelque lampe, de quelque fanal de nuit), brutalement, sans transition (car peut-être réussit-il encore à l'abuser, lui donner le change, la préserver jusqu'au dernier moment, interrompant brusquement les conciliabules soucieux (ou, qui sait : impétueux, impatients ?...) tenus à trois ou quatre (toujours dans leurs uniformes de toile blanche, tandis que le paquebot traçait lentement sa route dans les eaux des chauds océans, remontait vers le nord l'étroite mer bordée de montagnes calcinées) au coin d'une coursive, ou attardés au fumoir, changeant brusquement de conversation, s'avançant vers elle en lui présentant ce même visage souriant, rassurant ; ou peut-être, par un accord tacite, une tacite pudeur, chacun — elle et lui — jouant ce jeu (même si aux escales elle se précipitait trop nerveusement sur les journaux — ou peut-être, dans son dos, déployant les ressources de sa coquetterie, plaisantant, affichant une fausse insouciance, cherchant à extorquer à l'officier télégraphiste du bord ce qu'elle voulait savoir), et alors, une fois encore — la dernière, à rebours pour ainsi dire —, la table du commandant, les piécettes machinalement jetées aux négrillons, les orientales échoppes des bazars, les achats d'inutiles bimbeloteries, s'offrant l'un à l'autre (ou offrant déjà au fantôme de l'autre) d'inutiles services à fumeur ou d'inutiles garnitures de toilette destinés à rester dans les cartons, les caisses qu'elle n'ouvrirait, ne se résoudrait à déballer que dix ans plus tard, à la veille de mourir elle-même, le visage ravagé, contemplant d'un œil sec, vide, les émaux cloisonnés, les pots à tabac ornés d'oiseaux aux plumes bleues et roses, de fleurs exotiques, les plateaux martelés), sans transition, donc, de nouveau plongée, ou plutôt précipitée, retournée à cet état apathique, à l'attente, dans le sommeillant refuge de cette station thermale désertée en catastrophe, avec son immuable décor de pics, de forêts, de pelouses, ses vieux jardiniers aux gestes de somnambules penchés sur les corbeilles d'hortensias, l'omniprésent murmure des ruisseaux dévalant la montagne, les frais ombrages sous lesquels on pouvait la voir, toujours coiffée comme par bravade d'un de ses ahurissants chapeaux et vêtue (par bravade encore contre le sort, le destin, par obstination) d'une de ces robes claires qu'elle avait portées sous les soleils tropicaux, marchant d'un pas lent, comme si avec son regard fixe, absent, son masque un peu gras à l'expression figée, elle promenait au-dessus de ses longues jupes un de ces bustes naïvement sculptés, montés sur brancards et portés les jours de fêtes votives sur les épaules de pénitents, couronnés de rayons dorés et entre les seins desquels, dans la poitrine évidée, on peut voir par une petite lucarne, derrière une vitre, quelque relique, quelque esquille d'os bruni — elle qui n'allait même pas pouvoir retrouver plus tard le moindre ossement, une vertèbre, une côte, qui, en guise de pierre tombale pour celui qui l'avait tenue embrassée, avait mêlé ses membres aux siens, ne pourrait que faire imprimer un rectangle de carton discrètement bordé de noir, orné d'une mince croix noire au-dessus du nom, de la date (celle d'un de ces jours où régulièrement, à la même heure, elle sortait avec la négresse poussant dans un landau l'enfant que moins d'un an plus tôt elle portait encore dans son ventre), des courts versets d'Ozanan ou de Job et de la phrase (le cri) qui peut-être lui vint à la gorge, l'étouffant, la suffoquant, tandis que sous la longue jupe balayant l'allée de graviers, ses jambes se dérobant sous elle, elle continuait pourtant à avancer, les yeux rivés à l'automobile, l'espèce de monstre, de coléoptère aux ailes de tôle, aux yeux exorbités, aux cuivres jaunes, arrêtée devant le perron de l'hôtel, avec son conducteur encore revêtu d'un cache-poussière, ses grosses lunettes de chauffeur à la main, qui la regardait s'avancer, debout à côté de la vieille dame assise près d'une table de jardin et qui la regardait aussi — si tant est qu'à travers ses larmes, à travers la pellicule brillante qui recouvrait comme un vernis les vieilles joues tout à coup effondrées, le silencieux écran des pleurs, elle (la vieille dame) pût distinguer autre chose que deux formes claires sur le fond ténébreux de verdure, se délayant, grandissant, parvenant (la vieille dame) à se lever, marcher elle-même au-devant de cette morte aux yeux agrandis, aux lèvres muettes remuant machinalement, incapables d'articuler un son, s'ouvrant et se refermant sur les mots dont peut-être celle qui essayait de les dire (ou n'essayait même pas : se rappelait machinalement, comme un poisson hors de l'eau, à demi asphyxié, continue à ouvrir et fermer la bouche sur du vide) ne parvenait plus alors (ou pas encore) à comprendre le sens, inaudibles parmi des bruits eux aussi dépourvus de sens (le chuintement du vent dans les feuillages balancés, les murmures d'eaux bondissantes, les pépiements d'oiseaux) : seulement des assemblages de lettres séparés par des vides, tels qu'ils figureraient plus tard non pas gravés dans le marbre ou la pierre mais simplement imprimés au dos de ce faire-part grisâtre, pas plus grand et sans plus de poids qu'une carte à jouer, les lèvres continuant à remuer toutes seules, faiblement, agitées comme par un tic nerveux, un tremblement, formant et reformant sans fin la même phrase, le même hurlement muet, déchirant, sans autre écho que l'indifférent frémissement des branches, le cri monotone du même oiseau, les monotones raclements du sarcloir manié par l'un des léthargiques jardiniers, comme si le léthargique univers tout entier, la terre qui continuait son lent périple, le nuage griffu qui continuait à se déchiqueter, s'agréger, se déchiqueter de nouveau autour des pics déchiquetés, les montagnes, le vallon, diluaient, absorbaient, effaçaient, annulaient au fur et à mesure la suite des mots impuissants à franchir la gorge, butant, se désagrégeant, revenant encore, comme une litanie, un marmottement de folle, d'idiote : Que votre volonté... que votre volonté... que votre volonté...

X
1940

Cela se produisit tout à coup, à partir du moment où il se trouva de nouveau monté sur ce cheval (celui dont le cavalier furibond lui avait tendu les rênes), comme si cette pellicule visqueuse et tiède qu'il avait essayé d'enlever de son visage en l'aspergeant d'eau froide s'était aussitôt reformée, plus imperméable encore, le séparant du monde extérieur, de l'épaisseur d'un verre de vitre à peu près estima-t-il, si tant est que l'on puisse estimer la fatigue, la crasse et le manque de sommeil par référence à une vitre : toutefois il essaya, c'est-à-dire qu'à un moment il éleva une main à la hauteur de son visage et l'en rapprocha, mais sans parvenir à le toucher, comme si entre la peau des doigts et celle de la joue qu'ils tentaient d'atteindre s'interposait une couche de matière invisible ou si les deux peaux (celle de ses phalanges et celle de son visage) étaient devenues insensibles : tout au plus ses doigts perçurent-ils qu'ils rencontraient quelque chose de compact qui aurait tout aussi bien pu être le drap de sa vareuse ou la jugulaire du casque, et la joue

comme une vague sensation de pression, mais lointaine
— et un moment plus tard l'intention le traversa de
raccourcir ses étriers (pensant en même temps que cela
ne faisait somme toute que la deuxième fois en quatre
jours qu'il montait le cheval d'un mort, c'est-à-dire qu'il
avait perdu deux chevaux en quatre jours, ou qu'inver-
sement les deux chevaux avaient pendant la même
période perdu leurs cavaliers, ou encore qu'il était apparemment destiné à prendre la place des morts sur de
successifs chevaux, le premier avec une sangle trop longue (ou plutôt la selle qu'il avait transférée de sa jument
fourbue au premier cheval de remplacement pourvue
d'une sangle trop longue pour celui-ci, de sorte que
lorsqu'il avait mis le pied à l'étrier au milieu des explosions, des cris, du désordre, des hennissements, des
galopades, des jurons, tout le paquetage, selle, sabre,
couverture roulée et sacoches, avait tourné sens dessus
dessous, et c'était à peu près tout ce dont il se rappelait
avant d'avoir été assommé comme par un coup de
matraque, puis repris connaissance entouré de corps
d'hommes et de chevaux abattus et de s'être mis alors
à courir), ce second cheval avec maintenant des étriers
trop longs, pensant qu'on n'avait fait en fin de compte
que substituer sous lui un cheval à un autre ou, à
l'inverse encore et si l'on se plaçait du point de vue des
montures, que pour elles on avait remplacé un poids par
un autre, comme ces cavaliers moulés une fois pour
toutes dans la même position, les jambes écartées en
arceaux, et qu'on peut transférer tels quels, casque,
buffleteries et éperons (sauf, pensa-t-il encore, que je suis
maintenant débarrassé de ce foutu mousqueton) d'un

cheval de plomb à l'autre, de nouveau dans cet état de passive somnolence d'où l'avaient tiré les cris d'alarme suivis presque aussitôt par les premières rafales surprenant l'escadron (comme si sa course ensuite vers l'abri des haies, le passage entre les blindés, sa marche dans la forêt, n'avaient en quelque sorte constitué qu'une manière de parenthèse, déjà refermée, déjà plus tout à fait réelle, sinon imaginaire, tout à fait négligeable en tout cas aux yeux du colonel si l'on en jugeait par le regard qu'il avait posé sur lui (ou même, pas posé : le traversant, l'air même légèrement offusqué, sinon agacé, importuné) lorsqu'il s'était présenté), et se retrouvant maintenant assis exactement comme quelques heures plus tôt sur un cheval et bercé au bruit monotone des sabots), la longueur des étriers à la mesure du cavalier tué constituant pour le moment sa principale préoccupation, mais il aurait fallu relever l'une après l'autre chacune de ses cuisses et se pencher pour raccourcir les étrivières et rien que d'imaginer la série des gestes à accomplir était déjà trop fatigant, de sorte qu'il continua ainsi, ses semelles touchant tout juste les étriers et c'était suffisant, puisque tout ce qu'il avait à faire (à présent qu'il n'avait plus à prendre de décision mais seulement à suivre les deux officiers dont il voyait les bustes obscurs se dandiner élégamment dans l'aveuglant contre-jour à quelques mètres devant lui au-dessus des deux croupes jumelles) c'était de maintenir son propre buste à peu près à la verticale sur sa selle, oscillant comme un paquet d'avant en arrière, tout entier enveloppé de cette espèce de verre crasseux ou plutôt de cellophane jaune (comme ces emballages de bonbons en papier paraffiné, banane ou

285

citron, pensa-t-il) dont il pouvait sentir les cassures à chacun des plis de sa peau, de même qu'à chaque battement de ses cils quelque chose de brûlant et de douloureux passait rapidement devant ses yeux, s'efforçant toutefois de les garder ouverts, clignant des paupières, ce qui avait pour effet de plisser un peu plus la cellophane en éventails aux branches coupantes comme des rasoirs de chaque côté de ses tempes, l'ensemble (emballage jaune, cassures du verre et tiède viscosité) pivotant en même temps que lui sur sa selle dans un effort de torsion qui lui imprima en oblique dans la taille et les côtes les plis acérés du papier paraffiné, tandis qu'il regardait se rétracter lentement derrière eux entre les prés fleuris le ruban serpentant et vide de la route sur laquelle il ne découvrit rien d'autre à leur suite que les deux estafettes pédalant paresseusement, décrivant des S pour se maintenir à la même allure que les chevaux au pas, comme deux cyclistes pris de boisson, titubant, ou plutôt comme somnolents eux aussi, comme si tout se déroulait au ralenti, de sorte que plus tard, quand il essaya de raconter ces choses, il se rendit compte qu'il avait fabriqué au lieu de l'informe, de l'invertébré, une relation d'événements telle qu'un esprit normal (c'est-à-dire celui de quelqu'un qui a dormi dans un lit, s'est levé, lavé, habillé, nourri) pouvait la constituer après coup, à froid, conformément à un usage établi de sons et de signes convenus, c'est-à-dire suscitant des images à peu près nettes, ordonnées, distinctes les unes des autres, tandis qu'à la vérité cela n'avait ni formes définies, ni noms, ni adjectifs, ni sujets, ni compléments, ni ponctuation (en tout cas pas de points), ni exacte temporalité, ni sens, ni consistance sinon celle, visqueuse, trouble, molle, indécise, de ce qui lui parvenait à travers cette cloche de verre plus ou moins transparente sous laquelle il se trouvait enfermé, les coups de canon (il n'aurait pas pu dire à quel moment ils commencèrent ou plutôt à quel moment il commença à les entendre, ou plutôt quand il prit conscience qu'il en était conscient : simplement, à partir d'un moment, ils se mirent à retentir régulièrement) comme au ralenti eux aussi, sans hâte, un canon (ou l'explosion d'un obus : il n'aurait pas pu dire non plus s'il s'agissait de départs ou d'arrivées) solitaire se faisant entendre à intervalles fixes, assez espacés, et apparemment sans raison ni but précis dans la riante nature printannière, avec la régularité d'un métronome, comme ces solennelles salves d'honneur qui saluent l'avènement d'un roi ou les funérailles de quelque chef d'Etat, son attention en même temps attirée par les jurons du conducteur du dernier cheval de main (tandis qu'instinctivement il essayait d'évaluer la longueur des étriers qui pendaient aux côtés de la selle vide : mais, sans compter que le colonel n'aurait certainement pas toléré une halte, même rien que le temps de changer de monture, cela aussi représentait une somme d'efforts au-dessus de ses moyens) dont il (le conducteur) déchirait sans nécessité la bouche en tirant sur les rênes à coups répétés, l'animal affolé progressant maintenant de côté, comme un crabe, dansant nerveusement sur ses sabots, une bave grise légèrement teintée de rose moussant à ses lèvres, se détachant parfois en longs filets qui étincelaient dans le soleil — et à un moment, comme dérangé, importuné par le tapage, le colonel tourna légèrement la tête, les sourcils

froncés, l'air agacé, de profil un instant, sa joue sèche
barrée en oblique par le trait sombre de la jugulaire ;
mais il ne dit rien — ou peut-être simplement quelque
chose comme : « Allons, allons !... », le son de sa voix
parvenant lui aussi, comme les images, de très loin, aussi
ténu, douteux, à travers l'épaisse paroi de verre (ou de
cellophane) jaune et poussiéreuse, puis, de nouveau, on
ne vit plus que l'arrière de son casque : toujours est-il
que le conducteur du cheval de main cessa de martyriser
l'animal, sans doute humilié par ce rappel à l'ordre soit
dans son amour-propre de cavalier, d'homme de cheval
(il n'appartenait pas à l'escadron — du moins, pour
autant qu'à travers la paroi de verre sale il fût possible
de l'identifier : un visage déjà ridé pas beaucoup plus
gros que le poing sous le casque trop grand, avec deux
yeux comme des billes et empreint d'une expression à la
fois méprisante et outrée : sans doute ce jockey que le
colonel s'était attaché comme ordonnance, pourvu de
mains minuscules et de jambes si courtes qu'elles semblaient ajoutées de chaque côté de la selle, comme ces
jambes bottées et postiches qui pendent de part et
d'autre du trou par lequel émerge le buste d'un enfant
chevauchant un cheval-jupon, semblable, si ce n'avait été
l'impitoyable dureté qui émanait de lui, à un gamin
affublé d'un déguisement de soldat), soit (humilié) d'être
pris en flagrant délit de peur, se contentant après cela
pour faire bonne figure de méchamment déchirer encore
deux ou trois fois la bouche du cheval de main, mais
sans jurer, tournant alors sa rage, le contrecoup de sa
peur, sur le nouveau compagnon qui chevauchait maintenant à son côté, disant : « Et alors, qu'est-ce que tu

t'attendais à voir derrière ? Le régiment au grand complet
trompettes en tête ? » (ou peut-être même pas : trop
indigné, trop méprisant, placé peut-être dans son esprit
par sa qualité d'ordonnance du colonel dans une sorte
d'aristocratie, de caste, trop au-dessus des hommes du
rang pour adresser la parole à l'un d'eux — ou peut-être
les sons (du moins les sons articulés) arrêtés par la cloche
de verre, l'expression furibonde du visage parlant
d'elle-même), soit encore que l'aspect de ce compagnon
que le sort lui imposait maintenant (avec son casque
camouflé de boue et cabossé, son manteau déchiré, sa
culotte et ses houseaux encore trempés d'eau) fût ressenti
par lui comme insultant, outrageant, lui qui était aussi
impeccablement brossé et astiqué que le colonel lui-même
(comme si à la suite de celui-ci il avait traversé intact et
immaculé les quatre jours pendant lesquels les autres
cavaliers du régiment traqués et affamés avaient tant bien
que mal battu en retraite), lui inspirant, de même que
l'animal sur lequel il se vengeait de sa peur, une fureur
compensatoire, de sorte que, pas plus qu'il n'aurait osé
se permettre d'interroger le colonel, le brigadier enfermé
sous sa cloche de verre jaune ne s'aventura (au surplus,
la curiosité ne lui en vint même pas) à lui demander
comment le colonel et lui-même avaient réussi à sortir
vivants de cette embuscade où il (le colonel) avait jeté
l'escadron à la tête duquel il était venu se placer au lever
du jour nimbé de sa magnificence et de son aura de
hautaine invulnérabilité : toutefois, au lieu du fringant
pur-sang astiqué comme un meuble d'acajou sur lequel il
avait fait son apparition quelques heures plus tôt, remontant au grand trot la colonne, houspillant et morigénant

les cavaliers exténués, il (le colonel) chevauchait maintenant à cru un lourd et malpropre sous-verge d'un attelage
de mitrailleuse aux poils collés par la sueur, moucheté,
d'une vilaine couleur vineuse, et dont les traits sectionnés
(ou décrochés — ou rompus) pendaient à terre avec un
léger tintement (celui d'une boucle défaite?) de chaque
côté de la croupe où ils laissaient dans la poussière un
double sillage; cependant, sur le moment, il ne vint pas
tout de suite à l'esprit du brigadier préoccupé avant tout
de la longueur de ses étriers qu'il (le colonel) était selon
toute apparence devenu fou, de sorte que sans se demander la raison pour laquelle, en dépit des deux
montures toutes sellées que conduisait le jockey, le colonel persistait à chevaucher ainsi le lourd sous-verge, il se
borna (sans étonnement, ou plutôt comme un étonnement
supplémentaire venant s'ajouter à une telle succession
d'étonnements que la notion même d'étonnement avait
disparu de son esprit) à enregistrer cela : la croupe
épaisse au raide déhanchement du percheron, la longue
queue filasse, comme déteinte elle aussi, le tout surmonté
du buste osseux et d'une certaine manière gracieux,
c'est-à-dire pas exactement rigide mais comme si par
quelque souplesse interne il absorbait, transformait en un
élégant et imperceptible dandinement les pesants mouvements de l'animal, la lame nue du sabre sans fourreau
étincelant au flanc du cheval de labour, les deux élégantes silhouettes des deux officiers se détachant en sombre
à présent sur l'aveuglant miroitement des milliers d'éclats
de verre qui recouvraient le sol comme un tapis, se
brisant, se pulvérisant parfois avec un bruit de vitre
écrasée sous le choc d'un sabot, le brigadier enveloppé

dans la tiédeur somnambulique de sa chape de cellophane
se rendant compte à présent (peut-être avait-il dormi,
fermé un moment les yeux sur cette chose brûlante et
noire qui se rabattait en même temps que ses paupières)
qu'ils avançaient non plus entourés de prés, de bois et
de haies mais entre une double paroi de façades de
briques — ou plutôt (car tout continuait à se dérouler
avec la même visqueuse lenteur) qu'ils (les quatre cavaliers et les cinq chevaux) piétinaient sur place sans
avancer tandis que défilaient à droite et à gauche des
façades aux fenêtres sans carreaux, comme si celles-ci
avaient été enfoncées de l'intérieur des maisons intactes,
les traits coupés du sous-verge accrochant parfois un
morceau de vitre, l'entraînant sur quelques mètres avec
un tintement argentin, puis l'abandonnant, les chevaux
des deux officiers et leurs ombres noires écrasées par le
soleil maintenant haut dans le ciel de sorte que le casque
et le long manteau de cavalerie (on n'avait pas encore
donné l'ordre de les retirer et, de fait, ils n'étaient pas
de trop pendant la nuit mais, en ce moment, terriblement
pesants) semblaient ne faire qu'un avec l'étouffante cloche à melon sous laquelle le brigadier se trouvait enfermé, pensant A moins que ce ne soit comme au polo
quand ils changent de chevaux à chaque arrêt du jeu
donc maintenant un percheron, pensant encore Ou peut-
être qu'il le conserve comme l'irrécusable témoignage de
son honneur sauvegardé (la rue — ou plutôt le tapis de
verre — s'élargit : ils traversèrent une place pavée où
miroitaient seulement çà et là quelques éclats, puis les
façades se rapprochèrent de nouveau, rue et place également désertes sous le brûlant soleil ; c'était tout juste si

entre chacune des déflagrations régulières (maintenant elles éclataient tout près, quoiqu'on ne vît aucun nuage de fumée ni aucun mur s'écrouler, et il apparaissait que c'était bien sur la ville qu'était dirigé le tir de l'invisible canon) on voyait ramper le long des murs comme une procession de cafards traînant ou portant des choses indistinctes, disparaissant dans les embrasures des portes ou sous les porches, dans d'invisibles trous, à chaque explosion, puis reparaissant, progressant de nouveau de quelques mètres : le tir était d'une telle régularité qu'ils (les cafards) semblaient savoir exactement le temps dont ils disposaient entre chaque obus), pensant encore Mais peut-être qu'il le garde dans l'intention de se présenter ainsi à la grille du quartier général dans toute sa gloire, ramenant triomphalement avec lui un percheron deux cavaliers et deux cyclistes, l'idée que le colonel était simplement fou ne l'atteignant pas encore : plus tard (c'est-à-dire quand il fut de nouveau capable de penser à ces choses avec sa raison) il devait se souvenir que le premier soupçon le traversa en entendant la voix sèche et métallique du colonel crier pour la troisième fois : « Je vous prie d'ouvrir tout de suite ce cheval de frise et de me laisser passer ! Je n'ai pas de conseil à recevoir de vous. Je me rends où j'en ai reçu l'ordre et c'est tout ! Ouvrez cette chicane immédiatement ! », le garde territorial debout, la tête levée vers lui, les bras écartés comme pour lui barrer le passage, regardant avec effarement les quatre cavaliers, le cheval de labour, le caricatural jockey, répétant quelque chose d'inaudible, le son arrêté par la paroi de verre de la cloche, puis baissant en même temps la tête et les bras, faisant signe au second territorial et

292

se mettant en devoir, aidé par lui, de faire pivoter la longue poutre reposant sur des croisillons et entortillée de barbelés qui obstruait une moitié de la route à la sortie de la ville, le colonel ne leur jetant même pas un regard, de nouveau serein, occupé à faire contourner par son cheval le large entonnoir laissé par la chute d'une bombe, déjà ancien apparemment puisqu'on avait eu le temps de repousser sur le côté un poteau télégraphique abattu et sa chevelure de fils embrouillés, le lourd cheval de labour conduit par la main gantée exécutant exactement comme au manège un élégant demi-cercle : il y avait un boque-teau là où étaient disposés les chevaux de frise, mais bientôt après le soleil recommença à taper sur le casque du brigadier, l'assommant, le précipitant de nouveau dans cet état de démission semi-léthargique qui s'était saisi de lui dès qu'il s'était retrouvé sur ce cheval, assis sur une selle dont ses pieds touchaient à peine les étriers, pensant plus tard Mais pour le rôle qu'il nous destinait à jouer ça n'avait pas d'importance aussi bien j'aurais pu me trouver ficelé à califourchon sur un âne la tête tournée vers la queue, en chemise et un cierge dans les mains comme ces condamnés à faire amende honorable que l'on promenait par dérision dans les rues ou ces pitres qui font leur entrée en piste sous les cascades de rire tressau-tant sur le dos de quelque poney nain tenu en laisse par un monsieur Loyal seulement il lui fallait quelque chose de plus martial pour se faire accompagner là où il avait décidé d'aller, comme ces potentats orientaux accompa-gnés dans l'autre monde par leurs serviteurs et leurs coursiers favoris ce pour quoi le commandant et ce jockey lui auraient sans doute suffi, ce pour quoi sans doute il ne s'est même pas soucié de la disparition des deux cyclistes quand ils ont filé dieu sait où et pourquoi aussi peut-être il n'a pu retenir cette expression de contrariété quand il m'a vu tout boueux et avec ce manteau déchiré aussi peu présentable pour ce genre de parade qu'un chien crotté comparé à un lévrier la seule chose qui devait le déranger dans ce moment étant sans doute la perspective d'avoir à renifler à côté de lui mon fantôme crasseux et puant jusqu'à la fin des siècles, mais pour le moment incapable (le brigadier) de penser quoi que ce fût de cohérent, sinon même de penser tout court (si par pensée on entend un ensemble tant soit peu structuré de jugements, de raisonnements ou d'idées, auquel cas il aurait fait la seule chose qu'il y avait à faire, c'est-à-dire jeter son cheval dans le premier chemin de traverse et s'éloigner à toute vitesse de cette route), comme si toute logique et toute cohérence allaient à l'encontre de ce qu'il était en train de vivre, quoiqu'il fût de moins en moins en mesure de s'étonner, encore moins de s'insurger contre un état de fait qu'il était même enclin maintenant à juger normal dans son incohérente apparence (peu à peu conduit en cinq jours à admettre qu'il lui était donné de voir en action les forces tenues habituellement cachées par quelque artifice (ou en sommeil, par pure indolence de leur part) et reprenant leurs droits imprescriptibles, animées de leur formidable férocité à la fois aveugle, négligente et sommaire, obéissant à cette irrécusable logique, à cette irrécusable cohérence propres aux éléments et aux lois naturelles), de sorte qu'enfermé sous sa cloche étouffante, isolé du monde extérieur par cette paroi de verre sale, il regardait maintenant avec indiffé-

rence du haut de son cheval défiler toujours au ralenti
au-dessous de lui, égrené à droite et à gauche de la route
non plus serpentant à travers prés et bois mais toute
droite à présent dans la campagne faiblement ondulée
inondée par l'éclatant soleil de mai, le double chapelet
d'épaves que semblait avoir laissé sur ses bords après
s'être retirée quelque rivière en crue charriant pêle-mêle
véhicules, bêtes et gens repoussés sur les côtés, parfois
isolés, d'autres fois agglutinés, comme arrêtés par quelque
obstacle, enchevêtrés au milieu du contenu éparpillé et
blafard (linges, courtepointes, journaux froissés) de ballots ou de valises crevées, comme si quelque chasse-neige
géant s'était frayé un passage à travers un de ces cimetiè-
res de voitures que l'on peut voir aux portes des villes
ou parfois en pleine campagne, repoussant de part et
d'autre camions, carrioles, brouettes, landaus d'enfants ou
de rutilantes limousines, certains le ventre en l'air, bascu-
lés dans le fossé, ailleurs apparemment intacts, parfois
encore affaissés sur le ventre, achevant lentement de se
consumer dans une puante odeur de caoutchouc brûlé, de
paresseuses fumerolles s'élevant de loin en loin, comme
de ces décharges publiques où couvent des feux perma-
nents, puis il y fut lui-même, aplati, le visage collé contre
l'herbe rêche souillée de détritus, assourdi par le tonnerre
des moteurs au milieu duquel le crépitement des mitrailleuses semblait lui aussi s'égrener au ralenti, puis soulevé,
arraché de terre comme un pantin, l'épaule, le bras à
demi désarticulés, sa main toujours serrée sur les rênes
du cheval hennissant de terreur, l'œil fou, cabré, puis
renaudant, le jockey aux prises lui aussi avec les deux
autres chevaux, le tonnerre des moteurs déjà décroissant,

éteint, la paisible et indifférente campagne toujours sous le soleil printanier, le colonel planté au milieu de la route sur son percheron arrêté, disant simplement : « Alors, vous êtes prêts ? » tandis que le brigadier tâtonnait du pied à la recherche de l'étrier, sautillait maladroitement, se hissait enfin, de nouveau en selle, regardant avec hébétude le camion enveloppé de flammes crépitantes, joyeuses : puis de nouveau le balancement monotone au pas monotone de sa monture, pouvant maintenant sentir en lui cette chose qui dans le vocabulaire cohérent et logique devait avoir pour nom peur, sauf qu'elle ne se manifestait par rien de logique ou de sensé comme s'enfuir bride abattue mais se traduisait au contraire sous le grand soleil par une innommable sensation de vide, de glacial, d'irrémédiable, et si ça avait une couleur, c'était couleur de fer, grisâtre, comme s'il était entré pour ainsi dire maintenant dans un état de mort virtuelle, assis (ou plutôt ballotté) sur ce cheval trop grand qui continuait à avancer au pas à la suite des deux élégants officiers, pensant (ou peut-être disant tout haut : de toute façon le jockey — ou du moins celui qu'il supposait être un jockey — ne semblait rien entendre : il avait maintenant renoncé à martyriser le cheval de main et se tenait recroquevillé sur sa selle comme un petit singe, le visage renfrogné, l'air toujours furibond, ce qui était peut-être pour lui, à présent qu'il ne s'en déchargeait plus par des brutalités, sa façon d'endurer sa propre peur), disant donc (ou pensant tout haut) : Ainsi il n'est même pas descendu de son... Il n'a même pas essayé de s'... Il est resté là au beau milieu de cette route, bien en vue, et l'autre aussi, pendant que je, que nous, que ces avions... ;

mais ce n'était pas seulement cela, pas non plus la soudaine attaque d'avions cherchant à les tuer (et non pas, à vrai dire, les quatre cavaliers en particulier : mitraillant la route et tout ce qui y bougeait — ou même n'y bougeait pas (à vrai dire encore ils (les quatre cavaliers) semblaient les seuls à la suivre), mitraillant donc en quelque sorte par routine, négligemment si l'on peut dire; au reste, depuis six jours, ils y étaient habitués : sauter à bas de son cheval, courir au fossé le plus proche et s'y allonger était devenu une série de réflexes tellement routiniers qu'ils n'avaient même plus besoin de commander à leurs muscles; encore le colonel s'était-il retourné pour les regarder se relever, avait-il fait entendre cette voix empreinte d'une impatience, d'un agacement contenus, hautaine mais cependant en quelque sorte indulgente, cordiale à sa manière), par contre ce qu'il (le brigadier, de nouveau en selle maintenant) avait pu voir, continuait à garder imprimé sur sa rétine avec une terrifiante fascination, aussi clairement qu'il aurait pu lire sa propre condamnation à mort, c'était le dos parfaitement immobile de l'autre officier se découpant en sombre (le casque astiqué étincelant au soleil, les épaules, la taille mince, comme prise dans un corset, les deux jambes bottées encadrant la croupe du cheval lui aussi parfaitement immobile, comme si le tout avait été découpé dans une plaque de zinc), non pas dédaignant de se retourner mais n'y songeant même pas, attendant simplement que le colonel fût parvenu à sa hauteur, pressant alors imperceptiblement les flancs de sa monture et se remettant en marche, les deux officiers cheminant de nouveau tranquillement côte à côte, ayant repris leur paisible conversation, aussi indifférents aux camions brûlés, aux poussettes d'enfants et aux voitures renversées qu'aux coups réguliers du canon solitaire, inutile et obstiné, qui continuaient à retentir derrière eux, secouant l'air ensoleillé, décroissant toutefois peu à peu, sourds (les deux officiers) aux voix qui parfois montaient vers eux des bords de la route, parfois geignardes, parfois suppliantes, parfois alarmées (et à un moment, à travers les parois de sa cloche, d'un groupe affairé autour d'une carriole renversée (ou d'un corps allongé — mais c'était là quelque chose qu'il se défendait de regarder — et, lorsqu'il y en avait un, cela traversait simplement de gauche à droite son champ visuel, puis en sortait, ni plus ni moins que les autres épaves, mécaniques ou pas) le brigadier put voir se détacher un homme, un civil, tête nue, serrant contre sa poitrine une couverture rouge qui lui battait les jambes et faisant de grands gestes de son bras libre, montrant la route, les haies, les buissons, trottinant à la botte du colonel, criant quelque chose, bouche ouverte, puis courant, dépassant le cheval, se retournant, lui faisant face, marchant alors à reculons, faisant mine avec son bras, comme l'avait fait le territorial, de lui barrer le chemin, le colonel et l'autre officier toujours sans cesser de s'entretenir faisant alors délicatement obliquer leurs montures et le contournant, exactement comme ils avaient fait du cratère de bombe), et plus tard (mais sans doute s'était-il de nouveau assoupi : la cloche de verre de plus en plus épaisse, le monde extérieur comme visqueux, gluant, de plus en plus douteux, tandis qu'à l'intérieur était maintenant installée, rigide et inexorable, cette chose grisâtre, glaciale) les

298

deux officiers continuant toujours à deviser, mais debout
à présent, tous deux cambrés, leur poids reposant sur
une jambe, l'autre portée légèrement en avant, dans la
cour d'une sorte d'estaminet (ou d'une ferme puisqu'il y
avait un abreuvoir où ils (le brigadier et le jockey pied
à terre aussi) faisaient boire les cinq chevaux, leurs
naseaux soufflant bruyamment dans l'eau), et le visage
ahuri, effaré, de la serveuse en sarrau (plutôt une fille de
ferme qu'une serveuse) apportant sur un plateau quatre
canettes de bière, le colonel saisissant l'une d'elles, remplissant un verre, le tendant à l'autre officier, puis, deux
autres canettes tenues par le goulot dans une même
main, se tournant vers l'abreuvoir, les élevant en direction
des deux cavaliers, le jockey fourrant le paquet de rênes
dans la main du brigadier, accourant, puis revenant,
reprenant les rênes, les deux cavaliers buvant au goulot
quelque chose de tiède et d'amer, les coups de canon
maintenant lointains mais continuant avec la même opi-
niâtre et lénifiante régularité, le colonel remplissant le
second verre, y trempant ses lèvres, puis le reposant sur
une des caisses de limonade empilées contre le mur,
plongeant la main dans l'une de ses poches, en extrayant
(toujours avec ce calme méticuleux, terrifiant, cette absence de hâte, des somnambules ou des fous) un étui sur
lequel le soleil étincela un instant, l'ouvrant, en offrant à
l'autre officier, puis plaçant un mince cigare entre ses
lèvres, l'allumant, rejetant par ses narines un fuseau de
fumée bleue, toujours sans interrompre sa conversation
avec l'autre officier ni paraître prêter attention à ce
qu'essayait de lui dire d'une voix volubile la femme au
visage hagard (la même chose que lui avait dit le garde

299

territorial, que lui avait répété en gesticulant l'homme à
la couverture rouge), disant seulement : « Oui madame.
Merci. Qu'est-ce que je vous dois, je vous prie ? »,
sortant un porte-monnaie et s'apprêtant à compter les
pièces quand le visage de la femme se convulsa, les yeux
soudain levés vers le ciel, puis, sans s'occuper de la pièce
que lui tendait le colonel, poussant un gémissement,
tournant le dos, se mettant à courir vers la maison et
s'engouffrant dans la porte, les deux cavaliers coupant
brutalement l'eau aux chevaux, cherchant tant bien que
mal à les tirer à l'abri du hangar, le grondement des
moteurs et le staccato des mitrailleuses s'approchant
rapidement, une ombre passant comme un éclair sombre
sur la cour, se cassant, escaladant le mur, enfuie, le
colonel et l'autre officier toujours debout à la même
place, leurs verres à la main, levant simplement la tête
pour suivre des yeux les trois avions volant cette fois
plus haut, mitraillant quelque chose de l'autre côté de la
route, déjà disparus, le colonel achevant de boire sa
bière, essuyant ses lèvres d'un mouchoir immaculé, le
remettant dans sa poche, laissant tomber le petit cigare
à demi consumé, l'écrasant avec soin sous sa semelle
puis faisant signe au jockey, se tournant, la jambe gauche
déjà levée, le genou replié, l'appuyant sur les mains du
jockey accouru, puis de nouveau à cheval sur le massif
percheron couleur de vin délayé, traînant toujours dans
son sillage les doubles amarres de ses harnais coupés, les
cinq montures de nouveau au pas sur la route rectiligne
toujours bordée çà et là d'épaves, et plus tard (ou
presque aussitôt après : les maisons d'un village encadraient maintenant la route : des façades basses de

briques à peu près toutes semblables, parfois collées les unes aux autres, parfois séparées par des jardinets) le brigadier entendit jurer le jockey, tourna la tête, vit un bras passé au-dessus de l'encolure du cheval de main, un visage terrifié, rougeaud, couronné de cheveux roux et une jambe qui essayait d'enfourcher l'animal, ruant dans le vide, le commandant à ce moment retourné sur sa selle, criant : « Descendez de ce cheval ! Tout de suite ! Des-cen-dez de ce cheval, vous m'entendez ? Immédiatement ! », cependant que le jockey, un étrier déchaussé, allongeait des coups de pied dans le flanc du cheval de main, essayant d'atteindre le corps maintenant à plat ventre sur le pommeau de la selle, secoué comme un sac par le cheval affolé qui s'était mis à trottiner sur place, la tête haut levée, la bouche de nouveau sauvagement déchirée par le mors sur lequel le jockey tirait à coups brutaux, le buste rigide et corseté du colonel n'esquissant même pas une torsion, toujours très droit, aveugle pour ainsi dire : « Comme si, raconta le brigadier (à ce moment, six mois plus tard, il était couché dans la chambre d'un bordel, son corps nu, amaigri mais intact, étendu à côté de celui d'une putain qui faisait semblant de l'écouter, l'air vaguement alarmée, ou simplement ennuyée, comme on écoute radoter un vieillard ou un malade)... comme si c'était là quelque chose d'inconvenant dont un colonel n'a pas à se mêler, ou trop étranger à ce qui l'occupait à ce moment, comme s'il avait simplement interrompu son élégante conversation avec le commandant pour dire incidemment du coin de la bouche : « Faites descendre cet homme de ce cheval », comme on dit : « Eloignez ce chien », et rien de plus, comme s'il n'avait pas à s'abaisser à parler directement à un fantassin, comme si c'eût été pour lui contrevenir à ce qui convenait à son rang, déroger en quelque sorte. Parce que s'il pouvait à la rigueur condescendre à ce que deux hommes de cheval, un jockey et un brigadier — ce dernier même sale, mal rasé ou plutôt pas rasé depuis huit jours, aux éperons rouillés et au casque barbouillé de boue — le suivent et lui tiennent compagnie — ou astiquent ses bottes — dans l'empyrée des colonels tués sur leurs chevaux, il ne pouvait tout de même pas endurer de s'y retrouver avec un simple fantassin, mais pourquoi est-ce que je te raconte tout ça, qu'est-ce que ça peut te foutre, qu'est-ce que ça peut foutre d'ailleurs d'une façon générale ?... », la fille disant : « Mais non, mais non, je t'écoute. Qu'est-ce que c'est que ce mot que tu as dit : empyrée ? », et lui : « Empyrée ?... Oh... Quelque chose dans le genre du paradis... Mais spécial. Pas le paradis de n'importe qui. Disons : un coin particulier du paradis, un coin supérieur. Disons : une sorte de club réservé. Uniquement pour colonels de cavalerie. Un cercle privé où ils ont le droit d'entrer tout bottés, avec leur cheval, leurs éperons et leur sacré cul vissé sur leur selle. Quoique cet imbécile avait décidé d'y arriver sur un percheron de labour. Pour bien montrer sans doute que son pur-sang super-astiqué avait été tué sous lui. Alors j'imagine que son entrée a dû faire sensation, au milieu de tout le beau monde qui l'atten-dait (ou du moins qu'il devait se figurer l'attendre) pour lui remettre la croix des braves. Ceux d'Azincourt, de Pavie et de Waterloo. Sauf que ce n'était pas précisément la charge de Reichshoffen. Plutôt le contraire : au pas sur cette putain d'abattoir de route. Parce que, je suppose, "La cavalerie française ne fuit pas"... N'aurait pas mis son cheval au trot ou pris par un petit chemin pour un boulet de canon. C'est le cas de le dire. Et puis qu'il aille au diable! Nom de Dieu, tu as une sacrée paire de jolis nichons!... », regardant le corps gracile et nu encore mêlé au sien, la peau soyeuse, transparente, sous laquelle couraient les veines bleues ou vert jade, l'une des jambes laiteuses par-dessus l'une des siennes, pensant : « Bon Dieu! », pensant : « Mais pas plus que le passage du poisson dans l'eau. Aussi bien moi qu'elle. Ce qui l'a traversée. Ce que nous avons traversé. Ou plutôt ce qui ne m'a pas traversé... », essayant de se rappeler (mais c'était déjà impossible), d'être de nouveau comme il avait été sur ce cheval trop grand ou plutôt aux étriers trop longs dans l'éblouissante lumière de mai, déjà plus un être vivant, attendant passivement cette chose brève, brutale, gris-noir, qui allait d'un moment à l'autre lui arriver, le frapper avec violence, le jeter à bas de son cheval, pensant que quand il tomberait à terre il ne sentirait même pas le choc, pas plus qu'un sac de sciure ou de grain ne sent le ciment ou le pavé sur lequel on le jette, parce qu'il serait mort, et exactement pareil sous le soleil à un sac de sciure ou de son, sale, poussiéreux, flasque, sauf que par les trous, les déchirures du drap d'uniforme déjà couleur de terre ce ne serait pas de la sciure ou du son qui s'écoulerait mais (seulement cela non plus il ne le sentirait pas) son sang dont il se viderait lentement, rouge et brillant d'abord, puis se coagulant, se figeant, absorbé comme par un buvard par le drap où une tache brun sombre s'élargirait peu à peu, pensant confusément avec cette même ironie macabre, désespérée Et si c'est dans le ventre ce sera cette foutue bière, pouvant sentir dans cet état qui était comme un au-delà de la peur (quelque chose comme une déchirante mélancolie, une déchirante agonie) la boule compacte que formait la bière avalée trop vite ballottant lourdement dans son estomac vide, son corps exténué lentement secoué d'avant en arrière sur cette selle d'armes à la dure armature, comme si à travers elle il pouvait aussi sentir entre ses cuisses les os puissants, le squelette de l'animal exténué lui-même qui le portait, percevant le claquement monotone des dix paires de sabots sur le revêtement de la route, l'écho majestueux du canon qui continuait régulièrement à ébranler l'air, mais tout à fait lointain maintenant, les ombres noires et télescopées des deux officiers rampant en se déformant sur le sol, ondulant sur les bas-côtés, les épaves, puis en même temps qu'il entendit crépiter la rafale (et à côté des rugissements des avions et du bruit des mitrailleuses lourdes, ce fut seulement comme un toussotement, léger, ténu, comme le bruit d'un pistolet à amorces, d'une arme d'enfant) il le vit élever à bout de bras le sabre étincelant, le tout, cavalier, cheval et sabre basculant lentement sur le côté, exactement comme un de ces cavaliers de plomb dont la base, les jambes, commenceraient à fondre, continuant à le voir basculer, s'écrouler sans fin, le sabre levé dans le soleil, tandis que, sans qu'il eût même conscience d'avoir fait tourner son propre cheval ni donné un coup d'éperon, il galopait à côté (ou plutôt son cheval galopait à côté de celui) du jockey, le tireur embusqué derrière la haie continuant à vider son chargeur, les arrosant mainte-

304

nant de balles perdues (quoique le jockey prétendît avoir
été touché : mais ce n'était qu'une déchirure sur le côté
de sa culotte), les trois bêtes emballées luttant entre elles
de vitesse, le cheval de main légèrement en avant, tirant
sur sa bride, refaisant maintenant à toute allure et en
sens inverse le chemin qu'ils venaient de parcourir, jusqu'à ce qu'ils parviennent à maîtriser leurs montures et
à les mettre au pas, les chevaux soufflant bruyamment,
le brigadier occupé à essayer de rechausser l'étrier qu'il
avait perdu, le jockey disant de cette voix toujours
furibonde, indignée : « Ah nom de Dieu ! Merde alors !
L'enfoiré ! Le bougre de salaud, le bougre de... », puis
regroupant les rênes dans une de ses mains, passant
l'autre sur le côté de sa cuisse, la regardant, puis la
repassant plusieurs fois (mais il n'y avait pas de sang),
répétant : « L'enfoiré, t'as vu ça ? Le bougre de salaud !
Un peu plus il me... Ah nom de Dieu de nom de
Dieu !... », puis les trois chevaux arrêtés, continuant à
souffler, leurs flancs s'élevant et s'abaissant, tandis qu'ils
(le brigadier et le jockey) regardaient deux soldats couchés côte à côte sur le dos au revers d'un talus, perpen-
diculairement à la route, dans une bizarre et identique
position, les jambes et les bras écartés et à demi repliés,
comme deux grenouilles aurait-on dit, gémissant confusément, le jockey disant : « Regarde-moi ces cons-là ! »,
le brigadier disant : « Quels cons ? », le jockey disant,
toujours de cette même voix furieuse, comme outragé :
« Ces deux cons de cyclos ! Ils se sont crus malins. Eh
ben ils se sont fait descendre !... », le monde, les choses
toujours derrière l'épaisse cloche de sommeil dans le soleil
aveuglant, jaune et noir, les formes distendues télescopées

par les parois du verre, et à ce moment il put voir, déformée, s'étirant et se comprimant tour à tour, la silhouette d'un soldat sortir d'une maison en courant, sans arme, sans casque, la vareuse déboutonnée, comme s'il s'était brusquement levé au milieu d'une sieste ou d'un repas, agitant le bras, criant : « Vous êtes pas dingues de rester là plantés au milieu de cette route sur vos carnes ? Vous vous prenez pour qui ? Vous êtes pas dingues ? Il y en a partout ! Il y en a un qui est planqué là-bas, juste derrière le coin de la grange ! L'a déjà descendu un mec ! Vous... », puis trébuchant, se baissant, ramenant vers lui l'une de ses bandes molletières déroulée comme un serpent ou une pelure d'orange, accroupi un instant, la tête pourtant toujours levée, criant : « Mais restez pas là, restez pas là ! Vous êtes complètement cons ou quoi ? Tenez, vous le voyez pas ? Là ! Maintenant il s'est caché de nouveau ! Y tirent et après ils changent de place. Ils... », puis renonçant à rattacher sa bande molletière, faisant encore un geste furieux du bras, repartant en boitant, à demi courbé, se tenant la jambe, vers la maison d'où il était sorti et s'y engouffrant. Un étroit chemin s'ouvrait entre deux vergers sur la gauche. « Tu parles d'un bon Dieu de foutoir de merde ! », jura le jockey : « Allez, allons-y ! Hue cocotte !... » Ils enfoncèrent leurs éperons dans les ventres des chevaux et s'y jetèrent au galop.

XI

1910-1914-1940...

Les deux sœurs, les deux femmes qui avaient en quelque sorte servi de mère à ce frère de plusieurs années leur cadet, non pas l'allaitant de leurs seins qu'aucun homme n'avait jamais touchés mais le nourrissant pour ainsi dire de leur propre chair (ou plutôt du refus aux désirs de leur propre chair) à mesure que celle-ci se desséchait dans cette virginité non pas stérile mais sacrifiée ou plutôt conservée en offrande à cette incestueuse et austère passion; celle qui faisait office d'homme, bêchait le potager, taillait les pruniers, sciait le bois, fauchait l'herbe pour les lapins — et l'autre qui, tandis que son frère voguait sur des océans, des mers chaudes (car c'était à peu près tout ce qu'elles en savaient : pas les fièvres, les moustiques, les torrides ou étouffants climats : seulement les cartes postales où l'on voyait des palmiers au clair de lune, des pyramides ou les photos de dociles Antillaises), venait chaque dimanche aider aux travaux, repartait le soir dans un train glacial, attendait dans une gare glaciale un autre train glacial qui la déposait au milieu de la nuit dans des montagnes au froid de fer (elle raconta que lorsque après avoir cheminé entre deux murs de neige elle poussait la porte de l'école où le poêle était éteint depuis le samedi, elle avait en franchissant le seuil l'impression de pénétrer dans quelque chose de dur, de minéral, consistant, dont elle pouvait même sentir l'odeur (non pas celle du bois humide des planchers mais celle de quelque chose de métallique, dur aussi, qui s'enfonçait aussi dans ses poumons), n'enlevant que sa robe pour se glisser entre des draps raides de froid, attendant sans pouvoir dormir le moment de se lever, s'envelopper d'un châle pour aller dans la salle de classe allumer le poêle et restant là, incapable de bouger, jusqu'à ce que la lumière du jour couleur de fer blanchisse peu à peu les carreaux des fenêtres) : les deux sœurs, donc — l'une pas encore une vieille femme, encore jolie, et même belle, si la beauté est le contraire de la coquetterie et de la futilité, avec son visage régulier, droit, un peu carré, et l'autre (l'autre aux traits presque masculins), toutes deux faisant encore au frère le sacrifice d'endurer l'épreuve que dut être pour elles ce mariage non seulement religieux mais pompeusement célébré dans une cathédrale — elles qui pour rien au monde n'auraient mis ne serait-ce qu'un pied dans l'église de leur village forcées d'assister à l'office, de se lever, de s'agenouiller —, suivi de cette pompeuse réception dans une maison auprès de laquelle celle où elles vivaient avait tout au plus l'air d'un entassement de greniers meublés de ces meubles que l'on trouve seulement dans les greniers, quoiqu'ils fussent cirés et astiqués avec cette sorte d'acharnement que les pauvres apportent à l'entretien de ce qu'ils possèdent — et ceci donc : le monumental escalier de pierre, le monumental salon où trônait, sculpté dans une tonne de marbre, le buste drapé à la romaine d'un général d'Empire, les murs ornés d'une abondance de portraits d'ancêtres mâles et femelles, à l'huile, au pastel, encadrés, miniatures, les palmiers d'intérieur, la forêt de plantes vertes décorant la véranda où elles durent s'asseoir pour des photographies au milieu de groupes d'austères vieilles dames, d'hommes aux uniformes galonnés, ou cravatés de blanc, portant à leurs lèvres des cigares, cavalièrement assis sur des chaises dorées, moustachus, aux têtes de noceurs ou d'oisifs, de jeunes ou de vieux rentiers, vivant de dettes (non qu'on le leur ait dit, mais elles pouvaient sentir cela, elles pour qui l'argent était une chose avec laquelle on ne pouvait pas plus jouer qu'avec l'air qu'on respire ou le pain qu'on mange, comme elles pouvaient sentir la bienséante indulgence des regards posés sur elles ou des paroles qu'on leur adressait, elles dans ces robes trop lourdes surchargées de broderies, de nœuds, de bouillonnés, rigides et qu'il (leur frère) avait insisté pour leur offrir de même qu'il avait insisté (plaidé) pour leur présence ou plutôt l'exigeant, les menaçant de se fâcher, leur indiquant le nom et l'adresse du couturier parisien chez lequel elles n'avaient fini par consentir d'aller qu'à la condition expresse de payer elles-mêmes ces robes dont le prix équivalait à peu près à ce qu'elles pouvaient économiser pendant deux ans, à moins (ce qui était le plus probable) qu'il ne se fût entendu à l'avance avec le couturier ou le magasin dont le vendeur, un homme en redingote, moustaches frisées, pantalon rayé et col cassé leur présenta des modèles sans plus paraître remarquer leurs vêtements trop soigneusement brossés, trop soigneusement nets, que leurs mains crevassées) : cet hiver-là toutes les rivières et les fleuves débordèrent, de sorte qu'elles durent attendre dans des gares humides et parcourues de courants d'air que l'on autorisât à partir les trains qui avançaient avec prudence au milieu d'étendues semblables à de l'étain dont émergeaient en pointillés des lignes d'arbres et des clôtures, comme s'il fallait qu'avant même d'être célébré ce mariage qui ne devait durer que quatre ans, dont l'acteur principal (l'homme à la barbe carrée, au visage marqué par de terribles climats) et plusieurs des insouciants invités aux épaulettes dorées ou aux cigares également bagués d'or n'avaient plus que quatre ans à vivre, devait s'annoncer prémonitoirement par un désastre naturel (si tant est que celui qui allait se produire quatre ans plus tard ne fût pas d'essence aussi naturelle que la pluie, la sécheresse, les épidémies ou le gel), de même que trente ans plus tard, comme si rien ne devait subsister, ni les corps (celui que la veuve chercha en vain à travers des étendues de terres ravagées) ni les lieux, un torrent sorti d'une montagne des Pyrénées (ou plutôt ce qui, de tout temps, n'avait jamais été qu'un paisible ruisseau) soudain furieux, inexplicablement grossi aux dimensions d'une cataracte, ne devait laisser subsister qu'un désert de pierres semblable à quelque champ d'ossements à l'endroit où s'élevait l'hôtel placé sous l'invocation de l'Egyptien (ou du Turc, ou du Levantin) coiffé d'un fez et amateur de baccara, au milieu des pelouses, des banquettes de fleurs et du parc aux frais ombrages sous lesquels l'épousée d'à peine quatre ans promenait dans un landau poussé par la négresse un enfant déjà sans père.

Toutefois, sur la photographie aux tons bistres, légèrement fanée, parmi l'éphémère et joyeuse réunion des éphémères personnages, vaguement irréels, elles (les deux femmes, les deux sœurs aux noms d'impératrice et de déesse) sont toujours là, entourées de palmiers nains, d'aspidistras, de la forêt des plantes en pot, suppliciées, raidies, assises sur les chaises dorées, revêtues comme par moquerie de leurs robes aux épaisses broderies comme on en voit sur les documents de l'époque aux actrices ou aux demi-mondaines, leurs visages sans sourires écrasés sous leurs lourds chignons, embarrassées de leurs mains d'hommes, dans ces corsages baleinés, ces jupes aux pesants tissus qui les revêtent comme des carapaces, des élytres ou des armures.

*
* *

Le visage de l'homme qui se tient au centre du groupe n'a rien de particulier. Taillé à coups de serpe et tanné par le grand air des manœuvres ou des chasses, ce pourrait être celui d'un ouvrier ou d'un paysan dont il ne se distingue que par sa moustache en crocs, aux pointes relevées, qui est alors de mode dans une certaine société, tant en Allemagne qu'au faubourg Saint-Germain, et le casque à pointe qui le surmonte, d'un métal sombre, orné de cuivres astiqués. Il est entouré d'autres personnages semblables à lui, aux semblables moustaches cirées, engoncés les uns dans de longues capotes, les autres dans des uniformes ornés de passementeries et coiffés eux aussi de casques à pointe ou sur lesquels retombent les franges de plumets blancs que parfois le vent pousse sur le côté. Les plumets, les casques de métal, les bottes étincelantes, les brusques et imprévisibles changements de position des personnages, les font ressembler à des sortes d'oiseaux, de volatiles coiffés d'aigrettes, pourvus de becs et d'ongles d'acier, se mouvant par saccades, à la fois sauvages, inquiets, futiles et inconséquents. De temps en temps ils se tournent l'un vers l'autre, pivotant d'un mouvement violent, penchant la tête comme font les vieillards pour entendre, échangeant quelques paroles, pivotant de nouveau en sens inverse et reprenant leur immobilité. Celui qui se tient au centre a posé sur la coquille d'un sabre la petite main qui termine un bras atrophié, comme un bras de poupée. Ils restent un certain temps ainsi, raides, découpés dans du métal, habillés de drap sombre, agités spasmodiquement de mouvements brefs, le regard vide. A la fin, une automobile découverte arrive. C'est-à-dire que, brusquement, sans que rien l'ait annoncée, elle est là, soudain matérialisée à partir du néant, occupant presque toute la largeur de l'écran zébré de rapides griffures, comme une pluie noire. Comme si lui aussi non pas se mouvait mais passait successivement d'une attitude fixe à une autre attitude fixe décomposant le mouvement, l'officier assis à côté du chauffeur bondit de son siège et va ouvrir la porte arrière à côté de laquelle il s'immobilise au garde-à-vous. Tenant toujours son petit bras contre lui comme il aurait serré une poupée emmaillotée, l'homme aux moustaches en crocs s'avance en sautillant vers la voiture et y monte. Un moment (pendant que l'officier referme la

314

portière (c'est-à-dire s'immobilise une fraction de seconde dans la pose d'un homme refermant une portière), puis reprend sa place à côté du chauffeur, c'est-à-dire apparaît successivement au milieu d'un demi-tour, puis à demi penché, puis assis), un moment donc on voit l'homme aux crocs debout sur le plancher de la voiture, son bras de poupée étroitement collé au corps, puis, brusquement, assis sur le siège arrière, et l'automobile démarre. En fait il ne s'assied pas, semble brutalement tiré en sens contraire par le démarrage subit de la voiture, le creux de ses genoux cognant contre le rebord de la banquette, les genoux pliant sous le choc, le dos venant heurter le dossier de cuir capitonné, le buste cependant toujours droit, raide, avec sa moustache aux pointes raides dirigées vers le haut, son petit bras raide dont la main est toujours serrée sur la coquille du sabre comme ficelé contre son flanc, regardant droit devant lui et disparaissant tandis qu'une seconde automobile occupe déjà (pas avançant : occupant déjà) la place de la première et que ses passagers semblables à des hérons ou à des grues y prennent place à leur tour, les pans de leurs longues capotes voletant autour de leurs ergots étincelants, leurs plumets ou les pointes de cuivre de leurs casques s'inclinant et se redressant, l'automobile aussitôt remplacée par une semblable, chacune l'une après l'autre brusquement tirée sur la gauche comme ces images que l'opérateur des lanternes magiques fait se succéder horizontalement, emportés (voitures, oiseaux, aigrettes et plumets), et effacés.

*
* *

315

Vers le milieu de la nuit, le train s'ébranla. Avec de fréquents et longs arrêts, il roula toute la journée du lendemain, toute la nuit suivante et encore la plus grande partie de la nuit d'après. Aux arrêts, les quatre ou cinq dont les têtes obstruaient presque le cadre des étroites lucarnes aux extrémités du wagon imploraient vainement un peu d'eau des sentinelles qui arpentaient le ballast (ou le mâchefer) le long des wagons verrouillés. De nuit comme de jour, on pouvait chaque fois entendre s'élever leurs voix suppliantes répétant en un monotone lamento les trois seuls mots d'allemand qu'elles semblaient connaître tandis que derrière et au-dessous d'eux montait à leur adresse le concert de malédictions et d'injures jailli du confus enchevêtrement de corps en sueur, respirant péniblement, cherchant l'air, suffoquant.

Parfois une dispute éclatait, quelque part dans le noir ou, de jour, dans l'avare lumière, parmi la masse indistincte des corps aux uniformes terreux et souillés, aux membres emmêlés et aux visages tous semblables, eux aussi terreux, sales, avec leurs barbes de quinze jours, leurs yeux rougis. Comme si quelque feu mal éteint de violence se rallumait soudain ici et là, dans un éclat de voix, de jurons, comme si l'informe et vague agrégat que composaient les prisonniers était secoué par places d'impuissants soubresauts, s'exaspérant, s'épuisant bientôt d'eux-mêmes, retombant, le calme revenant de nouveau, seulement troublé par quelque injure, quelque malédiction s'élevant encore, les voix se répondant encore un moment, les uns et les autres s'accusant haineusement de lâcheté, de trahison, puis se lassant même de s'injurier, puis plus rien, seulement le silence, seulement le bruit des respirations difficiles.

Cette fois c'était en pleine campagne que le train s'était arrêté. De proche en proche, ils purent entendre sauter les loquets extérieurs des portes jusqu'à ce que les voix gutturales et les craquements du ballast sous les bottes leur parviennent, tout près à présent, tout contre la paroi de leur propre wagon, le panneau coulissant brusquement, l'air extérieur pénétrant en même temps que les voix, claires tout à coup, comme empreintes elles aussi de cette violence de l'air enfin respirable dans lequel, titubants, comme ivres, ils se laissaient maladroitement tomber sur le sol, pouvant voir le long convoi immobile, avec ses portes béantes d'où, comme des excréments, ne cessaient de se détacher des grappes d'hommes aux uniformes couleur de terre qui dévalaient le talus en trébuchant et arrivés en bas s'accroupissaient.

C'est une fin de journée, paisible, fraîche. La voie ferrée longe un pré qui, plus bas que le talus, descend encore en pente douce pour remonter ensuite légèrement jusqu'à la lisière d'une épaisse forêt de sapins. Sur le chemin qui la contourne marche un couple précédé d'une petite fille habillée de clair, aux longs cheveux, qui court en jouant avec un chien au pelage clair aussi. Les promeneurs sont trop loin pour qu'on puisse distinguer leurs traits. Ils avancent d'un pas tranquille sans paraître remarquer le train et la frange d'hommes accroupis qui le borde. Les cheveux blonds de la petite fille flottent derrière elle quand elle court. Le chien galope, semble saisir dans sa gueule quelque chose qu'elle lui lance, revient au galop, repart. Il marche à reculons devant la petite fille en jappant. Il est trop loin pour que l'on puisse voir sa gueule s'ouvrir, mais son corps tout entier

317

sursaute à chaque aboiement dont le son joyeux parvient aux prisonniers avec un moment de retard dans la paix du soir, comme à travers une opaque épaisseur de temps.

*

Il y avait déjà longtemps que la batterie avait cessé de tirer et sous les grands arbres l'obscurité était complète. De loin, on vit arriver la colonne. Seul le premier des véhicules avait allumé ses lanternes qui n'éclairaient pas beaucoup plus qu'à quatre ou cinq mètres devant lui, et on les vit longtemps, suspendues dans les ténèbres comme deux lunes pâles agitées de faibles tressautements, sans avancer semblait-il, grandissant insensiblement à mesure qu'elles approchaient dans la sente forestière. Arrivée à hauteur de la batterie, la première camionnette s'arrêta et, derrière, la file des voitures s'immobilisa. Deux officiers descendirent et tout en déployant leurs cartes se dirigèrent vers la camionnette-radio des artilleurs. Les camionnettes du convoi étaient bâchées et rien ne bougeait à l'intérieur. A l'arrière les pans des bâches étaient relevés et, en s'approchant, les artilleurs et les cavaliers virent deux rangées de soldats, assis face à face sur des banquettes dans le sens de la longueur. En fait, on distinguait seulement les premiers de chaque rangée, les plus proches de l'arrière du véhicule, avec derrière eux, dans le noir, des formes immobiles et silencieuses dont on pouvait deviner la présence, les respirations, et quelque chose d'autre qui en émanait, plus silencieux que le silence ou plutôt comme si le silence et le noir avaient été eux-mêmes quelque chose de tangible, quelque chose

318

qui enveloppait les deux rangées de soldats ou plutôt sortait d'eux et restait là, stagnant, compact et irrespirable, enfermé sous la bâche obscure. Serrés les uns contre les autres comme des enfants, sagement assis face à face, leurs fusils verticaux entre leurs genoux qui se touchaient, on aurait dit de ces petits animaux effrayés qui se tassent dans le fond d'une cage et se tiennent ainsi immobiles, comme des lapins, respirant seulement. Les cavaliers leur demandèrent s'ils appartenaient à cette division d'infanterie nord-africaine dont on annonçait sans cesse l'arrivée en renfort, mais ils continuèrent à garder le silence. Peut-être ne comprenaient-ils pas le français, ou peut-être leur avait-on interdit de répondre aux questions d'inconnus. L'obscurité ne permettait pas de reconnaître si c'étaient des Nord-Africains ou des Français. On pouvait seulement deviner à on ne savait quoi qu'ils étaient très jeunes, et sentir cette chose qui sortait d'eux et les tenait serrés comme dans un étau. Il semblait aussi qu'on pouvait voir briller leurs yeux, flottant dans le noir, suspendus à rien, tous tournés vers l'arrière de la voiture. Au bout d'un moment les officiers remontèrent dans la première camionnette à la suite de laquelle la colonne entière démarra, s'enfonçant lentement dans la nuit en emportant sa cargaison de petits animaux malheureux et craintifs cahotés dans les ornières du chemin forestier, et bientôt on n'entendit même plus le bruit des moteurs.

La nuit suivante les cavaliers qui couvraient la retraite remontèrent un convoi immobilisé sur une route par un bombardement et dont les voitures brûlaient encore. A la lueur des flammes, on pouvait voir les corps carbonisés des conducteurs encore assis à leurs volants. Certaines des camionnettes étaient renversées sur le côté, leurs bâches à demi consumées, et à l'intérieur on distinguait vaguement des tas confus. Il y avait aussi un motocycliste — ou plutôt la forme charbonneuse d'un motocycliste — toujours à califourchon sur son engin couché sur le côté et dont les mains tenaient encore les poignées. L'un des cavaliers dit que c'étaient les camionnettes qui cherchaient leur chemin la nuit d'avant, mais quelqu'un objecta qu'il n'y avait pas de motocycliste avec. Personne ne répondit. La voiture de tête avait été bloquée par une bombe qui avait creusé un énorme cratère au centre d'un carrefour où quelques maisons achevaient de brûler avec de menus craquements. Les cavaliers durent se mettre sur une file pour faire contourner le cratère à leurs chevaux. De petites flammes bleues et jaunes en dents de scie se poursuivaient sur les poutres des charpentes écroulées.

*
* *

Certaines qui avaient sans doute rencontré un caillou ou un éclat de roche avaient leurs pointes écrasées, ou tordues, comme un crochet, ou encore un bonnet de nuit, une corne, comme ces membres des poupées de son, avec un repli mou du métal jaune, légèrement oxydé, d'un ocre grisâtre, sauf de minces éraflures dues au frottement contre quelque dure particule et où le cuivre étincelait, comme des griffures d'or.

Ce n'était pas lui (le gamin de quatre ans) qui avait découvert l'endroit, encore moins les deux femmes aux yeux chassieux, aux visages précocement effondrés, dont l'une, chaussée de sabots ou de lourds brodequins au-dessus desquels les épaisses chaussettes de laine retombaient en accordéon, l'accompagnait, tenant par le milieu dans une de ses mains le manche d'une bêche (celle dont elle se servait pour déterrer les pommes de terre) et dans l'autre à la paume calleuse, aux doigts calleux, celle du gamin — du moins jusqu'à ce qu'ils soient sortis elle et lui du village et de la route où circulaient des voitures, ou du moins aussi longtemps qu'elle pouvait l'empêcher de s'échapper et de courir en avant.

Et si elles (les deux femmes aux vêtements toujours sombres) connaissaient l'endroit (en fait tout le monde le connaissait, il n'avait rien de secret : un mois plus tôt, un régiment de jeunes recrues à l'instruction avait cantonné dans l'école de la ville voisine et deux fois par semaine les hautes falaises rocheuses qui dominaient la vallée s'étaient renvoyé les échos des coups de feu), elles n'en avaient rien dit, soit par l'effet d'une superstitieuse horreur, soit que par quelque décision des autorités militaires l'approche de l'endroit (et à plus forte raison la fouille) fût interdite, soit encore qu'elles aient craint d'être blâmées par l'autre femme (celle qui leur rendait visite chaque été, accompagnée de l'enfant, après un interminable voyage au cours duquel il fallait changer quatre fois de train au milieu de la nuit, dont une dans une vaste gare (c'était Lyon) à la haute verrière qui se perdait dans le noir et où l'enfant aux yeux gonflés de sommeil se réveillait tout à fait pour contempler avec excitation sur les quais et jusque dans la salle du buffet la cohue animée des soldats de toutes armes et de toutes races (certains portaient une chéchia rouge, il y avait des marins aussi, avec des bonnets à pompon, de gigantesques Sénégalais aux joues barrées de cicatrices rituelles, des Arabes) errant ou déambulant d'un quai à l'autre, parfois étendus à même le sol, à un ou plusieurs, des sacs, les couvertures roulées ou des musettes en guise d'oreillers, profondément endormis au milieu du vaste et vague tumulte ponctué par les sifflets des locomotives ou des chocs de tampons, la femme aux voiles noirs assise imperturbable à son côté sur la banquette de moleskine, avec cet air à la fois royal et outragé, son inflexible profil bourbonien, ses yeux globuleux et secs fixant devant elle avec orgueil, au-delà du bruyant buffet, du bruyant troupeau d'hommes en uniformes de tirailleurs, de matelots, d'artilleurs ou de gendarmes, le fantôme d'un rêve incommunicable, sublime et foudroyé).

Pour arriver à l'endroit où l'on pouvait déterrer les balles (il — l'enfant — avait tout de même réussi à s'y faire conduire), il fallait suivre un chemin montant conduisant à une combe au fond de laquelle le terrain s'élevait en une pente raide qui avait servi de butte pour les exercices de tir. Les balles y étaient enfoncées plus ou moins profondément selon les obstacles rencontrés. Lorsqu'elle en trouvait une, la femme essuyait la terre qui y était restée accrochée avant de la tendre à l'enfant. La bêche heurtait et ramenait parfois des cailloux aux formes d'os que l'humidité de la terre avait jaunis. En séchant, ils ne tardaient pas à blanchir. Lorsqu'une des balles avait rencontré l'un d'eux, elle s'était tordue en le fracassant.

Le soir, après dîner, il sortait de sa poche les petites ogives tiédies par la chaleur de son corps et les alignait sur la table où elles luisaient faiblement sous la lumière de la lampe à pétrole, crochues, aplaties ou tordues, cependant que tricotant ou brodant les trois femmes parlaient entre elles de leurs voix calmes, douces, désespérées. Parfois le regard de l'une se posait sur la table où il essayait maladroitement de faire tenir en équilibre sur leur base une ou deux que le choc n'avait pas déformées et qui retombaient comme des quilles, roulaient en décrivant un arc de cercle. Un instant, les yeux bordés de rouge restaient à fixer les morceaux de métal, comme s'il en émanait quelque chose de fascinant, obscène, intolérable et venimeux.

*
* *

(Peut-être, tout compte fait, la légende selon laquelle il se refusait à lire les ordres ou les documents s'il n'était pas fait mention, en plus de son grade, de son titre de baron, n'était-elle pas si fantaisiste, peut-être était-il fou avant même d'avoir vu son régiment fondre au fil des jours sans même avoir eu l'occasion de combattre ou presque, peut-être ne se fit-il amener son cheval et ne vint-il ainsi se placer à la tête du premier escadron que par une sorte de furieux défi, de mépris, pour montrer par exemple à ses hommes et à ses officiers comment la tradition dans la cavalerie entendait qu'on se comporte en cas d'attaque surprise, et peut-être que ce fut cette intime et absurde conviction de l'absolue supériorité du courage qui lui permit de sortir indemne de cette embuscade où il était allé se jeter ? Peut-être était-il persuadé qu'avec suffisamment d'audace et de sang-froid on pouvait sortir indemne de toutes les situations, ou peut-être, après tout, n'était-il pas fou, nourrissait-il seulement encore sur cette route jalonnée de morts la sereine assurance que son titre de baron ajouté à son mépris du danger le rendait invulnérable ?)

*
* *

Les témoignages que l'on put recueillir étaient vagues : il fut impossible de savoir où la première balle l'avait atteint. Peut-être aux jambes, puisqu'ensuite il ne lui fut plus possible de se tenir debout comme à la manœuvre ainsi qu'avaient encore coutume de le faire les officiers en ce début de guerre, observant à travers ses jumelles les mouvements de l'ennemi, et que ses hommes durent le porter à la lisière du bois, l'asseyant au pied d'un arbre d'où, son dos calé contre le tronc, il continua à donner ses ordres. Ou peut-être fut-il atteint à la poitrine, ou encore au ventre. D'une façon suffisamment grave en tout cas pour se résigner à cette position d'où la vue qu'il pouvait avoir sur le champ de bataille (le paysage faiblement ondulé, les champs de betteraves, les chaumes coupés, les boqueteaux, la dépression où coulait la rivière) était forcément réduite.

La seconde balle l'atteignit au front. A l'époque, le port du casque n'avait pas encore été institué et les combattants étaient simplement coiffés d'un képi de forme molle dont la calotte rouge était ornée pour les officiers d'un galon d'or tressé dessinant un motif décoratif de quatre boucles en croix. Le numéro du régiment était brodé en fils de cuivre, également dorés, sur la partie antérieure de la coiffe. La visière était en cuir bouilli. Les témoins ne précisèrent pas si le projectile fait d'un alliage de cuivre et de tungstène frappa le front au-dessus ou au-dessous de la visière. Toutefois ses jumelles de capitaine que l'on renvoya par la suite à la veuve étaient intactes, ce qui laisse supposer que la balle frappa assez haut, à moins qu'il n'en ait pas fait usage en cet instant, les tenant simplement d'une main posée sur sa cuisse ou pendant à son côté. Toujours est-il qu'on peut présumer qu'emportant avec elle des fragments de cuir et de tissu l'ogive de métal brûlant fracassa l'os frontal et, un peu tordue par le choc, alla se loger avec quelques esquilles dans le cerveau. La mort fut certainement instantanée. L'armée était alors en pleine retraite après la défaite de Charleroi et le corps fut abandonné sans sépulture à l'endroit même où il gisait, peut-être toujours adossé contre l'arbre, le visage caché par une nappe de sang gluant qui peu à peu s'épaississait, obstruant les orbites, s'accumulant sur la moustache, s'égouttant de plus en plus lentement sur la barbe drue et carrée, la tunique sombre. Avant de le laisser derrière eux, son ordonnance, ou celui de ses officiers à qui avait échu le commandement de la compagnie, eut cependant soin d'emporter la plaque de zinc de couleur grisâtre attachée à son poignet et portant son nom ainsi que son numéro matricule. Cette plaque fut plus tard envoyée à la veuve en même temps que les jumelles et une citation du mort à l'ordre de l'armée suivie peu après par l'attribution de la croix de la Légion d'honneur décernée à titre posthume.

Ce fut tout. Le régiment subit par la suite de telles pertes (il dut être entièrement reformé plusieurs fois au cours de la guerre) qu'il fut pratiquement impossible de retrouver et d'interroger les témoins directs de cet événement sur lequel les détails font défaut, de sorte que l'incertitude continue à subsister tant sur la nature exacte de la première blessure que sur celle de la seconde, le récit fait à la veuve et aux sœurs (ou celui qu'elles en firent par la suite), quoique sans doute de bonne foi, enjolivant peut-être quelque peu la chose ou plutôt la théâtralisant selon un poncif imprimé dans leur imagination par les illustrations des manuels d'histoire ou les tableaux représentant la mort d'hommes de guerre plus ou moins légendaires, agonisant presque toujours à demi étendus dans l'herbe, la tête et le buste plus ou moins appuyés contre le tronc d'un arbre, entourés de chevaliers revêtus de cottes de mailles (ou tenant à la main des bicornes emplumés) et figurés dans des poses d'affliction, un genou en terre, cachant d'une main gantée de fer leur visage penché vers le sol.

Rien d'autre, donc, que ces vagues récits (peut-être de seconde main, peut-être poétisant les faits, soit par pitié ou complaisance, pour flatter ou plutôt, dans la mesure du possible, conforter la veuve, soit encore que les témoins — ceux qui s'étaient trouvés là ou ceux qui avaient répété leurs récits — se soient abusés eux-mêmes, glorifiés, en obéissant à ce besoin de transcender les événements auxquels ils avaient plus ou moins directement participé : on a ainsi vu les auteurs d'actions d'éclat déformer les faits pourtant à leur avantage dans le seul but inconscient de les rendre conformes à des modèles préétablis), rien donc n'assure que lorsqu'ils arrivèrent sur les lieux les combattants ennemis (c'étaient des hommes eux aussi exténués, sales, couverts de poussière ou de boue, qui depuis trois semaines n'avaient cessé de marcher et se battre sans connaître de repos, les yeux bordés de rouge par le manque de sommeil, les paupières brûlantes et les pieds en sang dans leurs courtes bottes) le trouvèrent bien ainsi, c'est-à-dire, comme on le raconta plus tard à la veuve, toujours adossé à cet arbre comme un chevalier médiéval ou un colonel d'Empire (il n'est pas jusqu'à l'expression stéréotypée de la balle « reçue en plein front » qui ne rende la chose incertaine), et non pas, comme il est plus probable, sous la forme imprécise qu'offrent au regard ces tas informes, plus ou moins souillés de boue et de sang, et où la première chose qui frappe la vue c'est le plus souvent les chaussures d'une taille toujours bizarrement démesurée, dessinant un V lorsque le corps est étendu sur le dos, ou encore parallèles, montrant leurs semelles cloutées où adhèrent encore des plaques de terre et d'herbe mêlées si le mort gît la face contre le sol, ou collées l'une à l'autre, ramenées près des fesses par les jambes repliées, le corps lui-même tout entier recroquevillé dans une position fœtale, distraitement retourné du pied par l'arrivant dont l'attention est soudain alertée à la vue des galons, se penchant alors peut-être pour déboutonner la tunique poisseuse à la recherche de quelque papier d'état-major ou de quelque ordre de marche, de quelque carte oubliée par mégarde ou, simplement, d'une montre.

*
* *

327

Ce n'était pas à tort ou par méchanceté taquine que le jockey italien se moquait de la façon dont le petit juif montait à cheval — non qu'il fût aussi inapte à tout exercice physique que le donnait à croire son apparence chétive (il faisait partie d'un club de basket-ball de son quartier), mais quant à ce qui était de se tenir sur une selle, il avait une fois pour toutes manifesté une opposition catégorique, viscérale, préférant souffrir, se laisser douloureusement secouer à contretemps, que ce fût au trot ou au galop (trouvant moyen, même au pas, même calé par les sacoches et le paquetage, d'avoir l'air de ce qu'avait dit le jockey de façon imagée à propos d'un membre d'homme et d'un morceau de savon), comme par une sorte de passive et furieuse protestation — ou plutôt exécration — et, de même que dans certains pays d'Orient on se suicide pour déshonorer son ennemi, il manifestait par cette orgueilleuse résistance, ce méprisant dégoût, son refus de ce à quoi le forçaient non seulement les sous-officiers et les officiers mais, par-delà eux, un système à la fois militaire et social qui avait pu concevoir d'obliger un homme à être indignement, comme dans les cirques, promené sur le dos d'un animal.

*
* *

... en fait — mais ils ne le savaient pas — c'était toute une colonne blindée qui était passée là, le général qui la conduisait debout dans sa voiture de commandement, une joue barrée d'un pansement teinté de sang, rebondissant dans les cahots, cramponné au pare-éclats, imperturbable, incapable (raconta-t-il plus tard) dans le tapage

328

des moteurs et des détonations d'arrêter le feu que crachaient dans toutes les directions toutes les armes de ses véhicules de fer lancés à toute allure dans la nuit zébrée de rouge — le général (on allait plus tard le faire maréchal) qui pendant quatre années allait formidablement foncer de la même manière, balayant tout sur son passage, dans des déserts, des sables, sous des soleils encore plus brûlants, continuer encore à foncer sur d'autres routes, d'autres chemins, entre d'autres ruines, d'autres débris fumants, d'autres morts — et plus tard reculer à son tour, toujours impassible, calme, dangereux, frappant encore, le menton haut, rasé de près, droit comme un mannequin, avec son œil d'oiseau de proie, son visage de cuir, et en place du traditionnel monocle ses lunettes de motocycliste relevées sur le front ou par-dessus la visière de sa casquette de maréchal, jusqu'à ce que, sur ordre (ces ordres auxquels pendant quatre ans il allait obéir avec cette même impétueuse audace, rigide, distante, gourmée), lui-même dirige sur sa tempe le canon d'un pistolet et appuie sur la détente — mais en cette matinée de mai les cavaliers ne savaient rien : ils ne savaient pas que depuis une dizaine d'heures l'ordre de la bataille s'était pour ainsi dire inversé sens devant derrière, ce qui faisait que le régiment (ou plutôt ce qu'il en restait) avait cessé de battre en retraite et que ses débris (ou plutôt ses résidus) erraient maintenant derrière l'ennemi auquel ils croyaient tourner le dos, dérisoires, laissés pour compte, tout juste bons pour attirer la rafale indolente de quelque avion en vadrouille ou de quelque tireur embusqué derrière une haie.

A force d'y faire bouillir chaque soir l'eau dans laquelle baigne la seringue, le fond et les parois de la petite casserole d'aluminium à la collerette cabossée sont recouverts d'un dépôt de tartre calcaire. Son manche, terminé par une boucle qui permet de l'accrocher au mur, est entouré d'un manchon de bois non verni (ou duquel, en tout cas, toute trace de vernis a disparu depuis longtemps), légèrement renflé, et qui peu à peu a pris du jeu.

La casserole encore chaude est maintenant vide. On en a retiré la seringue et l'aiguille, jeté l'eau, et c'est tout juste si un croissant d'humidité se rétractant rapidement subsiste sur un côté, à la base de sa paroi intérieure. La casserole est posée sur une étroite console de marbre veiné de gris qui se trouve entre le lavabo de la salle de bains et la porte, maintenant refermée, de la chambre à coucher. Au-dessus de la tablette de marbre le mur est tapissé d'un papier brillant, à l'imitation de carreaux de faïence, divisé en carrés réguliers par deux étroites bandes bleu pâle semées de petits disques ronds, comme des perles. L'intérieur de chacun des carrés est orné d'une fleur, également bleu pâle, au cœur entouré d'une couronne de pétales épanouis. Alternativement, cette couronne est orientée vers la gauche ou vers la droite. Les bandes dessinant les carrés et les fleurs se détachent sur un fond crème. A la hauteur du petit réchaud à gaz sur lequel repose la casserole, le papier décoratif imitation de faïence porte une trace de léger roussi allant se dégradant vers le haut.

Depuis que la porte donnant sur la chambre s'est refermée, le gamin contemple fixement la casserole vide, la tablette de marbre et l'ampoule de morphine d'un jaune orangé aux extrémités brisées qui se trouve encore sur le côté. Quand un faible cri, semblable à celui que pourrait émettre un gosier de souris, lui parvient à travers le panneau de la porte, le gamin plaque violemment ses mains sur ses deux oreilles et peut entendre les battements de son sang. Presque aussitôt la porte s'ouvre et ses mains retombent. Il peut maintenant voir le lit éclairé par une veilleuse, les ombres confuses, entendre des voix confuses. Sur le mur, à la droite du lit dont les draps sont à présent remontés, se trouve un agrandissement photographique sépia encadré d'une large moulure de bois brun. Dans un halo dégradé, on peut voir le visage d'un homme à la barbe carrée, aux moustaches en crocs, au regard hardi et gai, surmonté d'un képi galonné à la coiffe souple.

*
* *

Les deux soldats sont couchés parallèlement sur le dos, au revers d'un talus, comme sur le plan incliné d'un théâtre ou une sorte de présentoir. Les genoux de l'un sont écartés et ses talons joints, de sorte que ses jambes dessinent un losange, comme celles d'une grenouille. La jambe droite du second est repliée et son talon vient presque toucher le mollet de la jambe gauche allongée et raide. Sous cet angle on peut voir les semelles des souliers cloutés. Tous deux semblent blessés au ventre ou plutôt à l'estomac que couvre (mais peut-être est-ce un

331

hasard ?) une de leurs mains. L'un d'eux a perdu son casque. Les seuls signes apparents de vie sont les lents mouvements de leurs têtes renversées en arrière et roulant de droite à gauche, l'occiput en contact avec le sol, du moins pour celui qui est tête nue, le casque de l'autre, sa visière arrière coincée entre la nuque et le talus, relevé au-dessus du front, seulement retenu par sa jugulaire qui a glissé du menton et se trouve maintenant sous celui-ci, à sa jonction avec le cou, tendue en V et étranglant sans doute légèrement le blessé. Ils ont les yeux fermés (ou peut-être pas : peut-être est-ce simplement une impression due à la fixité de leur regard qui, très évidemment, ne saisit rien). De faibles plaintes et des sons incohérents sortent de leurs bouches ouvertes. On peut toutefois distinguer, répétés d'une voix geignarde, les mots « L'ambulance... l'ambulance... où est l'ambulance ?... » A chacun des mouvements de la tête encore couverte du casque, le soleil miroite un instant sur la crête de celui-ci et jette un éclat. Comme les têtes, les mains sont peut-être aussi agitées de légers mouvements ou de légères crispations spasmodiques, mais d'une faible amplitude et peu perceptibles (par exemple une main dont alternativement les doigts se replient et s'ouvrent en éventail). On ne voit (du moins ainsi : à trois ou quatre mètres et en passant) aucune blessure apparente, aucune trace de sang.

*
* *

La cérémonie était terminée. Cependant, bien après le départ de l'empereur au bras atrophié, les troupes continuaient à défiler. Entre les façades grises et sévères les colonnes d'hommes se succédaient, croisant de rares automobiles aux roues grêles, aux phares globuleux, aux ailes semblables à des élytres déployées et à la haute caisse carrée comme celle des fiacres. Les rangées d'hommes avançaient elles aussi de ce même pas sautillant, comme s'ils se bousculaient, mus par une sorte d'incompréhensible hâte, le fusil à la bretelle, comme des chasseurs, portant des havresacs, leurs casques à pointe couverts d'une sorte de housse qui faisait des plis au-dessus de leurs visages inexpressifs, seulement habités semblait-il par cette incompréhensible précipitation, l'un d'eux parfois, sur le flanc de la colonne, ébauchant un geste du bras à l'adresse de l'opérateur et disparaissant, remplacé par le suivant, exactement identique, tandis que de temps à autre une femme à la jupe entravée, au corsage clair et coiffée d'un grand chapeau s'approchait (jaillissait de la gauche de l'écran), courait en sautillant le long du flanc de la colonne et jetait aux soldats des bouquets de fleurs d'un geste brusque, comme méchant, comme si elle les avait frappés, comme si elle leur avait lancé à la figure quelque chose comme des pierres ou des poignées de gravier, ou parfois prenant le bras d'un homme, l'embrassant, l'accompagnant quelques pas tandis qu'il souriait d'un air gêné, conservant encore quelque temps à la main le bouquet que la femme y avait fourré de force, puis, ne sachant qu'en faire, le laissant tomber, les pétales et les tiges s'éparpillant sur le sol, dispersés, écrasés par le piétinement des bottes mécaniques, et bientôt gris.

Comme ces oiseaux exotiques aux becs démesurés, aux cous déplumés, perchés sur quelque branche encroûtée de fientes dans la cage d'un jardin zoologique, les quatre personnages sont assis sur un banc, le buste droit, le long du flanc d'une baraque. La paroi de planches aux lattes horizontales sommairement rabotées où se dessinent en clair les veines et les nœuds du bois est d'un brun noir, goudronneux. Le buste maigre de l'un des personnages est vêtu d'un polo déchiré vert olive. Les trois autres portent les restes ou plutôt les vestiges d'uniformes kaki, dépenaillés et maculés de taches, les vareuses déboutonnées sur des chemises d'un vert kaki aussi, raides de crasse. Il émane de leurs masques inexpressifs légèrement renversés en arrière, avec leurs yeux globuleux et mi-clos qui ne laissent filtrer qu'un mince éclat bleuâtre, comme des yeux d'aveugles, quelque chose de terrifiant et macabre, comme de ces épouvantails affublés de loques et surmontés au bout d'un bâton d'une planche oblique en guise de tête. Sur les crânes osseux et tondus, les pommettes, les joues creuses, la peau tendue ressemble à une sorte de cuir plus ou moins foncé dont la couleur primitive se serait retirée pour laisser place à une teinte grisâtre, ou plutôt cendreuse. Avec leurs fronts étroits et fuyants, leurs nez épatés, comme rongés par quelque lèpre, le bas de leurs visages démesurément étiré jusqu'aux lèvres aux épais bourrelets, ils évoquent ces produits d'accouplements hybrides, bardots ou mulets, passifs, somnambuliques et sournois, dodelinant docilement de la tête entre les brancards des charrues. Quand elles s'écartent, les paumes de celui qui frappe du plat de la main sur un bidon apparaissent furtivement, d'un rose sale, comme déteint, comme si là aussi la couleur primitive de la peau s'était diluée, était partie avec la sueur ou le frottement. Sur son crâne comme atteint de pelade les cheveux commencent à repousser par plaques, en courtes bouclettes clairsemées, laineuses. Il remplace parfois le bidon par une gamelle de fer blanc dont l'extérieur est recouvert d'une couche de peinture noire (ou de fumée?) éraflée par endroits, laissant apparaître le métal brillant, comme de l'argent. Les autres instruments consistent en une flûte de roseau au son voilé et deux morceaux de bois dont les chocs font entendre un bruit creux, sec, contrastant avec le bruissement d'une boîte à clous. A part la gamelle, l'ensemble (le flanc de la baraque, les musiciens, leurs vêtements, leurs visages) est tout entier composé dans une gamme de couleurs terreuses et les seules notes vives sont apportées par les écussons de laine qui subsistent encore aux cols des vareuses, l'un portant un numéro noir sur fond rouge, l'autre un numéro rouge sur fond vert.

Les bustes des quatre musiciens aux têtes d'épouvantails sont absolument droits, les quatre masques absolument parallèles aussi, leurs regards endormis d'aveugles dirigés droit devant eux. Ils sembleraient somnoler si les mouvements de leurs mains secouant ou frappant les instruments ne se répercutaient en courtes secousses agitant faiblement leurs épaules et leurs têtes. Tout autant que le monde extérieur ils paraissent s'ignorer les uns les autres, ne manifestant aucun signe de concertation, absents, sauvages, patients, changeant de rythme spontanément lorsque le flûtiste attaque, sans préavis semble-t-il, une autre de ces mélodies répétitives dont la monotonie même sert de support à des combinaisons diverses de percussions. Les mains aux paumes d'un rose sale qui frappent le bidon ont de longs doigts décharnés aux articulations noueuses et au bout desquels les ongles clairs, roses aussi, semblent collés comme des pastilles. A chaque mouvement du maigre poignet un brin de laine qui pend en spirale de la manche dépenaillée se tord en de menus soubresauts.

Pas plus que les quatre visages figés il n'émane ni tristesse ni joie des notes enrouées égrenées par la flûte et soutenues par les cadences dont les accompagnent les autres instruments. Une foule fantomatique d'autres personnages aux corps amaigris, flottant eux aussi dans des uniformes fripés et sales, déambule lentement par petits groupes dans l'allée de part et d'autre de laquelle sont alignées les baraques. Sur le dos de leurs vareuses couleur moutarde on peut lire les deux lettres K et G, tracées à la peinture rouge et d'environ trente centimètres de hauteur. La plupart s'arrêtent au passage et restent un moment à contempler d'un air morne les quatre musiciens, s'agglutinant parfois en groupe, puis reprenant leur déambulation. Parfois un gardien s'arrête aussi. Il est vêtu d'un uniforme vert clair, coiffé d'un calot et chaussé de courtes bottes noires soigneusement cirées. Les pattes d'épaule de sa vareuse sont bordées d'un galon d'argent. Il contemple aussi les quatre mulâtres alignés sur le banc, puis reprend sa marche, se retournant plusieurs fois, jetant par-dessus son épaule des regards incrédules. Indifférents aux spectateurs, les yeux toujours mi-clos, sombres, farouches, leurs têtes dodelinantes rejetées en arrière, les musiciens continuent de jouer. Les chocs réguliers et syncopés des deux morceaux de bois s'entendent encore longtemps lorsque l'on s'éloigne. Par une échappée entre les flancs noirs des deux baraques on peut voir au-delà de la clôture de barbelés le disque orange du soleil déclinant sur l'horizon. A mesure qu'il s'abaisse il semble grandir et l'orange vire peu à peu au rouge. Le ciel est d'un gris soyeux, délicat, au-dessus de la plaine sablonneuse où, de loin en loin, se profile un maigre boqueteau de pins. Déclinant encore, le disque affleure les sommets des arbres. A la fin il est rose.

XII
1940

Ce fut seulement trois jours plus tard qu'il y pensa.
Ou plutôt que son corps se rappela : au lit déjà, la lampe
de chevet éteinte (il se couchait tôt ; il se déshabillait, se
glissait entre les draps, ne prenait même pas un livre ou
un journal), à peine allongé, il pressait le commutateur
puis restait là sans même attendre, sans impatience,
sachant que le sommeil allait venir presque aussitôt,
l'engloutir non pas dans mais sous son épaisse chape de
noir, se tenant donc ainsi un moment, parfaitement
immobile, les yeux ouverts sur les ténèbres où peu à peu
se dessinait confusément le rectangle blafard de la fenêtre, flottant suspendu, impondérable, tandis que lentement la lumière laiteuse de la nuit détachait, accrochait
par endroits un reflet sur la courbe d'un meuble, les
saillies des cadres, puis les parties claires (la chemise de
l'homme au fusil, les crevés des manches bouffantes de
cette robe d'apparat qui revêtait la femme) des vêtements
dans lesquels avaient posé pour un peintre les lointains
ancêtres mâles et femelles figés depuis deux cents ans, les

solennels portraits entourés de dorures qui, après parta-
ges, avaient échoué dans cette chambre de l'appartement
qu'après partage aussi il occupait (ou plutôt n'occupait
pas : où il couchait deux ou trois semaines par an
lorsqu'il revenait, à l'époque des vendanges dans la vaste
bâtisse provinciale où il avait grandi enfant, d'où il était
parti, toujours enfant, pour ne s'y retrouver qu'ainsi,
seulement de passage), et dans lequel (l'appartement) on
avait transporté pour lui les meubles et les tableaux du
lot qui lui était échu, auxquels il n'avait pas touché, et
où seules, depuis le dernier printemps, habitaient les
deux vieilles femmes arrivées par l'un des derniers trains
qui avaient encore roulé du nord vers le sud, poursuivi
dans le lointain par les sourdes déflagrations des bombes
qui semblaient progresser presque aussi vite que le convoi
poussif composé à la diable de wagons à bestiaux ou de
première classe dans lesquels s'entassaient sans distinction
enfants, femmes, adultes et déserteurs ivres morts : les
deux femmes aux visages qu'il n'avait jamais connus que
ravinés, aux yeux bordés de rose et dont quelque chose
de brillant, argenté, s'était mis silencieusement à couler,
délayant cette poudre grisâtre dont usent les vieilles
dames, lorsqu'elles avaient ouvert la porte et l'avaient vu
debout sur le palier où il se tenait, avec sa barbe de huit
jours, ses mains aux ongles cassés, crasseux, grelottant
sans même s'en apercevoir, vêtu en tout et pour tout
dans ces premiers jours de novembre de la salopette et
des espadrilles que lui avait données le paysan dont son
compagnon d'évasion et lui avaient poussé (ou plutôt
forcé) la porte en pleine nuit, les regardant se changer
dans l'étable tandis qu'il soupesait dans sa main l'alliance

en or et la montre-bracelet, examinait les brodequins, les chaudes culottes de drap, roulait en boule les vareuses aux dos marqués de rouge sans cesser de répéter Dépêchez-vous ! Faites vite ! Dépêchez-vous ! Et maintenant allez-vous-en, allez-vous-en, allez-vous-en !...

Et avant même qu'il ait eu le temps de distinguer, émergeant à leur tour de l'obscurité, les taches confuses des visages et des mains (la main presque féminine, soignée, posée sur le pontet du fusil, l'autre (celle de la femme) qui tenait entre ses doigts un masque lui-même masqué d'un loup), il s'endormait. C'est-à-dire que le sommeil lui tombait dessus, absolument noir, opaque, presque palpable, ne laissant place ni aux rêves ni même aux simples réflexes : parfois, s'il se réveillait, c'était seulement le temps de se rendre compte qu'il n'avait pas bougé, était toujours étendu sur le dos dans la position où le sommeil l'avait saisi, pour se tourner alors sur le ventre avec un grognement de bête et se rendormir. Et cela dès la première nuit, lorsque pour la première fois il avait glissé dans des draps propres son corps propre, le corps qu'il avait regardé avec une sorte d'étonnement, comme s'il ne lui appartenait pas, flottant sans poids dans l'eau transparente et verte de la baignoire, pas décharné ni même efflanqué, simplement maigre, intact, le même corps dans lequel il avait dormi depuis cinq mois, allongé chaque soir sur la mince paillasse d'une couchette pas beaucoup plus large qu'un cercueil dans la baraque à l'air épais, irrespirable, parmi les autres corps empilés sur trois étages, pouvant sentir chaque soir avec la même horreur, le même insurmontable dégoût, l'innombrable grouillement, le minuscule et innombrable grignotement, acharné et vorace, des centaines de poux qui bougeaient sur lui.

Et maintenant il était là, étendu raide et nu dans les draps lisses, simplement tranquille, seulement habité par cette sorte de rire silencieux, furibond, froid, qui était le contraire de la gaieté et qui s'était installé en lui quatre jours plus tôt, exactement le matin où ils avaient quitté la grange où malgré les assurances du sergent qui commandait le poste il s'était tourné et retourné toute la nuit dans le foin, se réveillant en sursaut, trempé de sueur en dépit du froid sous sa mince salopette, croyant entendre au-dehors les pas et les voix gutturales de leurs poursuivants (ou peut-être ne se réveillant pas, rêvant qu'il se réveillait, ou peut-être réveillé tout en dormant, ou peut-être dormant tout éveillé, dans cet état second où la fatigue et l'action ramènent un homme à l'état de bête sauvage capable de passer du sommeil au mouvement ou l'inverse en un instant...).

Depuis des mois il avait oublié jusqu'à leur existence. C'est-à-dire leur existence en tant que chair, membres, peau, moiteur, souffle, salive, odeur. Pendant des mois, chaque dimanche, assis sur sa couchette, il avait exécuté au crayon des dessins que par l'intermédiaire d'un souteneur juif d'Oran il vendait à leurs gardiens contre les paquets de tabac qui constituaient la monnaie du camp. Patiemment, chaque dimanche, il répétait les images du même couple ou de la même femme (il avait appris à leur donner un visage enfantin encadré de chevelures soyeuses) dans les postures de coït, de sodomisation ou de fellation (et à la fin — c'était celle qui avait le plus de succès — la même posture : la femme à genoux, cambrée, offrant sa croupe) : quelque chose qui était au dessin à peu près ce qu'une savonnette est à une pierre ou à une racine, apprenant peu à peu avec une morne perversité à fignoler les détails, les ombres, dessiner les poils avec minutie, faisant cela machinalement, comme il aurait poli des lentilles ou ratissé une cour, se reculant pour apprécier les dégradés et juger de l'ensemble ainsi que peut le faire un émondeur ou un plâtrier, se demandant parfois — puis cessant même de se le demander — comment on pouvait bien payer des sommes aussi énormes que trois ou quatre paquets de tabac (ce qui, dans l'univers où il vivait, représentait une petite fortune) pour des choses aussi dénuées d'intérêt tant à ses yeux qu'à ceux du souteneur oranais qui appréciait d'un œil seulement pensif, convertissant mentalement fesses, vulves, langues et pines en leurs équivalents de « Porto-Rico » (c'était la marque du meilleur tabac, dessinée en caractères rouges au-dessus de palmiers qui se balançaient dans un ciel jaune) ou de rations de pain.

Puis l'Oranais fut envoyé en commando (pas en punition, pas en tant que juif non plus quoiqu'il ne s'en cachât pas, s'en enorgueillît même, lui qui de sa vie n'avait probablement jamais mis les pieds dans une synagogue, jamais observé Kippour sauf, pour la première fois, obéissant à un réflexe de dignité et de défi inspiré par quelque obscure et ancestrale conscience et sa fierté de truand, dans ce camp où les gardaient des assassins d'enfants : simplement on les avait fait s'aligner en carré sur la place centrale avec à leurs pieds la musette qui contenait tout ce qu'ils possédaient, et des contremaîtres ou des fermiers chaussés de bottes de caoutchouc et

coiffés de casquettes à visière de cuir étaient passés
lentement, les inspectant, tâtant leurs muscles, et sans
doute l'Oranais leur avait-il paru mieux fait pour le
travail qu'ils en attendaient) et ce fut fini — c'est-à-dire
de dessiner des croupes, des vulves et d'enfantins visages
encadrés de mèches soyeuses (il avait appris à faire jouer
sur elles les reflets particuliers aux cheveux blonds, avait
aussi appris à les disposer en désordre, jaillissant en épis,
voilant à demi les délicats visages, sans que ni les vulves,
les mamelons ou les ventres qu'ombrait avec soin la
pointe effilée du crayon représentent pour lui quoi que
ce soit d'autre que l'arôme du tabac « Porto-Rico » et ce
contre quoi il pouvait l'échanger) : par chance (par
chance pour son estomac), presque aussitôt, il fut affecté
(on avait demandé deux électriciens et un autre de ses
amis, un souteneur oranais encore qui avait aussi exercé
la profession de machiniste dans un music-hall ou
d'homme à tout faire dans un bordel, savait à peu près
raccorder des fils et remplacer un plomb, l'avait pris avec
lui) au camp allemand et là, de la même pointe affûtée
du même crayon, il dessinait maintenant avec la même
machinale minutie, la même totale absence d'intérêt, les
minuscules épées entrecroisées qui ornaient certaines
décorations sur les poitrines des feldwebels dont il faisait
les portraits, dispensé non seulement des travaux d'élec-
tricité (l'Oranais s'était vu attribuer un autre aide) mais
de toute espèce de corvée ou de travail, de sorte qu'aussi
vite qu'avaient été convoqués pour les besoins de son
estomac les tendres corps offerts à la pénétration, les
tendres vulves gonflées, les enfantins visages aux lèvres
gourmandes, ils cessèrent d'exister, non seulement sur

des feuilles de papier mais, semblait-il, même dans sa mémoire, sa conscience, rejetés au néant, dans cette totale absence de réalité où s'effaçait, annihilé, tout ce qui se trouvait au-delà du quadrilatère délimité par la triple barrière de barbelés et à l'intérieur duquel ne subsistaient plus concrètement que deux exclusives et furieuses obsessions : manger et s'échapper.

Ce fut donc le troisième jour seulement. Et encore lui fallut-il un moment (toujours étendu dans le noir comme les soirs précédents, sans autre désir lui semblait-il que celui que peut éprouver même pas un animal mais une mécanique, quelque chose comme une automobile après une longue course ou une locomotive ramenée au dépôt, écoutant dans le silence se refroidir l'un après l'autre avec de légers craquements ses organes de métal, s'atténuer par degrés jusqu'au souvenir du bruit et du mouvement, n'aspirant à rien d'autre qu'à la seule inertie de la matière) ... il lui fallut donc un moment pour comprendre ce qui ce soir-là le tenait éveillé dans le noir, empêchait la ténébreuse chape du sommeil de l'engloutir (maintenant ses yeux avaient eu assez de temps pour arriver à distinguer comme des billes dans l'obscurité les taches sombres des prunelles dans les visages distants, bienséants, vaguement réprobateurs, de l'homme au fusil et de la femme démasquée, les deux lointains géniteurs qui deux cents ans auparavant s'étaient accouplés dans un froissement de linges troussés, les halètements et des blancheurs de cuisses repliées pour qu'une infime parcelle d'une infime parcelle de la semence expulsée, une infime composante du sang qui avait circulé dans leurs veines circule encore dans les veines de celui qui sans pouvoir maintenant trouver le sommeil était étendu au-dessous d'eux) : ce qu'il éprouvait à présent, ce qui tenait ses yeux ouverts, ce n'était plus cette allégresse, ce vindicatif sentiment de triomphe et cette vindicative indignation à la pensée de ce qu'on lui avait fait (« La chèvre ! », raconta-t-il plus tard (plus tard seulement : quand il fut à peu près redevenu un homme normal — c'est-à-dire un homme capable d'accorder (ou d'imaginer) quelque pouvoir à la parole, quelque intérêt pour les autres et lui-même à un récit, à essayer avec des mots de faire exister l'indicible; mais plus tard : sur le moment il se contenta de dire aux deux vieilles femmes et à ceux qui l'interrogeaient que son régiment avait été anéanti et que tout (la bataille — encore hésitait-il à employer le mot, se demandant si on pouvait donner ce nom à cette chose qui s'était passée dans la pimpante verdure printanière, (cette — mais comment dire ? : battue, poursuite, traque, farce, hallali ?) et où il avait joué le rôle de gibier — et ce qui s'en était suivi : l'interminable et humiliant cortège des captifs serpentant à travers bois et collines, le train, les wagons à bestiaux aux corps enchevêtrés, la faim, la soif lancinantes, la puante odeur de pommes de terre pourries qui flottait en permanence au-dessus des baraques alignées...), disant donc seulement que tout avait été dur) : « Oui : la chèvre », raconta-t-il plus tard avec ce rire bref, sans joie, qui était comme le contraire du rire : « La chèvre que le chasseur attache à un piquet pour faire sortir le loup du bois. Ou dans l'espoir qu'une fois la chèvre mangée le loup voudra bien s'arrêter — tout au moins le temps de la digérer. Avec pour rendre la chose plus comique ce déguisement de carnaval et à califourchon sur un cheval fourbu. Avec cette différence que la chèvre a tout de même deux cornes pour se défendre et que le déguisement ne comportait comme accessoires qu'un sabre de fer blanc et une pétoire à cinq coups. Et avec cette différence encore que le loup était déjà sorti du bois et qu'une fois la chèvre avalée il a aussi mangé le chasseur. Sauf que d'après ce que j'ai compris il n'y avait même pas de chasseur. Et alors ce bougre de salaud d'imbécile avec son foutu sabre d'abordage... »), chèvre, loup et chasseur maintenant sortis de son esprit : rejetant alors les draps, son corps mû à présent par quelque chose d'aussi furieux, d'aussi élémentaire et d'aussi impérieux que la faim ou la soif, retrouvant cette impétuosité (ou plutôt cette animalité) qui lui avait permis de ou plutôt l'avait forcé, en plein jour, dès que la sentinelle avait tourné le dos, à se jeter à terre, se glisser sous les barbelés, s'élancer, galoper à quatre pattes dans le bois comme un chien, les mains déchirées, insensible, n'entendant rien d'autre au-dessus de ce qui lui semblait un épouvantable fracas de feuillages et de rameaux brisés que la formidable rumeur de son souffle qui brûlait ses poumons, sa gorge, le mugissement du sang dans ses oreilles, jusqu'à ce que sang, muscles, poumons, cœur, bras et jambes se refusent à circuler ou à fonctionner, c'est-à-dire refusent d'eux-mêmes : pas à sa raison, sa volonté qui protestaient déjà avant même qu'ils (les muscles, le corps) se mettent en mouvement, continuaient à protester, attendant avec terreur tandis que les bras et les jambes se mouvaient avec rapidité l'écho du coup de feu, le choc, la brûlure de la balle qui allait le traverser : puis immobile dans le taillis,

349

toujours à quatre pattes, hors d'haleine, pensant alors que c'était une bonne position pour vomir, pensant que s'il vomissait maintenant ce ne pourrait être que quelque chose comme un morceau de poumon, ou de cœur, en tout cas du sang, pensant en même temps Maintenant ils n'ont pas besoin de se presser : ils n'ont qu'à arriver tranquillement, me passer une laisse autour du cou et après me ramener, toujours à quatre pattes, cependant que peu à peu l'effroyable tapage de ses organes s'apaisait par degrés, qu'il recommençait à entendre les bruits menus de la forêt, le tranquille chuintement du vent dans les cimes des pins, et rien d'autre, tandis que progressivement aussi son corps et sa raison se réconciliaient, la dernière reprenant le commandement, du moins avec suffisamment d'autorité maintenant pour obliger bras et jambes à continuer prudemment leur progression de quadrupède pendant un moment encore jusqu'à ce qu'il se relevât avec précaution, examinant la forêt silencieuse autour de lui, debout alors et s'éloignant à grandes enjambées. Et ensuite les trois jours à marcher dans le sous-bois, lui et un autre rencontré plus tard, une espèce d'échalas en lame de couteau, un pied-noir (il raconta qu'il était originaire de Constantine), parvenu lui aussi à se faufiler dans un des wagons du convoi rempli d'Arabes (« Des crouilles », dit-il) qui s'était traîné pendant deux jours et deux nuits depuis l'Elbe, depuis la sablonneuse plaine saxonne, jusqu'au bord de l'Atlantique : plus tard encore, ils virent de loin un nègre, toujours vêtu de l'uniforme marqué au dos des grandes lettres K G à la peinture rouge, marchant dans la même direction qu'eux, et qui s'immobilisa quand ils lui firent des signes, les regarda s'approcher peu à peu à travers les fougères jusqu'à ce qu'ils puissent distinguer ce qui faisait miroiter les éclats de lumière dans la main qu'il se contentait de tenir tendue vers eux à hauteur de sa poitrine, s'arrêtant à la vue de la lame d'acier, le nègre et les deux autres fugitifs se dévisageant un moment par-dessus des fourrés, le visage rond, luisant, couleur de bois précieux parfaitement inexpressif se bornant à les regarder au-dessus de cette lame de couteau qui étincelait dans le soleil, puis le Noir se détournant, sans un mot, et reprenant sa marche en obliquant, s'éloignant d'eux, solitaire, sauvage, animal, sa silhouette fauve hachée par les troncs parallèles et roses des pins aussi droits que des mâts de navires, jusqu'à ce qu'il disparût tout à fait, le type de Constantine jurant avec fureur tandis qu'ils reprenaient leur marche (disant Ce con de négro t'as vu ça ?, disant C'est qu'il nous aurait crevés, oui ! Lui et sa lame, merde ! Il nous... D'accord on n'a rien à en foutre qu'il aille se faire... disant D'accord mais regarde où est le soleil maintenant faut aller plus à gauche, disant Sénégalais merde ! lui et ses copains chocolat qui montaient la garde le long des voies avec leurs baïonnettes de merde quand on allait en perme ! Je te les aurais tous envoyés en première ligne moi et une balle dans la peau au premier qu'aurait foutu le camp alors on ne serait pas dans ce merdier..., disant Mais oui je fais gaffe ! Ces cons de fossés ! Va-t'en les deviner sous ces putains de fougè-res ! Je me demande à quoi ils ser... Le bouquet ça serait que toi ou moi on se casse une patte dedans merde fais voir cette putain de carte...), se frayant un chemin parmi l'inextricable et haute végétation que l'automne commen-

çait à jaunir : ils en avaient jusqu'à la poitrine, quelquefois même jusqu'aux épaules et ils devaient les écarter
des bras, comme un homme qui nage, s'ouvrant avec
peine un passage, chacun à tour de rôle, se relayant. La
première nuit (celle où ils pénétrèrent chez le paysan,
revêtirent leurs minces salopettes et arrachèrent avant de
partir la carte du département collée au dos de l'alma-
nach des Postes) ils couvrirent près de quarante kilomètres sur une route déserte, non pas tant pour mettre le
plus de distance possible entre le camp et eux que pour
simplement marcher, comme ivres, légers, insensibles
aussi bien à la fatigue quoiqu'ils n'eussent pratiquement
rien mangé depuis trois jours (le paysan leur avait tout
de même donné un quignon de pain dans lequel ils
mordaient sans s'arrêter de marcher) qu'au froid, à la
gelée blanche qui, à l'approche de l'aube, alourdissait peu
à peu autour de leurs chevilles les jambes de leurs
salopettes, finit par former une mince croûte craquelée :
ils ne la sentirent pas non plus quand elle fondit en eau
dans la grange où, au matin, un autre paysan leur permit
de dormir, mais après cela ils évitèrent les routes, se
guidant au soleil, marchant ou plutôt nageant dans la mer
des hautes fougères automnales qui semblaient s'étendre
à perte de vue sur le sol absolument plat tandis qu'au-
dessus d'eux chuintaient paresseusement les longues
bouffées de vent balançant avec lenteur les cimes des
pins (on les entendait venir de loin, comme une vaste
rumeur d'abord, s'approchant, s'élargissant, comme si
l'immense forêt immobile se réveillait de sa somnolence,
s'ébrouait, se mettait à vivre, puis cela arrivait, passait
au-dessus de leurs têtes avec un bruissement feutré,

grave, majestueux, s'éloignait, laissant place à quelques froissements ici et là, puis tout s'apaisant, jusqu'à ce qu'à l'ouest s'annonce une nouvelle et lente houle). Il faisait soleil. Dans la journée (tout au moins en marchant) l'air était doux : ils auraient pu être les premiers hommes, dans la première forêt, au commencement du monde. Sauf le nègre, ils ne rencontrèrent aucune créature vivante, pas un forestier, pas un bûcheron, et à part ce puissant et grave chuintement du vent ils n'entendaient aucun bruit sinon, parfois, le chant d'un oiseau invisible et dont ils ignoraient le nom. Plus tard ils s'enfoncèrent dans une fondrière dont ils mirent longtemps à se dégager sans oser appeler à l'aide en direction d'une ferme dont ils voyaient fumer la cheminée ; vers le milieu du second jour la forêt s'éclaircit peu à peu, se déchiquetant, laissant place à des champs, puis des vignes lorsque le terrain commença à se vallonner doucement, et ils furent forcés d'emprunter des chemins, se faufilant le long des haies ou marchant courbés dans les vignes. Ils ne sentaient toujours pas la fatigue — ou plutôt elle faisait depuis des mois tellement partie d'eux-mêmes qu'ils ne s'en apercevaient plus, pas plus que du froid — pas plus même, pendant ces journées, qu'ils n'éprouvèrent la faim ou la soif, volant des tomates trop mûres dans un jardin à l'abandon, se partageant le pain qu'une femme leur apporta en se cachant, buvant l'eau des ruisseaux et une fois celle mêlée de boue noire d'un marais. Quelquefois les paysans les chassaient, d'autres les laissaient dormir dans leur grange, une autre femme leur servit un vrai repas, avec des plats chauds qu'ils avalèrent, comme les tomates, sans même comprendre ce qu'ils mangeaient, l'oreille tendue vers les bruits du dehors, continuant par habitude à grelotter sans même se rendre compte non plus que le fourneau était allumé et qu'il faisait chaud dans la cuisine, comme ils grelottèrent paisiblement tout l'après-midi qu'ils passèrent cachés dans une vigne, à cent mètres de la route qui maintenant était une frontière à l'intérieur d'un même pays, attendant que les nuages commencent à se colorer à l'ouest au-dessus du bois de pins qui bordait la vigne et dans les branches duquel le vent doux ne cessait de faire entendre son lent chuintement, patient, continu, solennel, tandis que les fourrés d'abord, puis les cimes des arbres s'obscurcissaient peu à peu sous l'orgie des ors qui s'allumaient, les plus hauts nuages se teintant tout d'abord de blond, puis saumon, puis roses, puis soudain gris, se détachant encore un moment devant le fond du ciel couleur d'ardoise, puis tout fut noir : les pins, la vigne, la terre sur laquelle ils rampaient, le fossé, la route rectiligne, et alors le bond, la course, les phares de la voiture de patrouille vus trop tard, les coups de feu, et la course encore, la clôture escaladée, le champ labouré, le petit bois, puis un pré, et toujours les coups de feu, et la course encore, les torches électriques fouillant déjà le petit bois, et la lumière d'une étable, et l'homme en train de traire ses vaches qui s'était levé et avait simplement dit Vite. Par ici. Suivez-moi...

Et à présent, dans la vaste bâtisse silencieuse et noire à l'autre bout de laquelle dormaient les deux virginales vieilles femmes, il tâtonnait à la recherche du commutateur, le trouvait, la lumière repoussant d'un coup les ténèbres hors de la chambre où il enfilait ses vêtements avec ce calme froid, cette sorte de glaciale tranquillité qui l'habitait maintenant, indifférent aux regards réapparus de la femme démasquée et du lointain géniteur à l'élégant et futile fusil de chasse, avec son élégante chevelure poudrée, son cou de jeune fille, ses joues roses et cette tache sanglante que la peinture écaillée semblait avoir ouverte à partir de la tempe, glissant le long de la joue, du cou dénudé, venant souiller le col de la chemise négligemment dégrafée, tel qu'on avait dû le découvrir, étendu sans vie au pied de la cheminée, dévisageant de ce même œil paisible et serein, un peu étonné peut-être, comme surpris lui-même de ce qu'il venait de faire, les domestiques (la femme peut-être aussi) accourus au bruit de la détonation qui avait retenti dans le silence nocturne entre ces mêmes murs, les doigts serrés sur la crosse du pistolet d'arçon encore fumant avec lequel, au soir d'une bataille perdue, l'élégant chasseur de cailles s'était fait sauter la cervelle : plié en deux, occupé maintenant à nouer les lacets de ses chaussures (et l'un d'eux se rompit, de sorte qu'il dut retirer un soulier, l'élever dans la lumière pour faire passer l'extrémité effilochée dans les œillets, jurant entre ses dents), toujours calme, froid, trop absorbé par ce qui l'occupait maintenant pour même penser Mais je ne me souvenais pas de tant de sang. Mais peut-être cette sacrée peinture s'est-elle encore écaillée, peut-être se remet-il à saigner de temps en temps. Comme ces statues, ce saint où donc en Italie qui saigne et pleure dans les grandes occasions, pensant (ou plutôt sans même penser, du moins en mots, mais toujours avec ce même rire froid) : Aux anniversaires peut-être. Aux désastres, pensant encore (maintenant il

355

avait tant bien que mal réussi en sautant deux œillets à
nouer les bouts raccourcis du lacet) : Seulement je n'ai
perdu aucune bataille, bon Dieu! Je n'ai même pas fait
la guerre. A moins que la guerre consiste à se promener
tranquillement au pas en plein midi sur le dos d'un
cheval fourbu entre deux rangées de voitures brûlées et
de morts en attendant qu'un de ces types embusqués
derrière une haie s'amuse à faire un carton. Bon Dieu!
Rien d'autre. Ils ne m'avaient laissé aucune chance! Une
promenade. Mais sans doute que cet imbécile n'avait pas
trouvé d'autre sortie honorable que de se faire tuer.
Seulement il n'avait pas le droit de nous, de me...,
continuant à jurer entre ses dents tandis que debout
maintenant il enfilait la veste devenue trop large, ne
prenant même pas la peine de nouer une cravate, puis
éteignant la lumière, laissant derrière lui la femme au
masque et l'énigmatique suicidé rendus aux ténèbres dans
l'obscur mausolée familial où les gloires passées, l'honneur
perdu, continuaient à dialoguer avec le formidable général
de marbre et leur descendance de rentiers, de propriétaires terriens, d'artistes amateurs et de dames coiffées
d'anglaises, descendant maintenant sans bruit le monumental escalier, traversant la cour, refermant avec précaution sur lui le battant du portail, puis marchant (pas
courant : marchant, mais vite) dans les rues mal éclairées,
passant devant les terrasses éteintes des cafés : de temps
à autre il croisait ou dépassait des groupes ou des
couples enlacés, comme il eût croisé sans plus leur
accorder d'attention de vagues ombres sans existence
réelle — en tout cas des créatures appartenant à une
autre espèce que la sienne (ce fut tout juste s'il remarqua

qu'ils marchaient vite aussi, emmitouflés de manteaux aux cols relevés (il n'avait pas encore eu le temps de s'en acheter un ou plutôt n'y avait même pas pensé) ce qui voulait sans doute dire qu'il faisait froid — mais il ne le sentait pas, pas plus que lorsqu'il avait débarqué trois jours plus tôt à la gare, descendant du train grelottant dans sa mince salopette), pensant vaguement (ou plutôt se rappelant) sans colère, sans hostilité ni aménité non plus, avec toujours ce même rire bref : Cinémas !... Mais bien sûr ! Des aventures... Pourquoi pas ?, continuant à marcher vite, comme ces chiens qu'on voit parfois trotti- ner d'une allure régulière le long des façades ou dans la campagne sans se détourner ni se laisser distraire, guidés d'instinct ou par quelque obscur cheminement de la mémoire vers l'endroit où ils savent trouver à coup sûr la pâtée, la femelle en chaleur ou la poubelle qu'il leur faut. Les deux qu'il connaissait (où il avait été quelque- fois dans ce qui maintenant lui apparaissait comme une époque fantastiquement lointaine de sa vie — ou plutôt une autre vie, une vie antérieure pour ainsi dire, quelque chose (des lieux — quoique ce fussent les mêmes —, des gens — les mêmes aussi pourtant — où et parmi lesquels il se souvenait d'avoir existé) de vaguement irréel, futile, inconsistant) étaient fermés : un moment il se tint là, devant la porte close, la façade aux fenêtres aveugles, en proie maintenant à un sentiment d'insupportable fureur, d'insupportable frustration, sentant croître en lui comme une panique, revoyant dans la soucoupe que le garçon du buffet de la gare avait déposée devant lui en guise de sucre les deux minuscules pastilles, se demandant si pendant son absence on n'avait pas aussi fait une loi ou

357

pris un décret pour les fermer, s'obstinant à appuyer rageusement sur le bouton de la sonnette puis saisissant le heurtoir, frappant avec violence, écoutant retentir comme des explosions dans la rue silencieuse la grêle de coups, insensible aux moqueries de deux passants attardés, puis recommençant à frapper : il ne releva pas non plus la tête vers les persiennes d'une fenêtre derrière laquelle une femme hurlait des injures, déjà en marche de nouveau, jurant grossièrement lui-même entre ses dents, suivant le lacis des ruelles qui montaient vers la citadelle, prêt à jurer encore lorsque la nouvelle porte où il frappa s'ouvrit.

Cette fois elle était légèrement entrebaîllée, laissant voir une bande de lumière rosâtre qui provenait de l'intérieur, mais une chaîne la retenait, de sorte que sans même faire attention à la sonnette, sans même attendre la réponse au premier coup frappé, il se mit à tambouriner du poing sur le panneau non pas verni (contrairement à l'autre, il n'avait pas de heurtoir au cuivre astiqué) mais recouvert d'une peinture marron et laide : c'était un bordel de deuxième ou même de troisième catégorie où il n'avait jamais été, qu'il connaissait seulement comme on connaît un café ou un hôtel dans lequel on n'est jamais entré, simplement pour être souvent passé devant, le genre d'endroits fréquentés par les sous-officiers de la Coloniale ou les voyageurs de commerce, et plus tard il devait se rappeler cela : le bruit fatigué des pas (bien que la femme fût chaussée de hauts talons elle semblait traîner les pieds comme dans des pantoufles), la raie de lumière obstruée par quelque chose pourvu d'yeux qui l'examinaient, le bref dialogue, les deux voix également dures, sans aménité, hostiles même, entendant la sienne sortir de lui avec une sorte de furieuse allégresse, ce même sentiment de triomphe, de violence et d'invincibilité toujours accompagné de ce même rire silencieux, paisible (pensant Saoul?... Tiens : Saoul... Encore une chose que j'avais oubliée...), qui continuait encore quand la bande rosâtre disparut et qu'après un cliquetis de chaîne retirée le battant s'écarta tout grand, démasquant dans la lumière avare qui régnait à l'intérieur une femme au visage fatigué (comme pourrait l'être, pensa-t-il, celui d'une mule rouée de coups si on ne l'avait facétieusement fardé de carmin et affublé d'une perruque aux mèches défaites) debout dans le vestibule, continuant tandis qu'elle s'effaçait pour le laisser passer à répéter d'une voix aigre quelque chose sur le tapage et l'heure tardive tout en le dévisageant avec une irritation sous laquelle, toujours secoué par ce même rire intérieur, il reconnaissait avec une orgueilleuse satisfaction (non par un quelconque mépris pour la femme et le métier qu'elle faisait, se retrouvant au contraire en quelque sorte en terrain sûr, délivré de cette gêne qu'il ressentait depuis trois jours, éprouvant soudain pour le visage de mule et la voix désagréable qui en sortait comme une sorte de reconnaissance : tout était de nouveau simple, dur, élémentaire, facile) ce même sentiment à la fois apeuré et haineux qu'il avait pu lire dans les yeux du garçon au buffet de la gare ou, dans le train qui l'avait amené, ceux des occupants du compartiment dont il avait ouvert la porte, se recroquevillant pour ainsi dire à sa vue, se tassant, s'écartant instinctivement de l'unique place libre jusqu'à ce qu'il refermât violemment la porte, pouvant toujours sentir à travers la vitre les regards des plus proches fixés sur lui de haut en bas tandis qu'il s'allongeait sur le linoléum du couloir, plaçait la musette sous sa tête et s'endormait.

Et il devait encore se rappeler ceci (comme s'il traversait toujours, mû par la même attentive et froide violence, une succession d'obstacles ou d'épreuves dont il triomphait l'un après l'autre, s'inscrivant un moment dans sa conscience, puis disparaissant : les barbelés, les épaisses fougères du sous-bois, les coups de feu dans la nuit) : le buffet de la gare, le goût âcre de l'ersatz de café qui fumait dans la tasse posée devant lui tandis que le garçon (un homme entre deux âges, courtaud, à la face ronde et congestionnée où il ne manquait qu'une moustache) le dévisageait, détaillant de ce même regard à la fois haineux et craintif des voyageurs tassés dans le compartiment la mince salopette souillée, la barbe de huit jours, la main zébrée d'une estafilade de sang séché, disant ou plutôt aboyant : « Du sucre ? Du... Vous vous f... », disant sans même lui laisser le temps de répondre : « Non, il n'y a pas de croissants ! Et puis quoi encore ? Où c'est que vous vous croy... », ne prenant même pas la peine de terminer sa phrase, indigné, sortant la monnaie de son gousset (la monnaie du billet qu'avec un titre de transport en troisième classe lui avait remis le sergent comptable du centre démobilisateur — un homme entre deux âges lui aussi, bien nourri, vêtu d'un uniforme impeccablement brossé et assis sous un tableau aux petites fiches couleur pastel rose, pervenche, jonquille, vert pâle, derrière une table peinte en noir, feuilletant avec dégoût le livret militaire (ou plutôt la loque de livret militaire) détrempé de sueur et de crasse, puis le lui rendant, l'air sévère, réprobateur même, lui faisant signer un reçu, puis comptant l'argent), les pièces de métal sonnant sur le marbre de la table, rejointes par un billet crasseux, le garçon du buffet tournant déjà le dos, s'éloignant, traversant la salle déserte où parvenaient de l'extérieur les bruits de tampons entrechoqués : par les baies donnant sur le quai on pouvait voir le flanc rougeâtre d'un train de marchandises arrêté, les wagons agités de temps à autre de brèves secousses, avançant et reculant tour à tour de quelques mètres tandis que d'un pas mou, comme endormi, un employé porteur d'une lanterne allait et venait, s'arrêtait, de façon tout aussi incompréhensible, comme si aux lumières des quelques lampes sous la verrière enfumée et noire où se répercutaient en échos les bruits de métal heurté se déroulait quelque cérémonie à la fois lugubre, misérable et absurde.

Le jour n'était pas encore levé quand il avait pénétré dans le buffet, calculant que les deux vieilles femmes devaient encore dormir. Les manches de sa chemise retroussées, le garçon débarrassa comme à regret l'une des tables des chaises retournées, les pieds en l'air, posées sur le plateau, puis se planta devant lui tandis qu'il s'asseyait, les sourcils froncés, le dévisageant, attendant, jusqu'à ce qu'il dise « Un café » (la même gare, le même quai où presque jour pour jour, quatorze mois plus tôt, était venue battre dans la tiédeur d'août comme une houle parcourue d'obscurs remous contre les flancs des wagons la foule aux visages alarmés, en pleurs, empreints d'une incrédule consternation) : à présent le garçon balayait devant lui sur le carrelage une frange de sciure marron ; en passant devant la caisse il dit quelques mots à la femme qui s'y tenait assise, en train de vérifier et d'empiler de petits feuillets de papier sur une tige de métal et qui jeta à son tour un bref regard, les sourcils froncés, en direction de la table où fumait encore la tasse de café, puis reprit son travail. Le cartel pendu au mur n'indiquait encore que sept heures moins le quart. Peu à peu les vitres de la verrière se mirent à pâlir : à présent le train de marchandises avait disparu, démasquant les stries parallèles des rails d'acier qui commençaient à luire (la verrière bleuissante et froide sous laquelle semblait flotter, suspendue dans le vide, comme une inaudible et dérisoire protestation, une inaudible rumeur de sanglots et d'adieux, le quai désert où continuait à se presser l'invisible cohue de fantômes et qu'assis devant sa tasse vide, grelottant toujours malgré l'illusoire chaleur de l'illusoire café, il regardait à présent d'un œil froid, dur, indifférent, attendant que pâlissent peu à peu les lumières jaunâtres et que les poutrelles, les arceaux de fer, se découpent en noir sur le ciel bleu foncé d'abord, puis de plus en plus clair). Il jeta un dernier coup d'œil à l'horloge, se leva, se dirigeant vers la porte, s'arrêtant, disant « Quoi ? », se retournant vers le garçon en train de répéter : « Votre monnaie ! » (simplement « Votre monnaie », pas : « Monsieur, vous oubliez votre monnaie »), revenant alors vers la table, balayant d'un revers de main le billet crasseux resté sur le marbre avec les pièces qui s'éparpillèrent, roulèrent sur le carrelage, allèrent se perdre dans l'écume sale de sciure repoussée, puis sortant : au-dehors, l'avenue qui descendait de la gare s'allongeait, déserte elle aussi, irréelle, entre les façades endormies dans l'aube transparente et gris perle où il marchait maintenant, tremblant non plus de froid mais de fureur, léger pourtant, allègre, avec ce corps qui depuis longtemps ne savait plus ce qu'était la fatigue, sale, couvert de poux, sentant se mouvoir facilement sous lui ses jambes de bête sauvage, passant devant les entrepôts, les grilles des jardins abrités de palmiers, les villas ornées de tourelles et de pignons où dormaient les prospères négociants en vins, les boutiques aux volets encore fermés. Le premier tramway de la journée le croisa, ferraillant, se dirigeant vers la gare, ses vitres encore illuminées. Deux hommes armés de pelles s'affairaient avec lenteur autour d'un tombereau attelé d'un cheval. Chaque fois que le tombereau se mettait en marche, d'un tas d'ordures à l'autre, retentissait dans le silence le son grêle d'une clochette. Une femme ouvrit une porte, sortit une poubelle et jeta un seau d'eau sur le seuil qu'elle se mit à laver. Il avançait dans cette sorte de triomphe, continuant à jurer grossièrement entre ses dents tandis que cette chose en lui se mettait de nouveau à rire, incoerciblement, sauvagement. Au fond de l'avenue, au-dessus du grand magasin au toit rococo, dérivait lentement un petit nuage aux contours arrondis, peu à peu teinté de rose par les premiers rayons du soleil.

Et maintenant la vague odeur de cuisine, de poireaux, de bière éventée et de parfum bon marché, la porte intérieure à l'encadrement de verres de couleur, rouges, verts et mauves, au panneau central fait d'une de ces vitres imitant le givre à travers laquelle les lumières qui brillaient de l'autre côté se décomposaient en paillettes scintillantes, et quand la femme l'y fit entrer, non pas l'habituel salon au luxe tapageur, au guéridon recouvert de filet, au canapé et aux fauteuils de velours frappé mais (exactement comme il fallait que ce soit, pensa-t-il, comme le compartiment bondé de troisième classe, comme le linoléum souillé dans le couloir du wagon) une salle nue, blafarde, éclairée par deux globes blafards, semblable (la salle) à une réplique nocturne, implacable et vénérienne du buffet de la gare, tout aussi dépourvue d'intimité et de chaleur, avec des banquettes en moleskine et des tables de café, puis (de même qu'était apparu le verre de bière dont sans y toucher il regardait la mousse baveuse glisser lentement le long de la paroi, atteindre le plateau de bois jaune et s'étaler peu à peu autour du pied), matérialisées à présent de la même façon sur la banquette, non pas deux femmes, deux filles, mais la présence pondérable (parfum, respirations, tiédeur, coulées de blancheur, densité) de seins, de cuisses et de hanches qu'avec la même allégresse, le même paisible sentiment de victoire, il n'avait qu'à tendre la main pour toucher, palper sous les minces peignoirs, pouvant voir à côté de lui dans la lumière blême que projetaient les deux globes la flaque couleur vert jade, comme de la peinture sortie d'un tube qui, depuis la délicate attache du cou, descendait en oblique là où commençaient à s'écarter les revers du kimono, s'élargissait, glissait sur la chair dénudée faite, semblait-il, d'une pâte translucide, son contour sinueux et mouvant se déformant à chaque respiration, s'insinuant comme une coulée liquide entre les deux pans du léger vêtement décoré de feuilles et de fruits, abricot, rouge, orange, ses bords mal joints échappant à la ceinture négligemment nouée, découvrant dans un étroit intervalle les replis du ventre, puis s'écartant sur les cuisses croisées au creux desquelles, entre les abricots, les prunes et les pêches, moussait un nid de broussaille couleur d'herbe sèche aux reflets de bronze.

Et pendant un moment (ou peut-être cela ne dura-t-il que quelques instants, car lorsqu'il se leva ni l'une ni l'autre des deux filles n'avait eu le temps de porter à ses lèvres un des deux verres supplémentaires dont débordait la même mousse baveuse, seulement occupées à lui poser avec la même insistante et docile lassitude (peut-être la femme à tête de mule les avait-elle sorties de leurs lits, impudiques, tièdes et somnolentes) la même tentatrice et impatiente question des éternelles et bibliques Putiphar), pendant un moment, donc, rien d'autre, comme si dans une sorte de torpeur il se contentait d'être assis là, au centre de cette parodie priapique en peignoirs de pilou, ne les touchant pas encore, tandis que les trois paires d'yeux fardés (celles des deux jeunes et de la mule qui, après avoir servi les bières, s'était retirée au fond de la salle derrière une sorte de comptoir sur un côté duquel une pile de serviettes pliées faisait pendant à la caisse en pitchpin d'un gramophone qu'elle ne s'était même pas donné la peine de mettre en marche) l'examinaient, quoiqu'il fût maintenant, à l'exception de l'absence de cravate, normalement habillé (Seulement je n'ai pas de pardessus, pensa-t-il : c'est peut-être ça ?...) avec cette même soupçonneuse méfiance, vaguement hostile, vaguement alarmée, particulière non seulement à leur métier mais à quelque chose qui, sans doute, émanait maintenant de lui (la mule prête apparemment à presser sur

365

quelque bouton qui ferait apparaître (peut-être l'avait-elle aussi tiré de son lit ?) le personnage à la chevelure gominée et aux éblouissantes chaussures croco — ou plus vraisemblablement une paire de pantoufles à carreaux — qui devait se tenir prêt) — « Ou peut-être que ça se voit trop ? », pensa-t-il encore, envahi soudain de nouveau par cette fureur, cette insupportable indignation, pensant : « Le bougre de salaud, le... Il ne pouvait pas se tirer simplement une balle dans la tête ?... Nous obliger à le... A nous... », puis se rappelant qu'à un moment (mais était-ce avant ou après leur avoir payé cette bière — ou peut-être lorsqu'il s'était aperçu de la disparition des deux cyclistes ?) il s'était tourné vers eux, avait dit de sa voix sèche, à peine teintée d'ironie, de mépris : « Alors, on continue ? », ou peut-être rien que « Et vous, jeunes gens ?... », et le jockey — ou peut-être lui-même dans son demi-sommeil, cet état de demi-conscience imbécile, d'abdication, répondant ou plutôt bredouillant quelque chose comme « Oui, mon colonel... », relevant alors la tête, se découvrant soudain dans l'une des glaces qui couraient sur le mur d'en face, au-dessus des banquettes vides : des miroirs sans cadres, allongés, simplement maintenus par des agrafes, leurs sommets arrondis dessinant une suite d'arceaux, leurs bords biseautés renvoyant des lamelles d'images, de sorte que dans la lumière blafarde il pouvait se voir plusieurs fois : en entier, puis découpé en minces bandes irisées, avec son crâne rond aux cheveux presque ras, son visage inexpressif où ce qu'il s'imaginait être un sourire retroussait tout juste sur le côté l'un des coins de sa bouche, pensant « Mais peut-être que je ne sais plus rire ?... », en train d'écouter

366

les mots crus que la jeune rouquine lui chuchotait à l'oreille, pensant « Oui. Bon Dieu, oui ! Le bougre d'animal ! Nous, me... », mais ne bougeant toujours pas, se détendant, pour la première fois de retour (entouré des chairs nues offertes, du minable décor, écoutant les propositions obscènes) dans un univers à présent rassurant, fiable (comme si depuis qu'il avait quitté le poste de garde dans lequel cinq jours plus tôt il s'était précipité hors d'haleine, puis découvert la pimpante petite ville où le sergent comptable lui avait remis un billet de troisième classe, était monté dans ce train de voyageurs effrayés à sa vue, avait descendu dans l'aube naissante l'avenue endormie de la gare, il avait traversé avec une indignation croissante un monde scandaleux et insupportable dont il s'était une deuxième fois évadé en franchissant la porte que lui avait ouverte la femme à tête de mule), l'ensorcelante et vénale Circé se laissant peu à peu aller sur la banquette, de sorte qu'il pouvait voir maintenant s'élargir l'étroite bande de chair nue entre les pans du peignoir glissant à la façon d'un rideau de théâtre, l'ombre vert jade glissant en même temps, se rétractant, jusqu'à ce qu'entre le double entassement d'oranges, de prunes et de pêches accumulées en plis tombants il ne restât plus au centre de la surface de chair polie que cette broussaille, cette touffe couleur d'herbe sèche et de bronze, comme une végétation parasite, un buisson fauve où entre les cuisses maintenant écartées deux doigts aux ongles sanglants entrouvraient quelque chose comme une fleur pâle, et alors debout, fouillant dans sa poche, sortant les billets, disant à la femme au visage de mule : « Oui : les deux. Ensemble. Oui. Quoi ? Combien ? Oui.

Voilà... », puis montant dans la pénombre l'étroit escalier de bois à la suite de la croupe qui se balançait à chaque marche sous les pétales de larges pavots alternativement distendus, se déformant, alternativement tiraillés en sens inverse et dont il pouvait voir maintenant se tordre les queues duveteuses, se plisser en éventail, s'amincir, puis s'épanouir de nouveau les cœurs noirs : une large bande noire bordait aussi le bas du peignoir, flottant au-dessus des talons abricot, des mollets blancs, phosphorescents dans la pénombre ; puis il cessa de les voir : comme si tout à coup toutes ses facultés l'abandonnaient, se retiraient ou plutôt se concentraient dans une seule, comme s'il n'était plus qu'une main, une paume, des doigts, remontant, sentant sous eux la soie des cuisses, les muscles, et tout ce qu'il se rappela plus tard de ce moment c'était ce nid, cette sauvage broussaille, ces replis, cette moiteur, tandis que sans se soucier des protestations, sans bouger sa main de place, comme s'il poussait, portait devant lui par cette fourche le corps trébuchant, il pouvait entendre son rire, sa voix enfin joyeuse, un peu rauque peut-être, disant : « Mais non ! Je ne te fais pas tomber !... Monte !... Bon Dieu, monte ! Continue de monter !... Monte !... », continuant à rire en même temps qu'à injurier pêle-mêle à voix basse l'espèce d'anachronisme équestre en train de brandir son sabre, les voyageurs apeurés, le garçon du buffet et les prospères villas abritées de palmiers, puis tout à coup les oubliant, le monde extérieur brusquement aboli, emporté, effacé de sa conscience : s'abattant sur les deux corps nus, s'y mêlant ou plutôt se noyant dans les tièdes éclaboussures de chair, et non plus maintenant ces seins, ces ventres, ces vulves qu'il avait tant de fois dessinés, ombrés de la pointe de son crayon en savonneux dégradés avec une froide application sur les incolores feuilles de papier, mais quelque chose de vivant, mobile : crins, muqueuses, lèvres, salive, langues, yeux, voix, souffles : la chair sans mensonge, crédible, docile dans ses mains, se mouvant, s'écartant, s'ouvrant : la solitude, la mort, le doute conjurés, vaincus, puis même plus, plus rien d'autre que cette ruée, ce maelström, tandis que toutes les particules de son corps l'abandonnaient, se précipitaient, se rassemblaient dans un assourdissant tapage au bas de son ventre, en avant de son ventre, éclataient, jaillissaient dans quelque chose de brûlant, sans fond, sans fin... Puis plus rien : le vide, la paix : gisant maintenant sur le dos, haletant encore, sa poitrine nue aux côtes saillantes s'élevant et s'abaissant rapidement, pensant seulement jusqu'à ce que son cœur retrouve peu à peu son rythme normal : « Bon Dieu ! Bon Dieu de bon Dieu de bon Dieu... »

Plus tard, il renvoya la fille au visage en coups de serpe, aux yeux durs, noirs, au peignoir décoré de pavots, dans laquelle il s'était vidé ou plutôt avait explosé, allumant enfin une cigarette, revenant s'étendre sur le dos, l'une de ses mains caressant les épaules nues, écartant de la tête penchée sur lui la chevelure de bronze balayant son ventre efflanqué, ses cuisses, tandis que peu à peu la main docile, la bouche docile, faisaient de nouveau s'éveiller en lui, puis se rassembler, puis se concentrer, se condenser, bouillir, exploser, jaillir du plus profond de lui non pas seulement cette fontaine, cette laitance, mais comme la substance même de ces membres, de ce corps amaigri et nerveux dont, plus tard encore, la lumière éteinte, écoutant la respiration régulière à côté de lui, toujours gisant, il pouvait sentir les muscles maintenant relâchés, apaisés, pensant de nouveau : « Bon Dieu, bon Dieu, bon Dieu !... », pensant aux corps empilés dans l'épaisse puanteur de la baraque, au grouillement des poux, aux barbelés, aux silhouettes échassières des miradors avec leurs montants décharnés de pin brut, vineux, sommairement dégrossi, comme écorchés, hérissés de place en place de languettes d'écorce.

Il n'y retourna pas le lendemain, mais la nuit d'après. Au même, avec la même fille, la rousse. On le connaissait maintenant. La mule avec son regard toujours soupçonneux, méfiant, rapace, la fille avec laquelle il n'échangeait que quelques mots crus ou de ces plaisanteries faussement enjouées, distraites, stupides, qu'elle écoutait en l'observant aussi de ce même air intrigué, vaguement craintif, suivant pensivement du doigt la chair enflammée autour de la balafre croûteuse qui barrait sa main, jouant à passer sa propre main sur sa tête, disant : « Où c'est qu'on t'a fait cette coupe de cheveux ? » Il la quittait tôt, avalait un liquide âcre, amer, dans l'un des premiers cafés ouverts, se recouchait, dormait encore jusqu'à midi, déjeunait avec les deux vieilles femmes, sortait s'asseoir au soleil à une terrasse abritée de palmiers où, devant une tasse du même âcre ersatz de café, il regardait les juifs aux visages tristes proposer aux passeurs de frontière les feux diamantins des petits cailloux extraits de leurs écrins en papier de soie qu'ils déployaient furtivement, effrayés, mornes, tragiques. Un soir sur deux il retournait au bordel passer la nuit dans la même chambre

370

au hideux décor, pourvue en tout et pour tout du large divan recouvert d'un tissu pelucheux, d'un rose fané et constellé de taches, d'un lavabo, d'un bidet, d'une chaise et de deux patères où pendre les vêtements, accrochées au mur sur le hideux papier peint aux rayures verticales rouges et noires séparées par un mince filet doré. Par places, l'humidité avait décollé le papier qui se gonflait et se déchirait. Il y avait aussi une fenêtre, cachée par d'épais rideaux de la même peluche qu'il écarta un matin pour découvrir une sorte de puits dont la paroi opposée, grisâtre et sale, se dressait à moins de deux mètres. Quelque part, en bas, une femme chantonnait. La nuit, il restait couché là, vidé de tout, corps et esprit, dans un vague bien-être, respirant les odeurs confinées de chairs, de poudres et de parfums bon marché.

Il semblait que rien, ni la captivité, ni le danger, ni la faim, ne pouvait altérer la replète placidité du souteneur oranais, un juif peu loquace, aux yeux comme deux morceaux de charbon entre les lourdes paupières, à la fois bonhomme, incisif et royal, au visage plein, aux lèvres épaisses de Levantin, qui allait proposer à leurs gardiens les corps nus et fornicateurs patiemment dessinés chaque dimanche sur les feuilles de papier qu'il (l'Oranais) se procurait on ne savait comment dans un quadrilatère entouré de triples barbelés et où toute possession personnelle à l'exception d'une gamelle, d'une cuillère, d'un couteau ébréché et d'un morceau de savon était sauvagement interdite ; un des rares semblait-il (l'Oranais) parmi tous ceux qui étaient enfermés là (non seulement dans la baraque mais dans le camp tout entier) à avoir combattu (non que les autres se fussent montrés particulièrement lâches ou poltrons : simplement ils n'en avaient pas eu l'occasion, pris ou plutôt raflés par des hommes vêtus de vert, casqués, hilares et gueulards, à la descente d'un train de permissionnaires ou encore paisiblement endormis dans leurs casernes ou dans leurs dépôts à trente ou quarante kilomètres en arrière de l'endroit où ceux qui les commandaient se figuraient que se trouvait le front) : une fois (pas deux : une seule) il (l'Oranais) raconta : le corps franc pour lequel il s'était porté volontaire, la patrouille, la nuit, l'approche, le guet, le bond, et comment il avait tué deux Allemands égorgés à l'arme blanche ; il fit le geste, rapide, biblique, silencieux, sanglant : la main gauche portée en avant pour bâillonner l'invisible ennemi, le poing fermé sur l'invisible poignard passant rapidement sur sa propre gorge, ses lèvres épaisses se retroussant, découvrant les dents sauvages, serrées à se briser, et après cela les cinq ou six qui se trouvaient là, dans l'infecte puanteur d'excréments et d'urine emplissant le vestibule de la baraque, tirant sur des mégots de mégots, en train de palabrer, de maudire et de se vanter dans leurs vestiges d'uniformes souillés, se turent, le regardant sortir paisiblement de sa poche une blague à tabac aux trois quarts pleine, un cahier de feuilles de riz et rouler une cigarette que plusieurs mains se tendaient pour allumer. Et couché dans l'obscurité auprès du corps juvénile et vénal entre les quatre murs recouverts du hideux papier peint (même dans l'obscurité il lui semblait le voir, ou plutôt le sentir, tapageur, violent, moisi, naïf, morne) il pouvait se rappeler cela, c'est-à-dire cette partie de la baraque, au fond, la plus éloignée de la porte par où pouvait surgir à tout instant un gardien : deux tables et quatre bancs autour desquels une sorte d'aristocratie de maquereaux oranais entourés d'une respectueuse cour de petites frappes avait organisé comme une sorte de club, de tripot où, sur le bois souillé de graisse, crasseux, avec des cartes crasseuses, les dimanches ou après le repas du soir (l'âpre et long partage à l'aide de balances improvisées de ces barres de pain semblables à de la sciure de bois mouillée et auquel il (l'Oranais) présidait, toujours placide, biblique, royal) se poursuivaient de non moins âpres parties de poker conduites par une sorte de cadavre (un Oranais encore) à tête d'usurier, portugais, juif ou espagnol (probablement les trois ensemble) aux enjeux constitués de cigarettes, de monnaie de camp ou de ces mêmes tranches de sciure de bois agglutinée qui venaient d'être partagées. Et il pouvait encore se rappeler cela : le haussement des paupières, le regard fulgurant, la silencieuse mise en garde que lui avait adressé l'Oranais par-dessus les impitoyables et inexpressifs visages de voyous le jour où, à cheval sur l'un des bancs, il avait fait mine de demander des cartes : car il (l'Oranais) semblait l'avoir adopté, l'imposant du même coup aux autres, c'est-à-dire à ses pairs — ou plutôt vassaux, la confrérie aux cruels visages de fouines ou de gouapes : et non pas (adopté) à la façon d'un protecteur (il (l'Oranais) avait ainsi un Arabe, ou plutôt un Kabyle, presque roux, à la large face de paysan, qui lui rendait de menus services, comme laver sa gamelle ou son linge : pas un domestique : plutôt comme une sorte de chien, qu'il appelait « Raton », non par malignité ou mépris, simplement parce qu'il ne connaissait pas d'autre nom pour un Arabe, manifestant à son égard cette infinie sollicitude et cette viscérale tendresse qu'un homme peut éprouver pour son chien, capable — il le fit deux ou trois fois — de lui tendre sous un cercle de regards stupéfaits sa gamelle encore à demi pleine, disant : « Tiens. Je n'ai pas faim. Mange... »), non pas donc adopté mais placé sur un même pied, sinon même légèrement supérieur, et ceci non pas seulement parce qu'il était capable de représenter à l'aide d'un crayon des corps nus d'hommes et de femmes (ou plutôt de nymphettes), mais lui témoignant une sorte de considération, comme par exemple un patron de bordel peut en éprouver pour un client fabuleusement riche ou fabuleusement titré fréquentant son établissement — ou encore de moitié dans les bénéfices —, pensant (toujours entouré de cette invisible et hideuse grille noire sur fond rouge) : « Alors c'est peut-être pour ça que c'est seulement ici que je me sens bien. Peut-être qu'ils... que je... », incapable de formuler ce qu'il éprouvait, sortant de la ville les après-midi, marchant solitaire dans la campagne, d'abord simplement pour marcher, comme ils avaient marché, couvert plus de quarante kilomètres au cours de cette première nuit après s'être échappés du camp, suivant les chemins où il croisait parfois une ou deux carrioles entre les jardins maraîchers abrités de haies de cyprès ou de lauriers. Dans les crépuscules vaporeux et roux de l'automne, un faible vent étirait en longues traînées bleutées les fumées des feux odorants où brûlaient les feuilles mortes. Les vignes achevaient de se dépouiller, laissant de nouveau apparaître la terre, entrecroisant leurs sarments nus d'un brun orangé. Les routes étaient désertes. Il n'y passait

que de rares camions dont on pouvait entendre de loin
le bruit croître puis décroître dans le silence. Tout était
paisible, intact, inchangé. Il se couchait tôt : ou bien il
s'endormait tout de suite ou bien, si le sommeil tardait
trop, il se levait, s'habillait, sortait silencieusement et
retournait au bordel. Si la fille rousse était prise, il
attendait paisiblement en fumant des cigarettes ou échangeant quelques mots avec l'une ou l'autre des femmes
dans le diminutif de vocabulaire dont elles disposaient (le
même dont il usait depuis quatorze mois avec les cavaliers de son escadron ou les prisonniers dans la baraque),
assis devant l'habituel verre de bière dont la mousse
débordait, glissait lentement, sans que jamais il y touche.
Un soir il entra dans un cinéma d'où il ressortit dix
minutes plus tard. Il prit le train (par la suite il s'acheta
une bicyclette) pour aller voir ses vignes, ou plutôt le
nouveau régisseur (l'ancien — c'est-à-dire le successeur du
vieux négrier à la casquette constamment vissée sur la
tête — avait été tué avec la moitié de son régiment dans
le bombardement d'une gare, en Bretagne, par l'explosion
d'un train de munitions rangé à côté du leur) qui le
traita avec une déférence exagérée, comme vaguement
effrayé lui aussi, perplexe, servile, lui montra les travaux
faits dans les vignes dont il ne savait toujours pas
exactement quelles étaient les siennes ou celles des
parents qui s'occupaient de les faire cultiver, lui avaient
versé avec régularité depuis sa majorité les chèques
trimestriels qu'ils avaient toujours continué à déposer à
son compte, à la banque, pendant les quatorze mois
écoulés, de sorte qu'il pouvait maintenant dépenser l'argent qu'avaient rapporté huit mois durant lesquels il

s'était promené sur un cheval d'abord sous la pluie et la neige, puis huit jours sous les bombes, augmentés de cinq mois à creuser dans le sablonneux sol de Saxe une tranchée d'égout, à faire semblant de poser des fils électriques et à dessiner, après les scènes de coït ou de fellation, des portraits de feldwebels. Il ne lisait rien, même pas un journal, regardait d'un œil froid, parfaitement indifférent, lorsque l'une des vieilles femmes lui tendait celui du jour, les titres annonçant des bombardements, des batailles d'avions ou des torpillages de navires, parcourait les nouvelles des villages de la région, la chronique sportive, le tout en pas beaucoup plus de cinq minutes, repliait le journal et le posait sur la table. Un jour il acheta cependant un carton à dessin, du papier, deux pinces et, au cours de ses promenades, il s'asseyait quelque part et entreprenait de dessiner, copier avec le plus d'exactitude possible, les feuilles d'un rameau, un roseau, une touffe d'herbe, des cailloux, ne négligeant aucun détail, aucune nervure, aucune dentelure, aucune strie, aucune cassure. Les feuilles encore accrochées aux sarments des vignes étaient d'une intense couleur pourpre, parfois roses, parfois vertes encore, du moins le long des nervures. Une pourriture jaune ou brune en attaquait les bords ou parfois l'intérieur, y creusant des trous. Il dessina aussi les feuilles en forme d'étoiles des platanes aux troncs blancs et ocellés. Tombées à terre et brunies elles aussi, elles prenaient une consistance de carton, emportées par centaines sur le sol par les rafales de vent, affolées, sautillant d'une pointe sur l'autre, allant s'amasser contre quelque murette ou quelque fossé. Peu à peu il ne resta plus de vert dans la campagne que les haies

376

de cyprès et les lauriers aux feuilles sombres dont les bords ondulaient comme des flammes. Un jour de grand vent, il prit le vieux tramway jusqu'à la plage, s'assit devant l'alignement des quelques villas à colombages, aux prétentieux toits normands, aux prétentieuses tourelles, leurs volets fermés, à demi ensablées, et resta longtemps à regarder les vagues jaunes, couleur de sable, se bousculer, s'écraser dans un assourdissant et vaste fracas. Elles arrivaient sans trêve du fond inépuisable de l'horizon où parfois on voyait aussi s'élever vers le ciel comme des geysers, des explosions liquides, montant l'une sur l'autre, échevelées, galopant comme des chevaux, dévalant leur propre pente, s'enroulant sur elles-mêmes, luttant de vitesse, s'écrasant, s'étalant pour finir en longues nappes baveuses que buvait le sable, pétillantes. Cela ne semblait avoir ni commencement ni fin, de même que le bruit ou plutôt le vacarme, étale, majestueux, paisible. De retour en ville où les lumières s'allumaient, il passait sans s'arrêter devant le hall du journal où, chaque soir, un commis écrivait à la craie sur un tableau les chiffres des pertes des armées ou des flottes canonnées. L'hiver vint. Le vent courbait les pointes effilées des cyprès, balançait lentement les fûts des gigantesques platanes éblouissants de blancheur dans le ciel bleu. Un jour il en abattit sept d'un coup, entraînés les uns par les autres comme des quilles, gisant, semblables à de fabuleux ossements parmi les convulsives chevelures de leurs branches brisées. Il dessina les mouchetures formées par les écailles d'écorce éclatée, d'un vert gris, aux formes sinueuses d'îles creusées de golfes, de baies, déchiquetées, poussant des caps. Maintenant il n'allait plus au bordel. La femme (la

377

femme qu'il avait épousée au cours d'une permission)
avait réussi à franchir cette frontière qui séparait à
présent le pays en deux et l'avait rejoint : celle qui se
déshabillait, posait patiemment pour lui, l'avait accompagné quatorze mois plus tôt à la gare, emballé dans du
papier de soie les sandwiches qu'il n'avait pas réussi à
manger, s'était tenue plus tard, assise à côté de lui dans
un des fauteuils de la salle de mairie devant la table de
l'autre côté de laquelle officiait à la chaîne un adjoint
pressé : une cérémonie — ou plutôt une formalité —
brève, administrative, funèbre, dans un cadre ridiculement pompeux, ridiculement emphatique, offensant presque pour le genre de couples qui faisaient la queue à la
porte, composés de femmes aux visages tendus (l'une
d'elles tenait un bébé dans ses bras, une autre était
accompagnée d'un petit enfant) et d'hommes qui avaient
déjà perdu l'habitude de porter des vêtements civils, lui
dans un complet acheté la veille, elle portant au doigt la
bague ornée du solitaire qu'il avait été chercher le matin
à la banque et lui avait brusquement fourré en plaisantant dans la main en même temps que son testament plié
en quatre et la clef du coffre tandis qu'elle se mettait à
pleurer. Et à présent, il partageait avec elle et les deux
vieilles femmes les colis de saucissons, de chocolat et de
massepains qu'elles lui avaient envoyés pendant l'été et
que les sergents comptables d'une armée qui écrasait des
villes sous les bombes, assassinait par milliers des êtres
humains, retournaient, imperturbables, à l'expéditeur,
intacts, seulement un peu bosselés, avec la mention :
« Inconnu au camp ». Il faisait trop froid maintenant,
sauf, par quelques belles journées, au soleil et à l'abri du

vent qui entrechoquait les branches cliquetantes des palmiers, pour s'asseoir aux terrasses des cafés d'où peu à peu les juifs aux visages pathétiques avaient disparu. Le vent furieux d'hiver nettoyait le ciel où, chaque nuit, se déplaçaient avec lenteur les myriades de feux glacés, silencieux et impitoyables, de myriades d'étoiles, comme une poussière de diamants en suspension entraînée par quelque invisible et impitoyable machine. Dans la bibliothèque dont il avait hérité et qu'on avait transportée pour lui en même temps que les énigmatiques portraits d'ancêtres, les commodes en marqueterie, les pistolets damasquinés et les glaces entourées de dorures dans la partie de la maison qu'il occupait, il trouva quelques romans d'académiciens du début du siècle et une collection dépareillée des œuvres complètes de Rousseau reliées de cuir, aux dos eux aussi ornés de dorures, aux tranches rouge pâle. Certaines pages portaient en marge des annotations à l'encre, tracées d'une plume fine, peut-être par le chasseur au cou de femme et à la tempe ensanglantée. Chez un bouquiniste, il acheta les quinze ou vingt tomes de *La Comédie humaine* reliés d'un maroquin brun-rouge qu'il lut patiemment, sans plaisir, l'un après l'autre, sans en omettre un seul, en écoutant le vent frotter les toits avec bruit, faire battre quelque part un volet. En dehors de rares parents, il ne connaissait dans la ville qu'un vieux peintre perpétuellement ivre qui répétait sans fin les mêmes vergers de pêchers en fleurs et chez lequel il rencontra quelques gens échoués là comme lui. Peu à peu il changeait. Il recommença à lire les journaux, regardant les cartes qu'ils publiaient, les noms des villes, des côtes ou des déserts où continuaient à se livrer des batailles. Un soir il s'assit à sa table devant une feuille de papier blanc. C'était le printemps maintenant. La fenêtre de la chambre était ouverte sur la nuit tiède. L'une des branches du grand acacia qui poussait dans le jardin touchait presque le mur, et il pouvait voir les plus proches rameaux éclairés par la lampe, avec leurs feuilles semblables à des plumes palpitant faiblement sur le fond de ténèbres, les folioles ovales teintées d'un vert cru par la lumière électrique remuant par moments comme des aigrettes, comme animées soudain d'un mouvement propre, comme si l'arbre tout entier se réveillait, s'ébrouait, se secouait, après quoi tout s'apaisait et elles reprenaient leur immobilité.

CET OUVRAGE A ÉTÉ ACHEVÉ D'IMPRIMER LE
QUINZE SEPTEMBRE MIL NEUF CENT QUATRE-
VINGT-NEUF DANS LES ATELIERS DE NORMANDIE
IMPRESSION S.A. À ALENÇON (ORNE) ET INSCRIT
DANS LES REGISTRES DE L'ÉDITEUR SOUS LE N° 2443

Dépôt légal : septembre 1989